Facebook
Guía práctica

Diego **Guerrero**

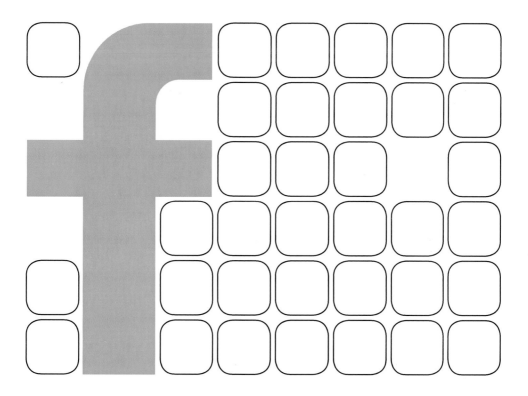

La ley prohíbe
fotocopiar este libro

Editado por:
Starbook Editorial
Calle Jarama, 3A, Polígono Industrial Igarsa
28860 PARACUELLOS DE JARAMA, Madrid
Teléfono: (+34) 91 658 16 98
Fax: (+34) 91 658 16 98
Correo electrónico: starbook@starbook.es
Internet: **www.starbook.es**
ISBN: 978-84-92650-63-7
Depósito Legal: M-16.237-2011

Diseño basado en diseño el original del libro "Quiero que mi empresa salga en Google" realizado por: www.estudiodelarocha.com

Maquetación: Antonio García Tomé
Diseño Portada: Antonio García Tomé
Impresión: Service Point S.A.
Impreso en España en abril de 2011

Agradecimientos

Quisiera dedicar esta obra a todas aquellas personas que han hecho y siguen haciendo posible el nacimiento y la evolución de la red de redes, sin ellos y su esfuerzo, nada de esto sería real.

A Lucía Tomás, por su inestimable ayuda y afecto, que me permiten seguir adelante con mis ilusiones.

Por otra parte, agradecer a Eduardo Launa de GTM su inspiración y consejo, así como a todos aquellos que, de un modo u otro, me han apoyado y soportado a lo largo de la creación de este libro.

Por último, dar las gracias al equipo editorial de Starbook/Ra-Ma por su excelente trabajo, muy especialmente a Antonio García.

Índice

Introducción

Una red social, como su propio nombre indica, no es más que una estructura basada en los contactos de tipo social entre sus miembros, ya sea por parentesco, por amistad, intereses comunes, conocimientos o cualquier otro tipo de relación.

En este espacio social, tienen cabida multitud de herramientas con las que facilitar la comunicación directa e inmediata entre sus participantes.

Se apoya en la llamada teoría de los seis grados de separación, postulada en 1930 por el escritor húngaro Fridyes Karinthy, en su obra Chains. Está basada en el concepto de que el número de conexiones crece exponencialmente con cada salto de la cadena, de tal manera, que solo son necesarios unos pocos saltos para que el mensaje se transmita a una población completa.

Podría decirse, como definición, que una red social no es más que una página web, que ofrece servicios y funcionalidades de interacción diversas, con la finalidad de mantener en contacto a los usuarios de la Red, estén donde estén.

Su aspecto es bastante semejante, comúnmente ofrecen una plataforma especial, altamente configurable y personalizable, que integra un nutrido grupo de funciones orientadas a la comunicación; Mensajería, Chat[1], Blogs[2], Wikis[3], juegos en línea, etc. En ellas, es posible compartir

---

1   Lugar de reunión donde, de forma instantánea, dos o más personas pueden mantener una conversación.

2   Llamado en castellano Bitácora, es un espacio web donde el autor o autores publican opiniones, artículos o impresiones de forma cronológica.

3   Es un sitio web de tipo colaborativo, donde los propios visitantes pueden publicar y modificar el contenido.

desde un pensamiento, hasta las fotos de nuestras últimas vacaciones con aquellos usuarios que queramos.

La idea de crear una comunidad de usuarios afines en Internet no es nueva. Podríamos mencionar, como el embrión de lo que ahora son, la visión de David Bohnett, creador de GeoCities a finales de los años 80.

GeoCities, era un servicio gratuito de alojamiento web que inicialmente se dividía en categorías, denominadas "barrios", permitiendo de esta manera agrupar los contenidos semejantes.

Sin embargo, la primera red social como tal vio la luz en 1995 de la mano de Randy Conrads y se llamó Classmates.com[4], orientada a recuperar el contacto con antiguos compañeros de secundaria y de la universidad. Aún hoy es una de las más influyentes, sobre todo en los Estados Unidos.

En pocos años, el número de comunidades de usuarios aumentó exponencialmente. En el 2002 apareció Friendster[5], aunque el boom de popularidad se alcanzó en 2003, con la llegada de MySpace[6] y Xing[7].

En este tiempo han surgido cientos de redes sociales, cada una con su orientación y perfil único, sin embargo, a día de hoy, la más extendida es Facebook[8], con más de 640 millones de miembros, creciendo a un ritmo de medio millón de nuevos usuarios diarios.

Facebook es una creación de Marck Zuckerberg, quien con el apoyo de varios compañeros de Harvard lanzó la aplicación en 2004. En este momento es el personaje más joven en figurar en la lista Forbes de los más ricos del mundo.

---

4   www.classmates.com

5   www.friendster.com

6   www.myspace.com

7   www.xing.com

8   www.facebook.com

Actualmente, la mayoría de los internautas tienen un perfil[9] en una o varias de las distintas redes sociales. De este modo, como sabemos, pueden conocer otras personas, localizar antiguas amistades, intercambiar inquietudes, pensamientos, fotos, vídeos e intereses, siendo la pieza fundamental, la sencillez y la rapidez de uso.

Todo esto abre un inmenso abanico de posibilidades para la investigación, el negocio, la creación, el marketing empresarial, el ocio. Sin embargo, también posibilita el fraude y el delito.

No hay que olvidar que los perfiles de usuario, generalmente, contienen gran cantidad de información personal, teléfonos, direcciones, fotos... datos que pueden ser utilizados por un usuario malintencionado en su provecho.

Por ello, es preciso conocer y saber utilizar las herramientas que las distintas redes sociales ponen a nuestro alcance para salvaguardar nuestra intimidad y privacidad.

También es necesario que el uso de estas redes por menores de 18 años[10] pueda ser supervisado por sus padres o tutores. Para ello, resulta imprescindible un cierto conocimiento de su funcionamiento y posibilidades.

No hay que alarmarse, simplemente usando el sentido común y limitando la información personal que compartamos con otros usuarios, sobre todo con aquellos que no conocemos personalmente, será bastante para poder disfrutar de estos servicios, imprescindibles hoy en día, con las mayores garantías.

---

9   Se denomina "perfil" a la página pública de un usuario donde se encuentra su descripción.

10 La mayoría de las redes sociales no permiten su uso a menores de 14 años, aún así, el tutor legal de cualquier menor de 18 años puede solicitar la baja de su perfil.

Redes personales
Facebook

- Facebook
- Registro

Son las Redes Sociales más extendidas y populares, sobre todo entre los más jóvenes: quién no ha oído hablar de Facebook, MySpace, Tuenti[11], Badoo[12], Twitter[13], etc.

Básicamente, permiten que el usuario disponga de un espacio propio en línea que puede personalizar a su gusto, donde poder compartir sus fotos, opiniones, comentarios, vídeos, enlaces, así como crear comunidades públicas o privadas.

En definitiva, se trata de una ventana abierta al mundo que puede consultar y modificar desde cualquier parte y, por supuesto, compartir con sus amistades.

Facebook

Facebook es, sin lugar a dudas, la Red Social estrella del momento, con más de 640 millones de usuarios, cifras de marzo de 2011, y está presente en más de 100 países. Actualmente es, con diferencia, la más popular y extendida entre los internautas a nivel mundial.

Su perfil de usuario medio responde a personas de ambos sexos, a partir de 25 años, que quieren encontrar antiguas amistades y mantener un contacto directo con las actuales.

La plataforma de Facebook, como la de la mayoría de las Redes Sociales, permite al usuario disponer de un perfil propio que puede personalizar completamente y sobre el que se desarrolla toda su actividad.

A través de Facebook es posible compartir pensamientos, opiniones, enlaces; publicar noticias, fotos o vídeos. También puede usar aplicaciones específicas, como juegos en línea, programas de marketing, bolsa, divisas, etc. Las posibilidades son casi infinitas.

En Facebook no solo las personas pueden tener perfiles. También las entidades, tengan fines lucrativos o no, pueden estar presentes, en este caso, mediante una página de Facebook.

---

11 *www.tuenti.com*

12 *www.badoo.com*

13 *www.twitter.com*

Redes personales Facebook

Las posibilidades comerciales y de marketing para empresas, o entidades públicas y privadas, son ilimitadas, sobre todo, teniendo en cuenta los millones de clientes potenciales que podrían acceder a sus contenidos si se genera el interés necesario.

Uno de los elementos diferenciadores de Facebook es la información a la que se accede directamente al iniciar sesión. Antes que su propio perfil el usuario puede ver las últimas noticias y movimientos de todos sus contactos.

Facebook es toda una experiencia vital, una nueva forma de socialización e interacción personal. Vamos a tratar de guiarles en su viaje a través de la web 2.0[14].

Registro

Lo primero que necesita para registrarse es disponer de un ordenador con conexión a Internet. Abra el navegador, sea Internet Explorer, Firefox, Safari o cualquier otro y, en la barra de direcciones, teclee *http://www.facebook.com*.

Al acceder al sitio web verá la página de bienvenida (véase Figura 1.1).

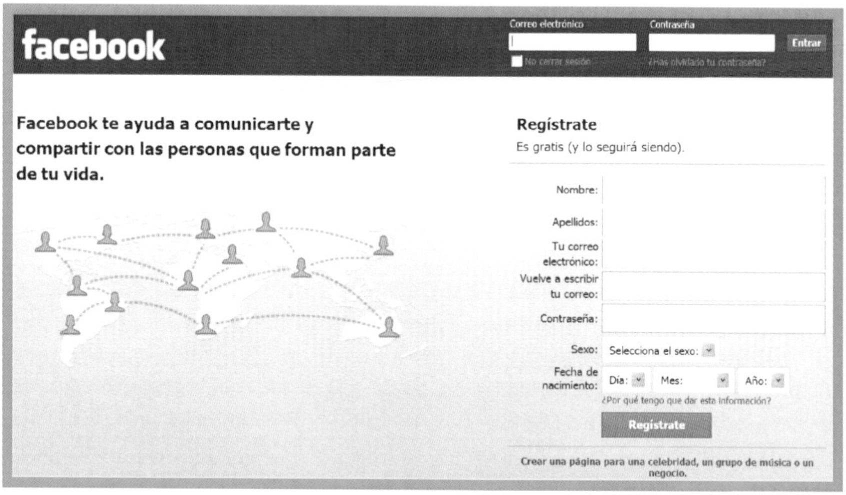

Figura 1.1. Página de acceso y registro de Facebook

---

14 Se trata de la conversión de Internet de una mera herramienta para compartir información, es decir, que mediante nuevas características posibilita una mayor interacción social entre sus usuarios.

Requisitos imprescindibles:

- Disponer de una cuenta de correo.
- Tener al menos 13 años cumplidos, 14 en el caso de España.
- Lectura de términos y condiciones.

Debe rellenar todos los campos en blanco con los datos que correspondan (véase Figura 1.2).

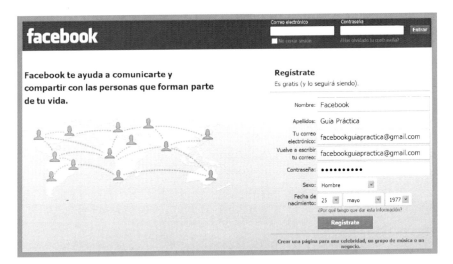

Figura 1.2. Formulario de registro cumplimentado

Para completar el registro haga clic[15] sobre el botón con la leyenda **Regístrate**. Esto le llevará al primero de los dos controles de seguridad existentes (véase Figura 1.3).

Su función es evitar que *bots*[16] programados a tal efecto se registren automáticamente, habitualmente con el fin de sobrecargar el sistema o de hacer *spam*[17].

Es preciso repetir, respetando mayúsculas y minúsculas, en el campo indicado, el texto que nos muestra la imagen (véase Figura 1.3).

---

15 Acción de pulsar con el botón izquierdo del ratón sobre el lugar indicado.

16 Es un tipo de programa informático capaz de realizar diversas tareas, habitualmente simula el comportamiento de un ser humano.

17 Toda clase de comunicación o publicidad no deseada por el receptor.

Redes personales Facebook

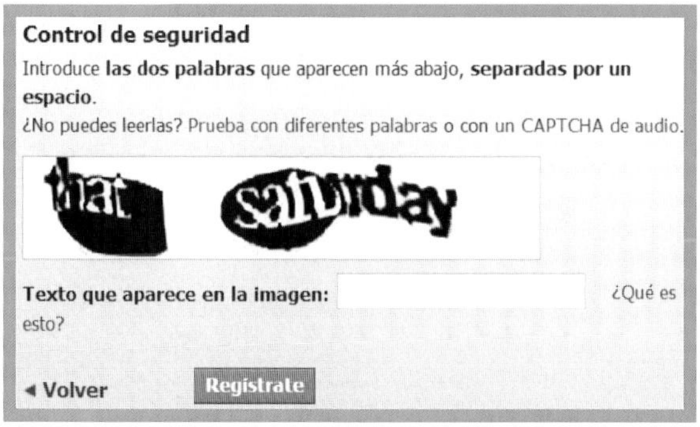

Figura 1.3. Primer control de seguridad

Una vez hecho, haga clic de nuevo sobre el botón **Regístrate**. El sistema, como segunda medida de seguridad, le enviará un correo electrónico de confirmación a la dirección de registro (véase Figura 1.4).

Figura 1.4. Correo electrónico de confirmación de registro

Cuando lo reciba (suele suceder de manera inmediata, aunque puede tardar unos minutos) haga clic sobre el enlace que contiene o sobre el botón **Completa tu registro**.

Redes personales Facebook

Como se puede ver, realmente son solo unos pocos y sencillos pasos, necesarios para filtrar mínimamente el acceso al sistema.

Este enlace le llevará a tres pantallas de configuración básica del perfil. Puede cumplimentarlas directamente o bien hacer clic sobre **Saltar este paso**, **Omitir**, **Omitir**, respectivamente, para hacerlo más adelante, como va a ser en esta ocasión (véase Figuras 1.5, 1.6 y 1.7).

Figura 1.5. Paso uno de configuración inicial

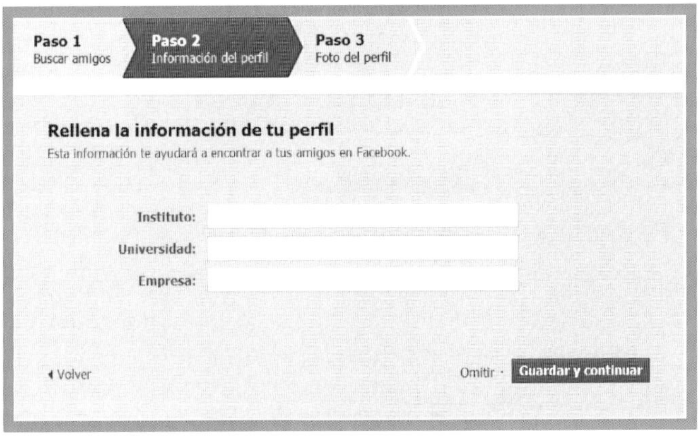

Figura 1.6. Paso dos de configuración inicial

Redes personales Facebook

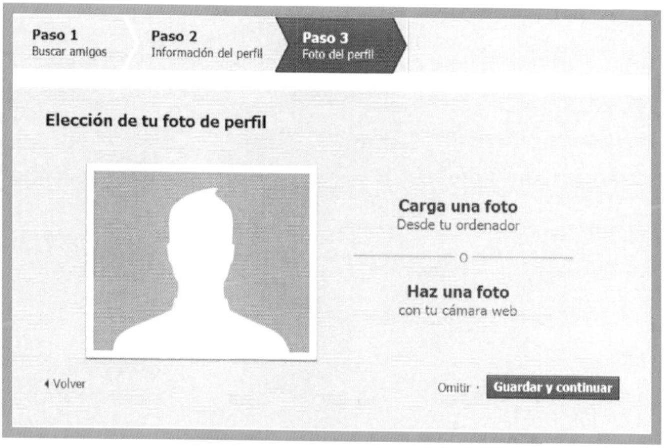

Figura 1.7. Paso tres de configuración inicial

Llegados a este punto (véase Figura 1.7), en cuanto haga clic bien sobre **Omitir** o sobre **Guardar y continuar** pasará por fin a su página de inicio en Facebook, no visible por el resto de usuarios.

En el próximo capítulo verá paso a paso cómo incluir información, buscar amigos y algunas nociones sobre la protección de su intimidad y la información que comparte.

Redes personales Facebook

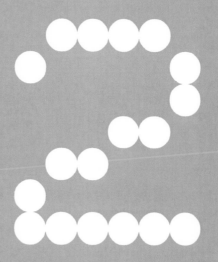

Configuración inicial

Ahora ya estamos listos para empezar a personalizar nuestra recién estrenada cuenta personal en Facebook.

El sistema pone a su disposición innumerables posibilidades de configuración y personalización que irá viendo en detalle a lo largo de este libro.

Vamos a comenzar siguiendo unos pocos pasos que le permitirán un primer acercamiento al funcionamiento básico de la plataforma. Como podrá ver, la interfaz[18] es muy amigable e intuitiva, lo que facilitará enormemente que, en pocos minutos, se sienta cómodo con Facebook.

Primeros pasos

En este momento, lo primero que verá al iniciar sesión, con su dirección de correo y contraseña, será su página de inicio aún sin configurar (véase Figura 2.1).

Como podrá comprobar, en este primer estadio, se encuentra bastante desnuda, desprovista de cualquier dato u opción, más allá de su nombre. Conforme vaya familiarizándose con el sistema la dotará de vida, ¡su vida digital!

A continuación, vamos a personalizar en cinco pasos su perfil de usuario. Cualquier dato puede modificarse más adelante, en cualquier momento, pulsando sobre el vínculo **Editar mi perfil**, que encontrará debajo de su nombre de usuario, o bien dentro de la pestaña **Cuenta**, en el menú de configuración que más se adapte a sus necesidades.

---

18 Se denomina "interfaz" en este caso, al programa informático que permite comunicar a la persona con el sistema.

Configuración inicial

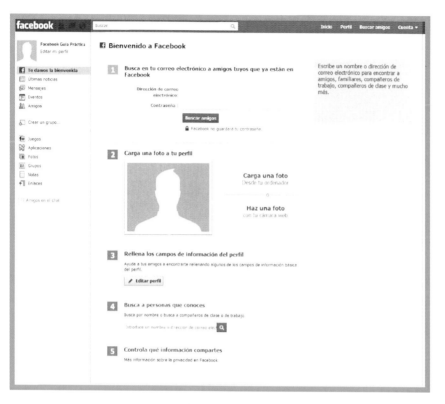

Figura 2.1. Página de inicio de Facebook

Paso 1. Búsqueda de contactos

Para comenzar, sería buena idea ver cuáles de los miembros de la libreta de direcciones de su *e-mail* disponen a su vez de perfil en Facebook.

Para ello, simplemente es preciso teclear nuestra dirección de correo en el formulario (véase Figura 2.2) y hacer clic sobre el botón **Buscar amigos**.

Por defecto aparecerá directamente la dirección de correo con la que se ha registrado. De todos modos, si lo desea, puede introducir cualquier dirección de correo, o varias, para realizar la búsqueda de forma más completa.

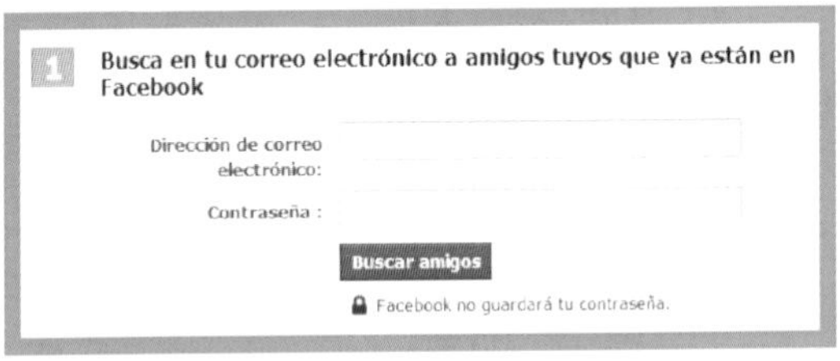

Busca en tu correo electrónico a amigos tuyos que ya están en Facebook

Dirección de correo electrónico:

Contraseña :

Buscar amigos

🔒 Facebook no guardará tu contraseña.

Figura 2.2. Formulario de búsqueda de amigos en Facebook

Una vez completado, el sistema le devolverá un resultado (véase Figura 2.3) en el que podrá seleccionar los contactos que le gustaría añadir como amigos a su perfil, simplemente haciendo clic sobre la casilla, al lado del contacto elegido.

Al pulsar sobre **Añadir a mis amigos** se remitirá una invitación de amistad a los contactos seleccionados. Una vez que sea aceptada por ellos, aparecerán en su perfil como amigos.

Figura 2.3. Amigos encontrados entre contactos de e-mail

El sistema, una vez hecho esto, también le permitirá de forma similar enviar una invitación a unirse a Facebook a aquellos de sus contactos que aún no sean miembros.

Paso 2. Foto de perfil

Ahora es el momento de cargar una foto en su cuenta, que será la que aparezca en su perfil público, junto al nombre.

El proceso es muy sencillo, puede cargar una foto desde su ordenador, o bien, si dispone de cámara web y así lo desea, hacerse una foto en el momento (véase Figura 2.4).

Figura 2.4. Incluyendo una foto para el perfil público

Al hacer clic sobre **Carga una foto**, se mostrará una ventana en la que, nuevamente, deberá hacer clic sobre el botón **Examinar**, acción que le mostrará otra ventana que le permitirá navegar por los archivos de su ordenador y seleccionar la foto que le interese incluir como foto de perfil (véase Figura 2.5).

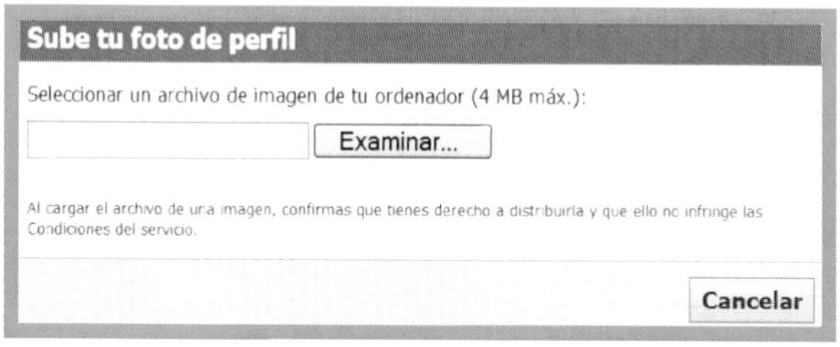

Sube tu foto de perfil

Seleccionar un archivo de imagen de tu ordenador (4 MB máx.):

Examinar...

Al cargar el archivo de una imagen, confirmas que tienes derecho a distribuirla y que ello no infringe las Condiciones del servicio.

Cancelar

Figura 2.5. Formulario para seleccionar imagen de su ordenador

Facebook soporta los formatos de imagen más conocidos: .jpg, .tiff, .bmp; la única restricción reseñable se refiere al tamaño del archivo, limitado a un máximo de 4 Mb.

Si, por el contrario, dispone de cámara web en su ordenador, desea tomar una foto en el momento y adjuntarla como foto de perfil, solo haga clic sobre el botón **Haz una foto** del menú anterior (véase Figura 2.4).

Configuración inicial

El sistema activará su cámara web y le permitirá tomar una foto haciendo clic sobre el icono con forma de cámara y, después, pulsando el botón **Guardar imagen** incluirla directamente.

En cualquier momento es posible modificar o eliminar la foto principal del perfil. Hay distintas formas de hacerlo, pero lo más rápido y sencillo consiste en situar el cursor del ratón sobre la esquina superior derecha de la imagen y hacer clic sobre **Cambiar foto**.

Esto le llevará a la ficha de edición de su perfil titulada *Foto de perfil*, donde podrá llevar cualquiera de las acciones descritas a cabo de forma rápida y sencilla.

Paso 3. Añadiendo información básica

Sería interesante incluir alguna información personal que permita a sus amigos y conocidos localizarle con más facilidad.

Para ello, haga clic sobre el botón **Editar perfil** (véase Figura 2.6).

Figura 2.6. Incluyendo información básica en su perfil

Cuando lo haya hecho, podrá ver una ventana que contiene un menú de navegación en su parte izquierda con distintas categorías relacionadas y algunos campos vacíos referidos a distintos aspectos de su vida. Puede completar aquellos que desee.

Una vez que haya rellenado los campos seleccionados, haga clic sobre el botón **Guardar cambios**. Para volver al perfil público y continuar con la personalización deberá hacer clic sobre el logotipo de Facebook, situado en la parte superior izquierda.

Mediante la configuración de privacidad que le mostraremos en detalle más adelante, usted puede elegir qué datos quiere que se muestren en su perfil público y con quién quiere compartirlos.

Paso 4. Búsqueda de amigos y conocidos

Llegados a este punto, su configuración básica personal casi ha concluido. Ahora, puede buscar amigos o conocidos introduciendo el nombre o la dirección de correo en el formulario adjunto y haciendo clic sobre el icono con forma de lupa (véase Figura 2.7).

Figura 2.7. Formulario de búsqueda, amigos y conocidos

Veamos un ejemplo

Supongamos que está buscando a un antiguo compañero de la Facultad de Derecho de Barcelona, concretamente de la Autónoma, UAB, llamado Antonio Aranda, del que además sabe que reside en Barcelona.

Sencillo, en el formulario anterior, introduzca el nombre y apellido y, después, haga clic sobre el icono de la lupa a la derecha de la imagen.

Esto, como puede ver en la siguiente imagen (véase Figura 2.8), arrojará varios posibles resultados.

Figura 2.8. Resultado de búsqueda de amigos o conocidos

En la mayoría de las ocasiones, sobre todo si no cuenta con el nombre completo, el resultado de la búsqueda puede incluir cientos de posibles opciones.

Por este motivo, puede acotarla filtrando el resultado, incluyendo información adicional, que en el caso particular de Facebook puede ser por *Lugar*, *Formación*, o bien, por *Lugar de trabajo*.

Para ello, en la parte superior de la imagen anterior verá lo siguiente (véase Figura 2.9). En el caso que nos ocupa debería introducir primero el lugar de origen, "Barcelona", y si con esto no es bastante, la institución educativa (Formación).

Figura 2.9. Filtrado de búsquedas

Cuando haya completado los campos extra, para llevar a cabo de nuevo la búsqueda con los datos añadidos, debe hacer clic sobre **Filtro** que, como ve, aparece a la derecha de la imagen.

Una vez que localice a la persona deseada, para agregarlo como amigo observe que a la derecha de su nombre aparece la opción **Añadir a mis amigos**.

Pulse sobre ella y el sistema le mostrará una ventana de confirmación (véase Figura 2.10) desde la que podrá enviar su solicitud de amistad, acompañándola si lo desea de un mensaje personal.

Figura 2.10. Solicitud de amistad

Para completar el proceso, haga clic sobre **Enviar solicitud**. No olvide que puede incluir un mensaje personal pulsando sobre **Escribe un mensaje personal...**.

Configuración inicial

Como ya sabe, para volver a la pantalla de configuración básica del perfil debe hacer clic sobre el logotipo de Facebook, situado en la parte superior izquierda de la pantalla.

Paso 5. Configuración inicial de privacidad

Este es el último paso de la configuración inicial y, sin lugar a dudas, el más importante (véase Figura 2.11). En él recibirá unas nociones básicas sobre la importancia que tiene la privacidad y la protección de sus datos en Facebook.

> **5** Controla qué información compartes
> Más información sobre la privacidad en Facebook.

Figura 2.11. Información básica sobre privacidad

Haciendo clic sobre el texto **Controla qué información compartes** accederá a un pequeño tutorial sobre las opciones de privacidad disponibles (véase Figura 2.12).

Figura 2.12. Tutorial básico sobre privacidad

Desde esta información adicional es posible acceder directamente a la configuración de privacidad solamente haciendo clic sobre el texto **Edita tu configuración de privacidad**, situado en la parte derecha del título *Controles de privacidad*. Lo verá en profundidad más adelante, ya que su importancia merece mención aparte.

Configuración inicial

nicio

erior

- Mensajes
- Eventos
- Grupos
- Fotos
- Aplicaciones y juegos
- Notas
- Enlaces
- Servicio de chat

En este momento tiene su nueva cuenta de Facebook en marcha. Seguramente la haya completado con información básica sobre usted, incluso es posible que ya tenga alguna amistad confirmada.

De forma progresiva, a lo largo de este libro irá viendo las distintas posibilidades y opciones que le brinda Facebook que, como sabe, son muchas y variadas.

A primera vista puede parecerle un poco desbordante, pero enseguida se dará cuenta de que la gran mayoría de las acciones guardan cierta similitud en su funcionamiento, lo que facilita enormemente el aprendizaje.

Esto convierte a Facebook en un entorno amigable para con el usuario que, sin percatarse de ello, verá como empieza a desenvolverse con soltura.

No olvide ser prudente respecto a los datos personales que publique en su perfil. No todo el mundo alberga las mejores intenciones y al amparo del presunto anonimato que ofrece Internet puede cruzarse con algún indeseable.

Para disponer de un perfil en Facebook completamente funcional no necesita incluir información sensible, como números de teléfono, direcciones o cualquier otro dato que pudiera ser utilizado sin su autorización.

Vista principal

En todos los casos, cuando acceda a su cuenta en Facebook, lo primero que aparece es la Página de Inicio, conteniendo las últimas novedades (véase Figura 3.1).

Como ve, la imagen dista bastante de la que vio en el capítulo anterior. Esto es así ya que al haber aportado información sobre usted e incluido algunos amigos, el motor de Facebook se ha puesto en funcionamiento, activando las funciones de su nuevo perfil.

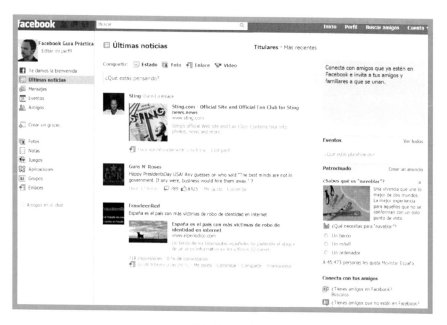

Figura 3.1. Página de Inicio

Acceso a su página de inicio

Para visualizar su página de inicio, en primer lugar debe acceder al sistema introduciendo en la página principal su dirección de correo y contraseña (véase Figura 3.2).

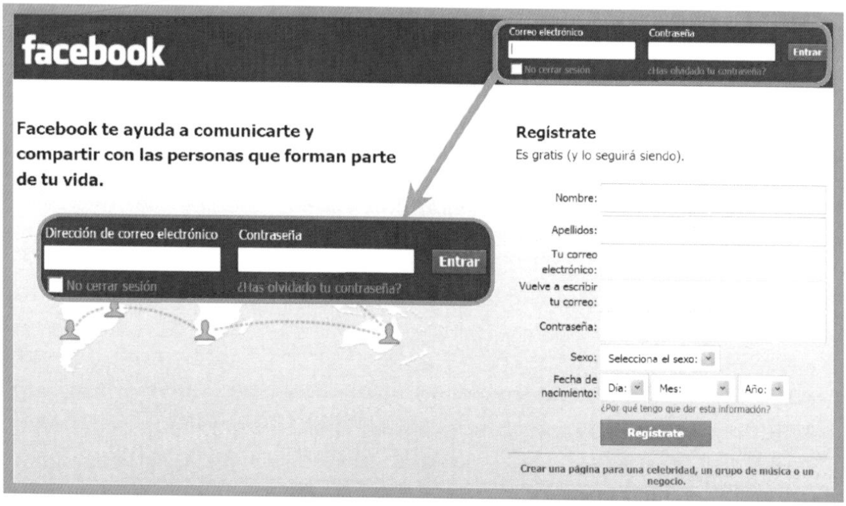

Figura 3.2. Página de acceso y registro de Facebook

Una vez que pulse sobre el botón **Entrar**, Facebook le mostrará por defecto su página de inicio con las últimas noticias y eventos recientes.

En cualquier momento puede volver a la página de inicio si pulsa sobre el vínculo **Inicio** de la barra de navegación superior (véase Figura 3.3).

Descripción

Su página de inicio contiene una gran cantidad de información útil. Su cometido es que pueda ver de forma sencilla todas las novedades ocurridas desde su última conexión. También le servirá como medio de organización; como sabe, Facebook aporta una inmensa cantidad de información que puede resultar excesiva en algunos momentos.

Podríamos decir que la pantalla que muestra su página de inicio se divide en cuatro zonas diferenciadas:

En la parte superior, se halla la *barra de navegación*, presente en todas las páginas de Facebook. En ella se encuentra el área de acceso rápido con información sobre solicitudes de amistad, mensajes y notificaciones, así como el campo de búsqueda, accesos directos a la página de inicio o al perfil público, las opciones principales de configuración de su cuenta, el servicio de ayuda, el cierre de sesión, o la administración de páginas y grupos, si los tiene (véase Figura 3.3).

Figura 3.3. Barra superior de navegación

En la parte izquierda de la página de inicio encontrará un menú desde el que podrá filtrar la información que se muestra en la zona central, en función de sus preferencias en cada momento.

Así mismo, las distintas categorías disponibles le permitirán el acceso a todas las funciones relacionadas de configuración, uso, personalización y aplicaciones.

Puede elegir entre ver a sus amistades, las fotos que tienen cargadas en el sistema, los últimos eventos, noticias, mensajes, juegos disponibles o en los que participan sus amigos, enlaces publicados, aplicaciones... en definitiva, una fuente considerable de información sobre usted y sus amigos, a la que seguro sacará un enorme partido (véase Figura 3.4).

También en su parte superior se encuentra su foto de perfil y nombre, así como un enlace que le permitirá acceder a la ventana de edición de su perfil público.

Dedique unos minutos a explorar en profundidad esta parte de su página de inicio, la mayoría de las opciones las iremos viendo conforme avance este capítulo.

Como ve puede resultar enormemente útil, por ejemplo, ver de una pasada las novedades de sus amistades, cuáles son sus juegos y aplicaciones favoritas, o las últimas fotos que han publicado.

Figura 3.4. Menú de información

En la parte central, por defecto, se mostrarán las últimas noticias referidas a sus amistades, grupos o páginas que le gusten (véase Figura 3.1).

Lo que vea variará en función de su selección entre las distintas categorías del menú situado en la parte izquierda de la página de inicio.

En el encabezado, justo debajo del título *Últimas noticias*, verá el menú de acción *Editor* (véase Figura 3.5), desde el que podrá compartir si lo desea, comentarios, imágenes, fotos, etc. Lo veremos más adelante.

Compartir: 📝 Estado 📷 Foto 🔗 Enlace 📹 Vídeo

Figura 3.5. Menú de acción Editor

Por último, en la parte derecha, se muestran sugerencias, notificaciones, solicitudes pendientes, eventos próximos y anuncios del sistema (véase Figura 3.6).

Eventos   Ver todos

¿Qué estás planificando?

2 invitaciones a eventos

31 2ª Edición SILVER LAB con...   ×
    Sábado 3:00

Destacados

Usa el buscador de amigos con   ×
Windows Live Messenger

Busca a tus amigos fácilmente
con el buscador de amigos
automático.

Identificador de Messenger

Buscar amigos

🔒 Facebook no guardará tu contraseña.

Solicitudes   Ver todas

1 página sugerida

Toques

Pablo · Devolver el toque
                                              ×

Conecta con tus amigos

¿Tienes amigos en Facebook?
Búscalos

¿Tienes amigos que no están en Facebook?
Invítalos

¿Quién está en Facebook gracias a ti?
No te pierdas ninguna invitación

Conecta con tus amigos estés donde estés
Prueba Facebook móvil

Figura 3.6. Área de eventos

Barra de navegación superior

Está presente en todas las páginas de Facebook, concretamente en su parte superior. Contiene distintos accesos directos, así como avisos y notificaciones sobre la actividad reciente. También se encuentra en ella el servicio de búsqueda y las opciones de administración y configuración de su cuenta (véase Figura 3.3).

En su parte izquierda, sobre fondo azul, puede ver el logotipo de Facebook. Si pulsa sobre él, el sistema le mostrará la página de inicio (véase Figura 3.1).

Obtendrá el mismo resultado al hacer clic sobre el vínculo **Inicio**, situado en la mitad derecha de la barra.

Como podrá comprobar en la Figura 3.7, la barra de navegación superior dispone de accesos directos a la mayoría de las funciones más importantes presentes en Facebook. Haga clic sobre la característica que le interese para ver las opciones disponibles.

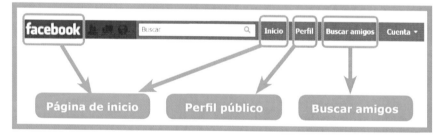

Figura 3.7. Accesos directos de la barra de navegación superior

La última opción, bajo el título **Cuenta**, agrupa un acceso directo a la edición de sus amistades, al servicio de ayuda, a los menús de configuración de su cuenta y privacidad, así como al vínculo que permite el cierre de sesión.

Algunas de ellas, como la configuración de la cuenta o la configuración de la privacidad, por su importancia, precisan mención aparte y se verán en profundidad más adelante.

También sirve como sistema de notificación de eventos cuando reciba una solicitud de amistad, un mensaje privado, una invitación para participar en algún evento u otras notificaciones. Sobre el icono correspondiente verá un número que le indicará la cantidad de notificaciones pendientes. Al hacer clic sobre él podrá ver de qué se trata y las opciones posibles.

En relación con esto, justo a la derecha del logotipo de Facebook se encuentran tres iconos que corresponden, respectivamente, a *Solicitudes de amistad*, *Mensajes* y *Notificaciones* (véase Figura 3.8).

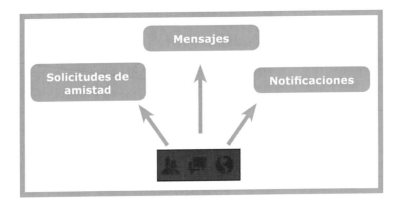

Figura 3.8. Opciones generales

Pulsando sobre ellos accederá a un desplegable a modo de resumen de los últimos eventos y acciones pendientes en cada caso.

Solicitudes de amistad

Al hacer clic sobre el primer icono, correspondiente a **Solicitudes de amistad**, verá un menú desplegable con las solicitudes de amistad pendientes más recientes, en caso de haberlas, y las opciones disponibles (véase Figura 3.9).

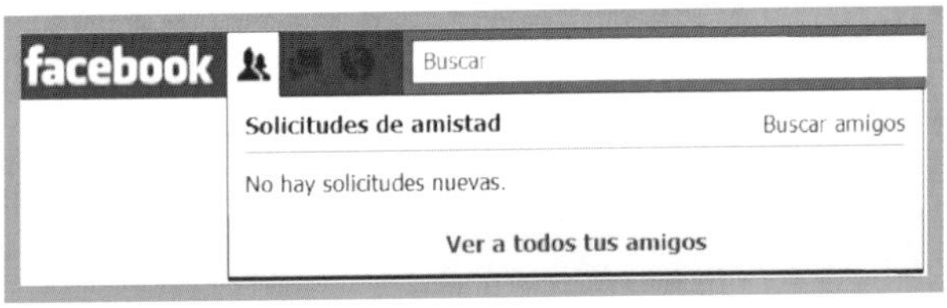

Figura 3.9. Solicitudes de amistad

Al situar el cursor del ratón sobre cualquiera de las solicitudes pendientes, éstas aparecerán como seleccionadas, mostrando un fondo coloreado; entonces podrá elegir entre aceptar las solicitudes o ignorarlas.

Si pulsa sobre el vínculo **Buscar amigos**, verá la categoría *Amigos* del menú principal, desde la que podrá buscar a sus amigos y conocidos, así como administrar y editar los existentes.

Si pulsa sobre el texto **Ver a todos tus amigos**, accederá a la ventana de edición de amigos, concretamente a la categoría *Amigos*, donde podrá ver todas sus amistades confirmadas y actuar sobre ellas.

Mensajes

Al hacer clic sobre el segundo icono, correspondiente a **Mensajes**, se desplegará una ventana de información conteniendo los últimos mensajes privados recibidos, así como dos opciones, *Enviar un mensaje nuevo* y *Ver todos los mensajes* (véase Figura 3.10).

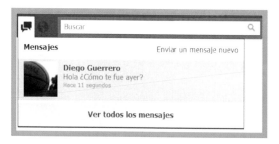

Figura 3.10. Mensajes recibidos

Si pasa el cursor del ratón sobre cualquiera de los mensajes mostrados, igual que anteriormente, éste aparecerá como seleccionado mostrando un fondo coloreado.

Una vez seleccionado, al hacer clic con el ratón, el servicio de mensajería le mostrará el mensaje entero, así como la conversación completa si la hubiera y las opciones disponibles.

Si pulsa sobre el vínculo **Enviar un mensaje nuevo** verá una ventana emergente en la que le será posible escribir un nuevo mensaje y enviarlo de forma rápida y sencilla.

Al hacer clic sobre el texto **Ver todos los mensajes** accederá a la categoría *Mensajes* del menú principal, en la que se encuentran todos sus mensajes almacenados cronológicamente, así como todas las posibilidades de administración y edición de los mismos.

Notificaciones

El tercer icono corresponde a las **Notificaciones**. Al pulsar sobre él, al igual que anteriormente, verá un menú desplegable con las últimas notificaciones además de la opción *Ver todas las notificaciones* (véase Figura 3.11).

Figura 3.11. Ventana notificaciones

Al pasar el cursor sobre cualquiera de las disponibles, al igual que en el caso de las solicitudes de amistad y los mensajes, el fondo se coloreará y, si hace clic sobre cualquiera de ellas, accederá al contenido completo al que se refieren.

En él podrá escribir un comentario o utilizar alguna de las opciones disponibles que variarán en función del tipo de evento.

Mediante notificaciones recibirá información sobre cualquier novedad de sus amistades que tenga que ver con usted, por ejemplo, si publicaron en su muro, si alguien comentó su estado o una foto en la que a su vez dejó también un comentario.

Página de inicio

Si su actividad en Facebook es elevada, es posible que las notificaciones le resulten agobiantes; por ello, Facebook agrupa las notificaciones sobre un mismo hecho para limitar el número de las mismas.

Así mismo, es posible escoger los sucesos sobre los que desea recibir una notificación, lo verá en las siguientes líneas.

Si hace clic sobre el texto **Ver todas las notificaciones** (véase Figura 3.11) Facebook le mostrará la ventana *Tus notificaciones*, que contiene todas las notificaciones recibidas en su perfil almacenadas de forma cronológica (véase Figura 3.12).

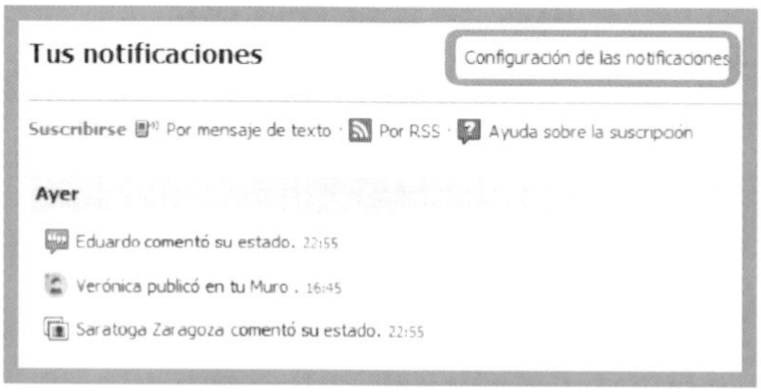

Figura 3.12. Ventana Tus notificaciones

Si pulsa sobre el texto **Configuración de las notificaciones** que puede ver en la esquina superior derecha, Facebook le presentará una ventana donde podrá elegir sobre qué hechos desea recibir una notificación cuando ocurran simplemente marcando o desmarcando la casilla asociada al evento del que quiere recibir aviso.

> **Nota**: Como ve en la imagen anterior, es posible suscribirse a las notificaciones para recibirlas bien mediante mensajes de texto (para lo que deberá dar de alta su teléfono en Facebook pulsando sobre **Por mensaje de texto**) o bien mediante RSS[19]. Dispone de un completo menú de ayuda anexo con los detalles.

---

19 Es un sistema de eventos o noticias que le permitirá estar actualizado minuto a minuto, enviándole cualquier acontecimiento nuevo de forma inmediata. Técnicamente es un sistema automático de sindicación de contenidos que permite suscripción, obteniendo con ella información actualizada de forma constante.

Buscar en Facebook

En la parte central de la barra de navegación superior se halla la barra de búsqueda mediante la que podrá encontrar amigos, conocidos, aplicaciones, páginas, grupos y otros (véase Figura 3.13).

Se trata de una de las herramientas básicas que le proporciona Facebook. Su uso es frecuente y probablemente la preferirá a otras formas de hacer las cosas que ya conoce, como puede ser la búsqueda de amigos y conocidos.

Figura 3.13. Formulario de Búsqueda

Su funcionamiento es realmente sencillo e intuitivo. Para iniciar una nueva búsqueda escriba los datos que desea consultar en el campo **Buscar**. Como ya sabe, para activarlo, en primer lugar es necesario hacer clic sobre él con el ratón.

Si comienza a escribir una consulta en el campo de búsqueda, la función *autocompletar* le mostrará una vista previa con los resultados que más se ajusten a ésta (véase Figura 3.14).

Figura 3.14. Vista previa de búsqueda

Existen dos formas de acceder al listado con todos los resultados encontrados relacionados con su búsqueda.

Lo más sencillo y rápido consiste en pulsar sobre el icono con forma de lupa que puede ver en la parte derecha de la barra de búsqueda.

Sin embargo, también puede conseguir el mismo resultado haciendo clic sobre el texto **Ver más resultados para...**, que encontrará al final de la vista previa de resultados (véase Figura 3.14).

Ambas acciones le llevarán a la página **Todos los resultados** (véase Figura 3.15), donde podrá afinar su búsqueda y filtrarla por categorías, facilitando enormemente encontrar cualquier información que precise.

Figura 3.15. Página Todos los resultados

En la zona central podrá ver todos los resultados obtenidos por orden de importancia en cuanto a la similitud con el texto de búsqueda.

Como puede ver en la Figura 3.15, junto a cada uno de ellos Facebook le mostrará la opción u opciones posibles. Este sistema, como comprobará, simplifica en gran medida cualquier búsqueda que necesite realizar.

> **Truco:** Si introduce en el formulario de búsqueda una dirección de correo electrónico, Facebook le dirá si esa dirección existe en el sistema y a quién pertenece.
>
> Resulta muy útil para localizar amigos y conocidos, evitando tener que navegar entre múltiples resultados similares.

> **Recuerde**: Cuanto más completa sea la información que introduzca como cadena de búsqueda, más eficaz será el servicio, y la coincidencia de los resultados obtenidos será mayor.

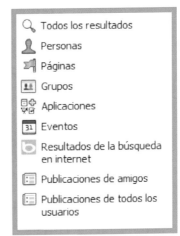

Figura 3.16. Selección de filtro de resultados

En la parte izquierda (véase Figura 3.16) encontrará un menú que le proporciona la ventaja de filtrar sus resultados por categorías. Además podrá ver resultados de su búsqueda encontrados en Internet e incluso le será posible examinar las publicaciones de sus amigos en busca de coincidencias.

> **Recuerde**: Por defecto, su nombre aparecerá en los resultados de búsqueda. Si, por el contrario, desea que no se muestre debe personalizar la configuración de privacidad, concretamente la opción *Buscarme en Facebook*.
>
> Se trata de una medida muy eficaz para proteger su intimidad en Facebook, sin embargo no impedirá que figure en el listado de amigos de sus contactos.

Cuenta

El menú **Cuenta**, como sabe, contiene todas las opciones de configuración y administración de su cuenta, así como el sistema de ayuda, un acceso directo a la edición de sus amistades y el vínculo para cerrar su sesión (véase Figura 3.17).

De cualquier modo, estas opciones pueden aumentar, por ejemplo, si administra Grupos o Páginas. En este caso, aparte de las mencionadas, aparecerán las opciones Administrar grupos y Usar Facebook como página.

> ❝ **¡OJO!** Si ingresa en su cuenta de Facebook mediante un ordenador de uso público, como pueden ser los disponibles en bibliotecas o CyberCafes, no olvide, al terminar su uso, salir de su cuenta y eliminar el historial de navegación.
>
> Puede hacerlo mediante el menú *Herramientas*, *Opciones de Internet*, en Internet Explorer, y de forma similar en Mozilla Firefox.

Figura 3.17. Menú Cuenta

Editar amigos

Haciendo clic sobre el texto con la leyenda **Editar amigos** (véase Figura 3.17) el sistema le mostrará una ventana desde la que podrá gestionar sus amistades.

Igualmente, es posible acceder a la edición de sus contactos desde su página de inicio, concretamente dentro de la categoría *Amigos* del menú principal, que se tratará en profundidad en este mismo capítulo un poco más adelante.

Configuración de la cuenta

Este es el menú que controla la totalidad de su cuenta en Facebook. Desde él podrá modificar cualquier dato relevante que afecte a su perfil. Debido a su importancia se verá con detalle en el capítulo seis.

Configuración de la privacidad

Pulsando sobre el vínculo **Configuración de la privacidad**, dentro del menú *Cuenta*, accederá al sistema de control de su intimidad que ofrece Facebook.

Una correcta configuración de la privacidad de su cuenta en Facebook le garantizará una navegación segura y una correcta protección de su intimidad, evitando un uso malintencionado de su información personal. Igual que en el caso anterior, se verá en profundidad en el capítulo siete.

Servicio de ayuda

Facebook dispone de un eficaz y completo sistema de soporte. Gracias a él podrá obtener información adicional y recursos sobre todas las funciones de la red (véase Figura 3.18).

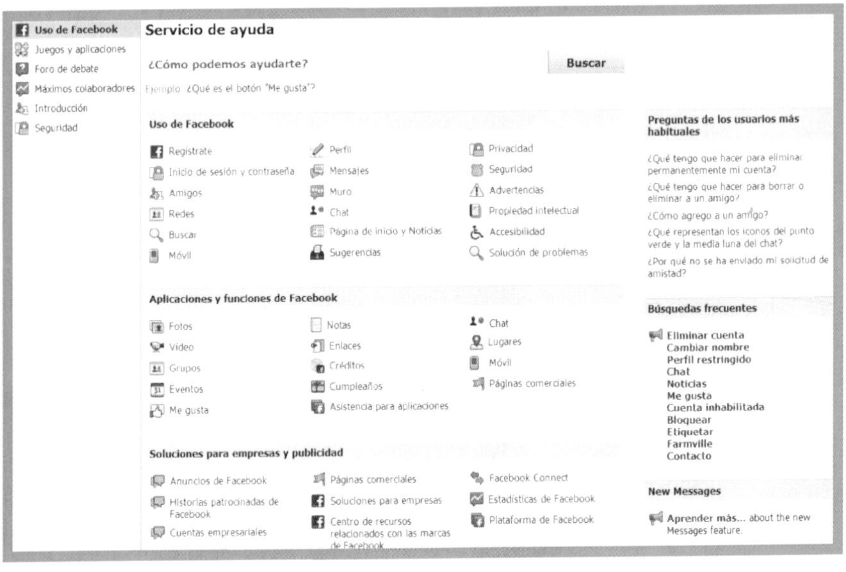

Figura 3.18. Servicio de ayuda

Como comprobará, se encuentra dividido en tres categorías principales: *Uso de Facebook*, *Aplicaciones y Características de Facebook* y, por último, *Soluciones para empresas y publicidad*.

Esta distribución simplifica enormemente el uso del sistema de ayuda. Sencillamente, escoja la opción que más se aproxime a la información que busca y aparecerán las consultas más comunes sobre el tema.

En su parte superior puede ver un campo de búsqueda donde formular sus preguntas. Su funcionamiento es similar al que puede encontrar en la barra de navegación superior, aunque, claro está, en este caso referido exclusivamente a la ayuda de Facebook.

En la parte izquierda se encuentra un menú donde encontrará temas de ayuda de importancia, así como el foro de debate, donde podrá formular preguntas concretas y a su vez ver las preguntas y respuestas dadas por otros usuarios.

El vínculo del menú lateral *Juegos y Aplicaciones* le proporcionará soporte y ayuda sobre programas de terceros que use en su cuenta de Facebook.

Por último, en la parte derecha de la pantalla, como viene siendo habitual en Facebook, encontrará sugerencias, recomendaciones y globos de asistencia referentes al servicio de ayuda del sistema.

Salir

Al hacer clic sobre el vínculo **Salir** cerrará su actual sesión en Facebook.

No olvide salir de su sesión siempre que utilice ordenadores públicos o aquellos que se encuentren al alcance de terceros. De este modo, evitará sorpresas desagradables, como podría serlo, el que otra persona con intenciones desconocidas pudiera acceder a su perfil de Facebook y manipularlo a su antojo.

Si ha olvidado cerrar su sesión en un ordenador público no se preocupe, los responsables de Facebook han tenido en cuenta esta posibilidad; dentro de la *Configuración de la Cuenta*, concretamente en la categoría *Seguridad de la Cuenta*, tendrá la posibilidad de cerrar su sesión remotamente.

Ésta y otras opciones relativas a la personalización, opciones y caracte-rísticas de su cuenta se tratarán en profundidad a lo largo del capítulo seis, titulado *Configuración de la Cuenta*.

Uso del servicio de ayuda

Vamos a suponer que no tenemos claro el proceso para encontrar a aquellos de nuestros amigos que tengan cuenta en Facebook.

Paso 1

En primer lugar tenemos que acceder al *Servicio de ayuda*. Para lograrlo pulsaremos sobre el vínculo **Cuenta**, el cual, como sabemos, se encuen-tra en la parte derecha de la barra de navegación superior (véase Figura 3.19).

Figura 3.19. Búsqueda de amistades Paso 1

Paso 2

Cuando lo hagamos aparecerá el menú contextual (véase Figura 3.17) en el que veremos distintas posibilidades. En él pulsaremos sobre la opción **Servicio de Ayuda**.

Paso 3

Una vez hecho, se presentará la ventana principal del servicio de ayuda (véase Figura 3.18) donde buscaremos la alternativa que más se acerque a nuestra consulta. En el caso de nuestro ejemplo, la categoría más adecuada es **Amigos**. Haremos clic sobre ella obteniendo el resultado de la Figura 3.20.

Paso 4

Ahora, de entre las opciones posibles, escogeremos nuevamente la que más se aproxime a nuestros intereses, siendo **Añadir amigos**, que aparece como primera posibilidad en la imagen anterior.

Al pulsar sobre **Añadir amigos** Facebook nos mostrará todas las acciones relacionadas con esta función (véase Figura 3.21). Solo tendremos que escoger la que más se acerque a nuestra duda y pulsar sobre ella y de este modo se desplegará el contenido relacionado.

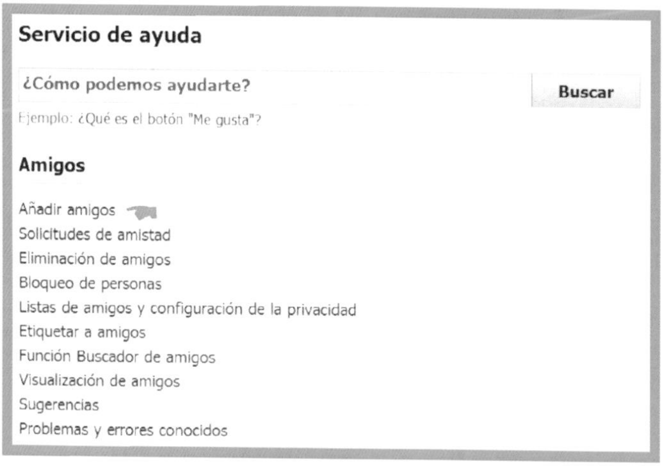

Servicio de ayuda

¿Cómo podemos ayudarte?   Buscar

Ejemplo: ¿Qué es el botón "Me gusta"?

Amigos

Añadir amigos
Solicitudes de amistad
Eliminación de amigos
Bloqueo de personas
Listas de amigos y configuración de la privacidad
Etiquetar a amigos
Función Buscador de amigos
Visualización de amigos
Sugerencias
Problemas y errores conocidos

Figura 3.20. Búsqueda de amistades Paso 3

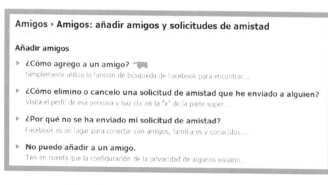

Amigos › Amigos: añadir amigos y solicitudes de amistad

Añadir amigos

▸ **¿Cómo agrego a un amigo?**
   Simplemente utiliza la función de búsqueda de Facebook para encontrar...

▸ **¿Cómo elimino o cancelo una solicitud de amistad que he enviado a alguien?**
   Visita el perfil de esa persona y haz clic en la "x" de la parte super...

▸ **¿Por qué no se ha enviado mi solicitud de amistad?**
   Facebook es un lugar para conectar con amigos, familiares y conocidos....

▸ **No puedo añadir a un amigo.**
   Ten en cuenta que la configuración de la privacidad de algunos usuario...

Figura 3.21. Búsqueda de amistades Paso 4

Menú principal

En este epígrafe verá en detalle las distintas opciones de organización y consulta que le ofrece el menú principal de la página de inicio (véase Figura 3.22).

Figura 3.22. Menú de navegación lateral

Como sabe, en función de la opción elegida, la zona central de la ventana mostrará distinto tipo de información.

En la parte superior del menú encontrará su imagen de perfil seguida de su nombre y, debajo de éste, la opción para editar su perfil público (véase Figura 3.23).

Figura 3.23. Acceso a edición y perfil público

Lo verá en detalle en el próximo capítulo. Ahora basta con mencionar que si pulsa sobre el nombre o la imagen accederá a su perfil público.

Últimas noticias

Esta categoría, como ya hemos mencionado, aparece por defecto cuando accede a su cuenta de Facebook. Al pulsar sobre el vínculo **Últimas noticias** o **Noticias**, verá las novedades más recientes de todos sus contactos, páginas y grupos.

Podrá filtrar su visibilidad, pulsando sobre el vínculo **Editar opciones**, situado al final de la página, escogiendo entre; *Todos tus amigos y páginas* o *Amigos y páginas con los que interactuas más*. O bien, en el encabezado, sobre *Titulares – Más recientes*.

En la parte superior, encontrará el menú de acción **Editor**, desde donde es posible compartir cualquier contenido que desee. Veremos cómo en detalle en el próximo capítulo.

Mensajes

En este momento probablemente Facebook es el servicio web más extendido a nivel mundial y el que cuenta con un mayor número de usuarios.

Una gran mayoría de los mismos basa parte de sus relaciones sociales en su interacción con otros usuarios del sistema mediante el uso de las distintas herramientas que pone Facebook a su disposición.

Como supondrá, entre las más populares se encuentra el servicio de mensajería, que le permite enviar y recibir mensajes de sus amistades y otros usuarios de forma privada.

Una de las ventajas de este medio es que usted puede definir quién o quiénes están autorizados a enviarle mensajes, por lo tanto, el *spam* es desconocido en la mensajería de Facebook.

Pero, ¿cuál es el siguiente paso?, ¿qué vendrá después? Es muy posible que los responsables de Facebook hayan dado con ello y, si no, están sin duda en el buen camino para lograrlo.

Imagine disponer de todas las herramientas de comunicación de mayor calado en la actualidad: chat, mensajería, correo electrónico, mensajes a móvil, etc., en un mismo lugar y gestionadas como un todo.

Facebook no solo ha desarrollado una aplicación de correo electrónico propia, lo que ha hecho es revolucionar todo su servicio de mensajería hacía el concepto *All in one*. Podrá, desde una misma plataforma (su cuenta en Facebook), enviar y recibir, aparte de los mensajes habituales, correos electrónicos y mensajes a móvil.

De momento solo es posible disfrutar de este nuevo servicio mediante invitación, aunque es de suponer que esto cambiará pronto. En breve aparecerá la opción **Actualizar al nuevo servicio de mensajería**. Recordemos que Facebook cuenta con casi 640 millones de usuarios, lo que ralentiza el proceso.

El método de almacenamiento también cambia radicalmente. Ahora cualquier conversación con otro usuario se guardará completa bajo el nombre del contacto en su bandeja de entrada e incluyendo las sesiones de chat, mensajes, SMS y correos electrónicos intercambiados, todo ello ordenado cronológicamente.

Este nuevo servicio igual implica la desaparición de los servidores de correo tradicionales como Hotmail o Yahoo!, sin embargo, a medio plazo, el asunto no está tan claro.

Obtener una invitación

Mientras el nuevo servicio de mensajería no sea implementado automáticamente, como ya sucedió con los profundos cambios realizados recientemente en el perfil público, es posible solicitar una invitación para disfrutar ya de las nuevas funcionalidades.

> **Nota**: Obtener una cuenta de correo del tipo *usuario@facebook.com* es opcional. Podrá disfrutar igualmente del nuevo servicio de mensajes sin ella.

Paso 1

Introduzca la siguiente dirección en su navegador: *http://www.facebook.com/about/messages/*. Después pulse la tecla **retorno/enter** de su teclado (véase Figura 3.24).

Página de inicio

Figura 3.24. Solicitar una invitación

Paso 2

Pulse sobre el botón **Solicitar una invitación**, situado en la parte inferior derecha.

Una vez hecho, Facebook, en un tiempo variable, desde unos días a varias semanas, le remitirá una invitación para activar el nuevo servicio de mensajes. Conforme más usuarios disfruten del nuevo servicio el tiempo de espera se irá reduciendo.

Configuración inicial

Recibirá su invitación para pasarse a los nuevos mensajes en formato de ventana emergente (véase Figura 3.25).

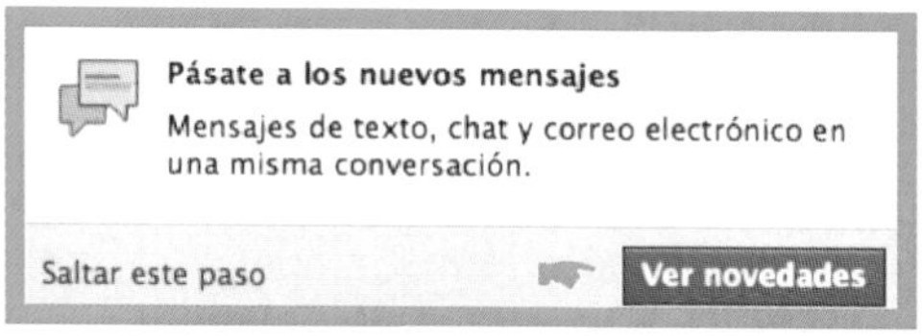

Figura 3.25. Invitación a servicio de mensajería

Pulse sobre el botón **Ver novedades** para iniciar el proceso de actualización. Al hacerlo verá una pequeña descripción de las nuevas características (véase Figura 3.26).

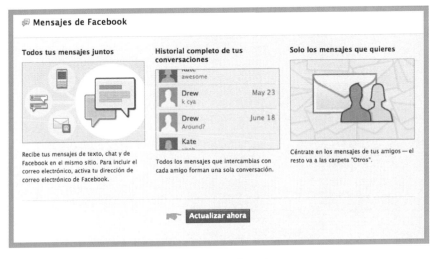

Figura 3.26. Actualizar ahora

Tras activar el servicio, pulsando en **Actualizar ahora**, la apariencia del menú *Mensajes* cambia, sustituyendo las subcategorías anteriores por una sola, denominada *Otros* (véase Figura 3.27).

Figura 3.27. Mensajes

La organización queda limitada a dos posibilidades, simplificando de esta manera su uso: *Mensajes* y *Otros*.

Mensajes

Este es el apartado principal en el encontrará los mensajes intercambiados con sus amigos y los amigos de sus amigos, ordenados cronológicamente.

Otros

En este apartado se almacenan los mensajes recibidos de personas que no son sus amigos, junto con los de páginas y listas de distribución.

Si está acostumbrado a trabajar con el servicio de mensajes tradicional, por su gran semejanza le resultará muy sencillo hacerse con el manejo del nuevo.

Para obtener todo el potencial disponible de los mensajes debería activar su cuenta de correo, los mensajes de texto a móvil y la integración con la aplicación de chat.

Solicitar correo electrónico @facebook.com

Aunque como ya sabe se trata de una acción opcional, conlleva el aprovechamiento de todas las posibilidades que le brinda el sistema integrado de comunicación de Facebook.

Como ha podido ver en la imagen anterior, en la parte superior de su ventana *Mensajes*, aparecen tres opciones que le permitirán crear una cuenta de correo *@facebook.com*, enviar mensajes a móvil e integrar con los mensajes sus conversaciones de chat (véase Figura 3.28).

| 1 | Solicita tu dirección de correo electrónico de Facebook | 2 | Activar los mensajes de texto | 3 | Conéctate para hablar por el chat |

Figura 3.28. Opciones disponibles

Lo primero que necesita para disponer de una cuenta de correo electrónico *@facebook.com* es un nombre de usuario. Puede escoger uno dentro del menú *Configuración de la cuenta*, que trataremos en detalle en el capítulo seis de este manual.

Ahora, pulse sobre el vínculo **Solicita tu correo electrónico de Facebook** y aparecerá una ventana de información donde confirmar la activación (véase Figura 3.29).

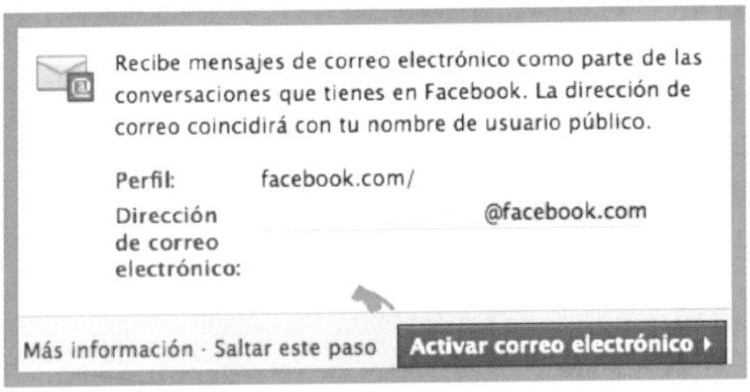

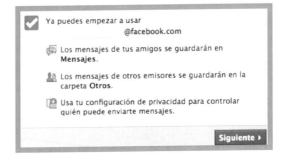

Figura 3.29. Activar correo electrónico

Para finalizar el proceso y comenzar a usar su nueva cuenta de correo electrónico @*facebook.com* haga clic sobre el botón **Activar correo electrónico** que puede ver en la imagen anterior.

El sistema mostrará una ventana de información sobre las características del nuevo servicio. Para continuar, pulse sobre el botón **Siguiente** (véase Figura 3.30).

Figura 3.30. Información del servicio de correo electrónico

A partir de este momento su cuenta de correo electrónico está plenamente operativa, por lo tanto podrá enviar y recibir mensajes de manera similar a la que ofrecen otros servicios de correo.

> **Recuerde**: Puede personalizar su configuración de privacidad para definir quién está autorizado a enviarle mensajes y correos electrónicos. Las distintas posibilidades se encuentran en la categoría *Conectar en Facebook-Envío de mensajes*, dentro del menú de *Configuración de la privacidad*. Se tratará en profundidad a lo largo del capítulo siete de este libro.

Activar los mensajes de texto

En aquellos países en los que esté disponible el servicio es posible activar los mensajes de texto en Facebook.

Su función es sencilla, básicamente le permite estar conectado con sus amigos de forma inmediata desde cualquier lugar en el que se encuentre.

A la hora de recibir mensajes de sus amistades, si el remitente marca la opción *Enviar también un mensaje de texto*, además del mensaje normal, recibirá en su móvil vía SMS el contenido del mismo pudiéndolo contestar a su vez.

Para aprovechar todas las posibilidades de este sistema de comunicación adicional, vía mensajes de texto a móvil, es imprescindible tener activado un teléfono móvil en el sistema.

Igualmente, el funcionamiento del servicio dependerá de la configuración de privacidad que defina respecto a compartir su número de teléfono móvil.

Pulse sobre el vínculo **Activar los mensajes de texto** (véase Figura 3.28). Aparecerá una ventana para iniciar el proceso de registro de su móvil en Facebook (véase Figura 3.31).

Página de inicio

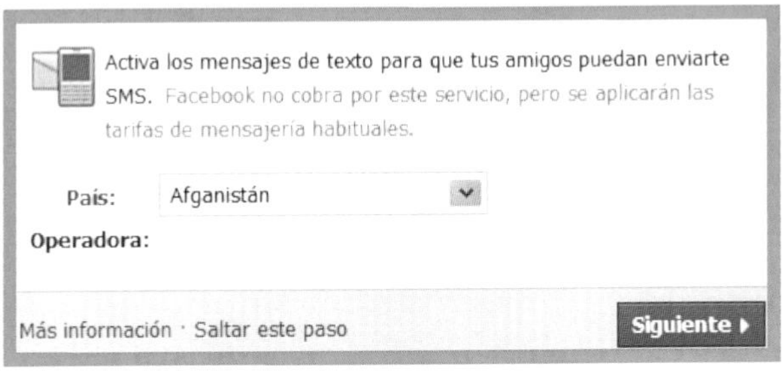

Figura 3.31. Activar teléfono móvil

Ahora, seleccione en el menú desplegable su país de residencia y operadora de telefonía móvil y, cuando lo haya hecho, pulse sobre el botón **Siguiente**.

Deberá enviar un mensaje de texto al número que se le indique y, posteriormente, para terminar el proceso tendrá que introducir el código de activación que recibirá en su móvil.

Dispone de una descripción pormenorizada del proceso en el capítulo siete de este manual, referido a la configuración de su cuenta.

Una vez registrado podrá empezar a usar la prestación de mensajes de texto en Facebook.

> **Nota**: Facebook no le cobrará por esta función, sin embargo, su compañía de telefonía sí lo hará por el uso de su infraestructura de acuerdo a sus tarifas para el servicio de mensajería.
>
> Téngalo presente a la hora de usar esta característica. Consulte con su operadora los costes del servicio.

Recuerde que los mensajes a móviles que intercambie con sus amistades se incorporarán a sus conversaciones junto con el historial de chat y el resto de mensajes.

Se ha mencionado la posibilidad no solo de recibir mensajes en su terminal de telefonía, sino de enviarlos, veamos cómo.

Su funcionamiento se limita a enviar mensajes a las personas que se encuentren dentro de su lista de contactos.

Para hacerlo envié el texto: msj + nombre del contacto + mensaje al 32665 (FBOOK).

Por ejemplo; "msj Antonio Cano Hola, ¿cómo te fue ayer?"

Esto enviará el mensaje: "Hola, ¿cómo te fue ayer?" a su amigo Antonio Cano.

Integración del chat en los mensajes

A partir de ahora, con el nuevo servicio de mensajería integrada, las conversaciones que tenga con sus amistades mediante el chat se añadirán a sus mensajes, junto con los correos electrónicos y los mensajes a móvil.

De este modo, contará con un historial completo y detallado de su relación con cualquiera de sus contactos.

Activar la integración del chat es realmente sencillo. Al iniciar sesión en él directamente empezará a funcionar dentro del nuevo sistema de mensajes.

Puesto que dedicaremos un apartado al servicio de chat, veamos ahora únicamente cómo activarlo mediante las opciones disponibles en su ventana *Mensajes*.

Pulse sobre el vínculo **Conéctate para hablar por el chat** (véase Figura 3.28) y aparecerá una ventana desde donde podrá iniciar sesión (véase Figura 3.32).

Figura 3.32. Iniciar sesión de chat en Facebook

Haga clic sobre el botón **Conectarme** y abrirá el programa de chat integrado en Facebook.

Ahora, se mostrará una ventana conteniendo información sobre las nuevas características aplicadas al chat y los mensajes (véase Figura 3.33). Pulse sobre el botón **Hecho** para finalizar.

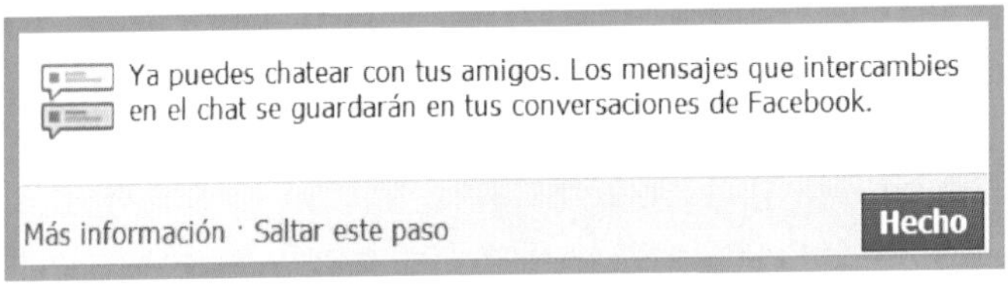

> Ya puedes chatear con tus amigos. Los mensajes que intercambies en el chat se guardarán en tus conversaciones de Facebook.
>
> Más información · Saltar este paso   **Hecho**

Figura 3.33. Información adicional

A partir de este momento, las conversaciones del chat y los mensajes se entrelazarán, guardando el orden temporal, como si fueran una sola.

Otra forma de iniciar sesión consiste en hacer clic sobre el vínculo **Chat (desconectado)** que aparece en la parte inferior derecha de todas las ventanas (véase Figura 3.34).

Chat (desconectado)

Figura 3.34. Servicio de chat

Bandeja de entrada

Facebook no cuenta con una bandeja de entrada al uso como la que podría encontrar en cualquier servicio de correo electrónico tradicional.

En este caso, la función de bandeja de entrada[20] y notificaciones de últimos mensajes recibidos, la desempeña el icono *Mensajes* de la barra de navegación superior que ha visto anteriormente.

Éste mostrará los últimos mensajes recibidos, indicando con un superíndice numérico que varía en función del número de mensajes (aquellos que aún no haya visto) (véase Figura 3.35).

Figura 3.35. Mensajes pendientes

---

20 Recuerde, para ver la totalidad de sus mensajes y la bandeja de entrada completa pulse sobre la categoría *Mensajes*.

Si pulsa sobre él aparecerá una ventana desplegable, conteniendo un resumen de los últimos mensajes recibidos, así como dos botones de acción que le permitirán enviar un mensaje nuevo o acceder a la categoría mensajes del menú principal (véase Figura 3.36).

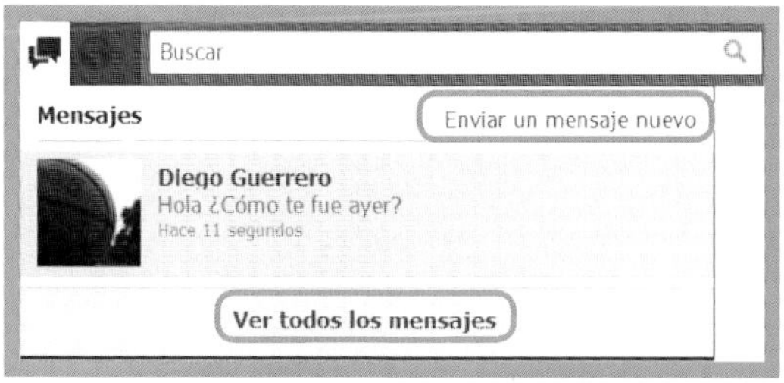

Figura 3.36. *Mensajes recibidos y opciones*

Para ver el contenido de un mensaje solo tiene que pulsar sobre él y se abrirá una nueva ventana con el mensaje completo y la conversación, si la hubiera.

Del mismo modo que en la Figura 3.35, al lado de la categoría *Mensajes*, aparecerá un número que representa los mensajes pendientes de lectura (véase Figura 3.37).

Figura 3.37. *Mensajes pendientes*

Pulsando sobre cualquiera de las opciones mencionadas accederá a una ventana donde encontrará el mensaje completo, el historial de la conversación y las opciones disponibles de gestión. Lo veremos a continuación.

Gestionar sus mensajes recibidos

Su nueva bandeja de entrada cuenta con algunas opciones de administración que guardan semejanza con las de un servicio de correo electrónico al uso.

Sin embargo, están adaptadas al funcionamiento particular de una red social, proporcionando las opciones más necesarias para una adecuada gestión de sus mensajes y conversaciones dentro de ella.

Para ver todas las alternativas disponibles, pulse sobre el botón **Acciones** que encontrará dentro de cualquier conversación del mensaje, en la parte superior derecha (véase Figura 3.38).

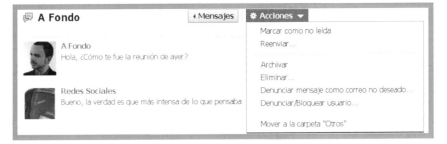

Figura 3.38. Opciones de gestión de los mensajes

Marcar como no leída

Si pulsa sobre esta opción la conversación volverá a figurar como pendiente de lectura.

Reenviar

Le permite reenviar como adjunto la conversación a otro usuario.

Archivar

Traslada la conversación a elementos archivados.

En cualquier momento puede recuperar una conversación archivada pulsando sobre el vínculo **Archivados** que encontrará en la parte inferior de la ventana *Mensajes*.

Para recuperar una conversación desde elementos archivados y trasladarla nuevamente a la bandeja de entrada, pulse sobre el icono con forma de flecha situado en la parte derecha del mensaje, acción **Desarchivar**.

Eliminar

Al pulsar sobre esta opción podrá suprimir toda la conversación o solo las partes que prefiera, marcando la casilla adjunta para seleccionarlas. Las opciones posibles son *Eliminar Todo* y *Borrar el área seleccionada*.

Denunciar mensaje como correo no deseado

Al marcar un mensaje como correo no deseado, está indicando que se trata de un mensaje de *spam*. Éste será trasladado a la carpeta *Correo no deseado*, dentro de la categoría *Otros*.

Si lo desea, posteriormente podrá acceder a ella haciendo clic sobre el vínculo *Correo no deseado* que encontrará en la parte inferior de la categoría *Otros*.

Denunciar/ bloquear un usuario

Si bloquea un usuario éste no podrá volver a comunicarse con usted y pasará a formar parte de su lista de usuarios bloqueados.

Es posible ver y gestionar su lista de usuarios bloqueados; se encuentra dentro de la configuración de privacidad, concretamente en el apartado *Listas de bloqueados*.

Mover a la carpeta otros

Traslada la conversación a la carpeta *otros*.

Esta opción cambiará a *Mover a la carpeta mensajes* si está visualizando una conversación dentro de la categoría *Otros*. Como ve, es posible trasladar sus conversaciones con un simple clic.

A partir de ahora, las opciones *Marcar como no leído* y *Archivar* también se encuentran en la parte derecha de cualquier conversación, dentro de su bandeja de entrada, con la forma de un círculo y un aspa respectivamente (véase Figura 3.39).

Figura 3.39. Mensaje recibido

De este modo, no es preciso desplegar la conversación para realizar algunas acciones básicas, simplificando así la administración de sus mensajes.

Seguramente, conforme se vaya extendiendo el uso de esta nueva funcionalidad, Facebook incorporará nuevas mejoras adaptadas a las sugerencias de los usuarios.

Buscar mensajes

Lo primero que puede ver en la parte superior de la categoría *Mensajes*, junto al botón para enviar un nuevo mensaje, es un cajón de texto. Contiene la leyenda **Buscar en mensajes**, con un dibujo de una lupa. Este formulario, como ya habrá adivinado, sirve para buscar un determinado texto referente tanto a los autores como al contenido de sus mensajes.

Resulta muy útil cuando tiene gran cantidad de mensajes almacenados y precisa buscar una información en concreto.

Para hacerlo, únicamente debe rellenar el campo marcando primeramente sobre él con el ratón, con el texto que le interese y después tendrá que hacer clic sobre el icono con forma de lupa, situado a la derecha.

El sistema le devolverá un resultado por orden de similitud donde podrá elegir el mensaje de su interés.

Enviar un mensaje

Cuando acceda a la categoría *Mensajes* de su página de inicio verá su bandeja de entrada, conteniendo todas sus conversaciones, el campo de búsqueda, el botón para enviar un mensaje nuevo y algunas opciones (véase Figura 3.27).

Si pulsa sobre el botón **Nuevo mensaje** aparecerá una ventana similar a la de un servicio de correo tradicional, aunque con algunas ligeras, pero importantes variaciones (véase Figura 3.40).

> " No olvide que obtendrá el mismo resultado si pulsa sobre el vínculo **Enviar un mensaje nuevo** que encontrará en el desplegable que se muestra al pulsar sobre el icono *Mensajes* de la barra de navegación superior.

Lo primero que notará, es la desaparición del campo *Asunto*. Esto es así para facilitar la integración de los distintos mensajes en la conversación global, independientemente de la forma de envío.

Puede que al principio le resulte extraño pero enseguida se acostumbrará a la nueva configuración.

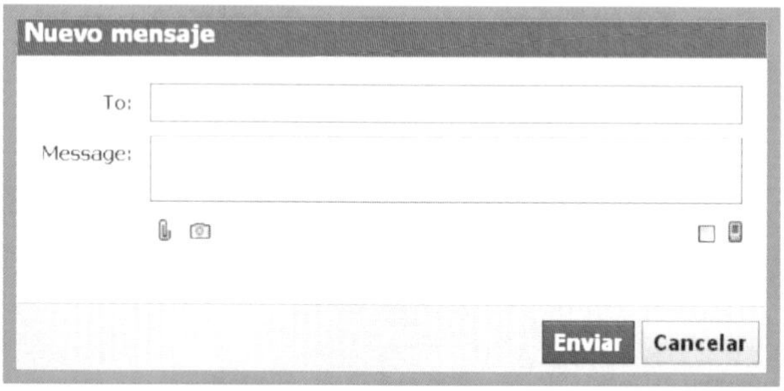

Figura 3.40. Nuevo mensaje

Cumplimente los distintos campos indicando a quién va dirigido y el contenido. Puede remitirlo a una persona, una lista, un grupo o un correo electrónico. Cuando lo haya hecho, para enviarlo al destinatario, haga clic sobre el botón **Enviar**.

Como ve, aparte de un mensaje de texto, de forma similar a como ocurre en cualquier servicio de correo electrónico, es posible adjuntar una foto, un vídeo y, en este caso, como novedad más destacada, un archivo; simplemente haciendo clic sobre el icono correspondiente con forma de clip para los archivos, o cámara para las imágenes/vídeos, y siguiendo el procedimiento habitual.

Si marca la casilla situada en la parte derecha, justo delante del icono con forma de teléfono móvil, se enviará también una copia del mensaje vía SMS al teléfono móvil del destinatario.

El destinatario del mensaje, si se trata de un correo electrónico enviado a alguien que no dispone de un perfil en Facebook, lo recibirá en el formato predeterminado del sistema (véase Figura 3.41), sin embargo, podrá contestarlo como lo haría con cualquier otro correo electrónico. Todo ello siempre y cuando cuente con una cuenta *@facebook.com*.

Página de inicio

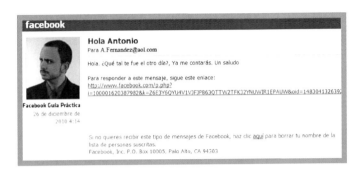

Figura 3.41. Mensaje recibido

Dicha respuesta aparecerá en su bandeja de entrada después del mensaje enviado, sumándose a la conversación.

La integración lograda supondrá un profundo cambio en la forma en que los usuarios de Facebook se relacionan, a mitad de camino entre el correo electrónico tradicional y los mensajes privados. Reúne lo mejor de ambos sistemas, posibilitando un medio de comunicación capaz de hacer llegar el mensaje por cualquier medio.

A la hora de recibir un mensaje o correo electrónico el sistema se lo notificará como hasta ahora y podrá diferenciar aquellos que vienen con un archivo adjunto por la presencia de un icono con forma de clip.

Para visualizar o descargar un archivo adjunto una vez abierto el mensaje pulse sobre él y escoja alguna de las opciones disponibles.

Importante: Tenga en cuenta que la posibilidad de enviar y recibir archivos adjuntos facilita la distribución de toda clase de virus. Desconfíe y no habrá ningún archivo descargado en su ordenador sin haber sido supervisado por un programa antivirus convenientemente actualizado.

Recuerde que no solo sus amistades pueden enviarle archivos adjuntos, cualquier persona puede hacerlo mediante su dirección de correo *@facebook.com* y el servicio de mensajes, salvo que limite su distribución personalizando la configuración de la privacidad.

Veamos un ejemplo Enviando un mensaje

Vamos a enviarle un mensaje de texto a nuestro amigo "*Antonio*", con texto "*Hola, ¿Cómo te fue la reunión del otro día?, espero que todo ok, ya me contarás. Un saludo.*".

En esta ocasión no incluiremos ninguna imagen ni archivo adjunto, pues veremos cómo hacerlo en profundidad más adelante, únicamente mencionar que el procedimiento es el mismo que a la hora de publicar cualquier contenido en su muro.

En primer lugar, como ya sabe, haremos clic sobre el botón **Nuevo mensaje** (véase Figura 3.27).

Facebook nos mostrará la ventana *Nuevo mensaje*, que rellenaremos con los datos de ejemplo (véase Figura 3.42).

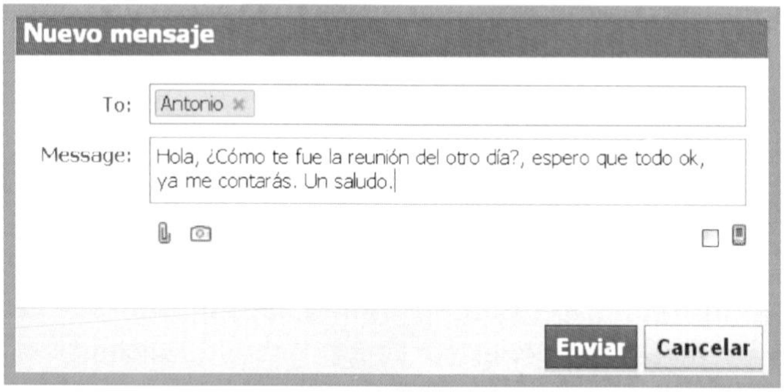

Figura 3.42. Ejemplo de mensaje privado

Conforme empiece a escribir el nombre del destinatario, Facebook le ofrecerá sugerencias encontradas en su lista de amistades, facilitándole el proceso.

Una vez hecho, para enviar el mensaje haremos clic sobre el botón **Enviar**. Éste se añadirá en último lugar al historial de conversación que tenga con ese contacto.

Página de inicio

> **Recuerde**: Puede enviar mensajes a múltiples destinatarios, a listas de usuarios completas o a grupos. Para ello, teclee sus nombres en el campo *Para* o bien introduzca las primeras letras. Facebook le mostrará un listado de coincidencias donde podrá seleccionar la que precise.
>
> Para evitar el envío masivo de mensajes (*spam*) podrá enviar su mensaje a un máximo de veinte usuarios de forma simultánea.
>
> La única excepción es, si su mensaje va dirigido a un Grupo de Facebook, aumentando el límite a cinco mil miembros.

Enviar un mensaje por correo electrónico

El sistema, como característica adicional, permite enviar un mensaje a cualquier persona, aunque ésta no tenga cuenta en Facebook.

Esta particularidad le supondrá un ahorro considerable de tiempo, aparte de una mayor comodidad, pues no tendrá necesidad de cambiar de programa para poder enviar mensajes de correo.

Para lograrlo, únicamente necesita conocer la dirección de correo electrónico de la persona a la que pretenda enviar un mensaje.

Partiendo del ejemplo anterior, vamos a suponer que queremos enviarle un mensaje a nuestro amigo Antonio, sabiendo que tiene *a.fernandez@aol.com* como dirección de correo electrónico.

Paso 1: En primer lugar, haremos clic sobre el vínculo **Nuevo Mensaje**, que podemos encontrar en la categoría *Mensajes* o en el menú de acceso rápido de la barra de navegación superior.

Paso 2: Rellenaremos los campos con los datos necesarios y pulsaremos sobre el botón **Enviar** (véase Figura 3.43).

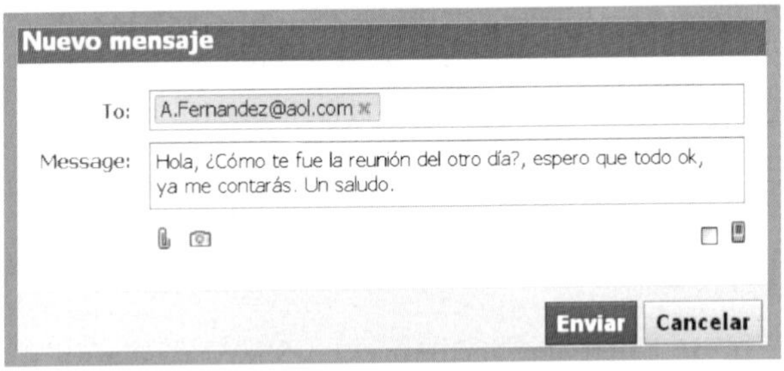

Figura 3.43. Mensaje enviado a correo electrónico

Una vez hecho esto, en pocos segundos, el destinatario recibirá un correo electrónico en su cuenta, figurando como remitente nuestro nombre en Facebook (véase Figura 3.44).

		De		Asunto	Fecha		Tamaño
☐	⬛	Facebook Guía Práctica		Hola Antonio	13:14		8KB

Figura 3.44. Bandeja de entrada correo electrónico

Al abrirlo verá el contenido del mensaje. Además, incluye un enlace para poder contestarlo directamente (véase Figura 3.40).

> **Nota**: Si el destinatario no es miembro de Facebook y quisiera contestar el mensaje recibido, en primer lugar tendría que registrarse y crear una cuenta.
>
> Al pulsar sobre el vínculo incluido en el mensaje el proceso de registro se inicia automáticamente.
>
> Sin embargo, si dispone de una cuenta de correo *@facebook.com* podrá contestar su correo sin necesidad de registrarse, como si fuera un correo electrónico cualquiera.
>
> Si envía un mensaje a varios destinatarios puede combinar sin problema direcciones de correo electrónico y nombres de usuario.

Recibir y contestar mensajes

Al hacer clic sobre el icono *Mensajes* de la barra de navegación superior se desplegará una ventana de información, conteniendo los últimos mensajes privados recibidos así como distintas opciones (véase Figura 3.36).

Si pasa el cursor del ratón sobre cualquiera de los mensajes mostrados, éste aparecerá como seleccionado, mostrando un fondo coloreado.

Una vez seleccionado, al hacer clic con el ratón, el servicio de mensajería le mostrará el mensaje entero, así como la conversación completa si la hubiera y las opciones disponibles (véase Figura 3.45).

Lo más inmediato que puede hacer es responder al remitente el mensaje recibido. Para ello, únicamente es preciso que haga clic sobre el campo en blanco para activarlo y que escriba lo que precise en su interior.

Como podrá comprobar dispone, al igual que a la hora de enviar un mensaje nuevo, de la posibilidad de adjuntar archivos, vídeos e imágenes, así como de indicar al sistema que envíe una copia mediante un mensaje de texto a móvil.

Por último, si marca la casilla asociada al símbolo de la tecla retorno/return, al pulsar sobre ella se enviará directamente el mensaje.

Cuando haya completado su respuesta pulse sobre el botón **Responder** y su mensaje será enviado en unos segundos.

Figura 3.45. Mensaje recibido y opciones

Las opciones disponibles son las mismas que puede ver si pulsa sobre la categoría *Mensajes* del menú principal de su página de inicio (véase Figura 3.27 y 3.38).

Cuenta además con el botón **Mensajes**, presente en la ventana de cualquier conversación. Al pulsar sobre él, el sistema le redirigirá a la ventana principal de la categoría *Mensajes*.

Nota: Si tiene conversaciones compuestas de gran cantidad de mensajes puede desplazarse sobre ellas usando la barra de desplazamiento vertical de su navegador (*scroll*).

Eventos

Pasemos ahora a otra característica a la que seguramente podrá sacar partido. Se trata de la publicación y uso de eventos.

Un evento no es más que una propuesta para realizar un encuentro en persona, por distintos motivos.

También es una forma de que sus amigos y conocidos tengan noticia de aquellos acontecimientos, reuniones, cenas, fiestas, etc., a los que piensa acudir.

Igualmente, le servirá para conocer todas las reuniones que se promuevan en su entorno, relacionadas con sus gustos y aficiones.

Como habrá podido adivinar, la creación y gestión de eventos puede convertirse en una eficaz herramienta de marketing al servicio de su negocio.

Por ejemplo, podría convocar mediante un evento público a una presentación, dirigida a todos aquellos usuarios interesados en alguno de sus servicios o productos.

O bien, mediante un evento privado, emplazar a una reunión a sus colaboradores o empleados.

> **¡Ojo!** Internet proporciona un entorno anónimo que propicia las relaciones personales, sin embargo, sea prudente, esta misma particularidad puede suponer que encuentre algo que no espera.
>
> Si decide acudir a algún evento organizado por personas o grupos a los que no conoce, procure observar unas mínimas medidas de seguridad, use el sentido común.
>
> En ningún caso permita que menores de edad acudan solos a cualquier clase de reunión concertada a través de Internet, es responsabilidad de los padres o tutores supervisar la actividad de los menores de edad en su uso de Facebook

Al pulsar sobre **Eventos**, verá todos los eventos a los que haya sido invitado, tanto los pendientes de respuesta, como los confirmados, ordenados cronológicamente (véase Figura 3.46).

Página de inicio

Figura 3.46. Eventos

Cuenta con tres subcategorías: *Eventos de mis amigos, Cumpleaños* y *Eventos Anteriores*.

Eventos de mis amigos

Ver los eventos a los que piensan acudir sus amigos puede ser una gran idea. Para lograrlo, pulse sobre el vínculo **Eventos de mis amigos**.

Cumpleaños

Si hace clic sobre este vínculo el sistema le presentará un listado con las fechas de los cumpleaños de sus amistades, comenzando por las más próximas.

> **Nota**: En algunos casos puede que no se muestre la información relativa a la fecha de nacimiento, recuerde que esto depende de la personalización de la configuración referente a la información que comparte, que le permite escoger entre mostrar o no determinados datos aún a sus amistades confirmadas.
>
> Lo veremos en profundidad a lo largo del capítulo *Configuración de la privacidad* de este libro y del referido a su perfil público.

Eventos anteriores

Al pulsar sobre esta opción podrá ver todos aquellos eventos a los que le invitaron en el pasado, comenzando por el más reciente.

Tipos de evento

Como habrá podido adivinar existen dos clases de eventos en Facebook definidos por su política de privacidad en: *Públicos* y *Privados*.

Eventos públicos

Cualquier usuario puede ver la información completa del evento y publicaciones adjuntas; igualmente, no es necesario recibir invitación ni que el administrador (creador) del evento autorice nuestra participación.

El propio usuario puede apuntarse en la lista de invitados sin ningún impedimento.

Esta clase de eventos son apropiados para acontecimientos a realizar en lugares públicos, concentraciones, fiestas, citas deportivas, etc.

Eventos privados

Justamente al contrario, para poder saber de la existencia de esta clase de evento, es preciso que el administrador del mismo nos invite.

Aquellos usuarios que no hayan sido invitados no podrán ver la página del evento ni información alguna sobre el mismo. Igualmente, los eventos privados no aparecen en las búsquedas.

Las invitaciones se reciben en formato de notificación o por correo electrónico y son enviadas por el administrador del evento que es a su vez el creador del mismo.

Resultan muy útiles para convocar a grupos reducidos a reuniones, de índole personal o de empresa, convocatorias para cenas de amigos, fiestas privadas, etc.

Búsqueda de eventos

En primer lugar, tenga en cuenta que solo podrá buscar eventos catalogados como públicos. Para hacerlo deberá usar el formulario de búsqueda, contenido en la barra superior de navegación (véase Figura 3.47).

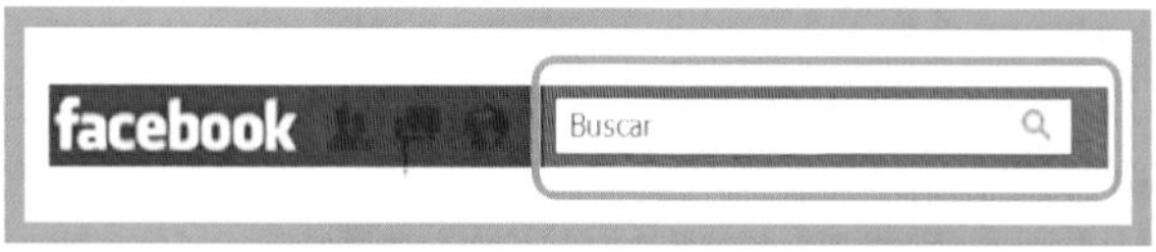

Figura 3.47. Formulario de búsqueda

Active el campo de búsqueda haciendo clic sobre él. A continuación, teclee el nombre o las palabras que más se aproximen al tema sobre el que desea localizar eventos disponibles.

> **Nota**: Tenga en cuenta que únicamente se buscarán coincidencias con los títulos de los eventos disponibles. Sea preciso en sus búsquedas.

Cuando lo haya hecho, pulse la tecla retorno de su teclado o el icono con forma de lupa situado en la parte derecha del campo de búsqueda.

Como en cualquier otra búsqueda, el sistema arrojará todos los resultados coincidentes encontrados para reducirlo únicamente a los eventos próximos. Debe pulsar sobre el vínculo **Eventos** (véase Figura 3.48).

Figura 3.48. Filtro de resultados

Aparecerá un listado conteniendo los eventos relacionados con su búsqueda. En este caso el término usado ha sido "Atletismo" (véase Figura 3.49).

Figura 3.49. Eventos encontrados

> **"" Nota**: Actualmente, Facebook no permite filtrar los resultados obtenidos en función de la localización, es de suponer que esta mejora, fundamental para la efectividad de las búsquedas de eventos públicos, sea incorporada en breve.

Confirmar o no, su asistencia a un evento

El método para confirmar o no su asistencia a un evento variará en función del tipo de evento. Si se trata de un evento privado, necesariamente habrá recibido una notificación o bien un mensaje de correo electrónico.

En el caso del correo electrónico, deberá pulsar sobre el enlace incluido. Al hacerlo accederá a la página del evento desde la que podrá confirmar su asistencia o elegir alguna de las opciones disponibles (véase Figura 3.50).

Figura 3.50. Página del evento

Asistiré

Si pulsa sobre esta opción su nombre se agregará a la lista de personas que asistirán al evento, en la zona izquierda de la página del evento.

Tal vez

Si hace clic sobre este botón su nombre se añadirá a la lista de personas que tal vez asistan al evento.

No

Al pulsar sobre éste otro, declina participar y su nombre no aparecerá en la página del evento.

En cualquier momento puede cambiar de opinión. Para modificar su situación, pulse sobre el vínculo con la opción elegida que se encuentra bajo el nombre del evento (véase Figura 3.51).

Figura 3.51. Cambiar situación

Cuando lo haga aparecerá una ventana emergente desde la que es posible cambiar su estado con facilidad, simplemente marcando la casilla adecuada y pulsando sobre el botón **Enviar respuesta** (véase Figura 3.52).

Figura 3.52. Responder a invitación

Como ve en la imagen anterior, de forma opcional puede incluir un mensaje que se publicará en la página del evento.

Si pulsa sobre el vínculo **Eliminar este evento**, situado en la parte inferior izquierda, previa confirmación, desaparecerá de la lista de invitados y el evento se eliminará de su perfil. Otra manera de suprimirlo consiste en pulsar sobre **Eliminar de mis eventos**, presente al final de la página del mismo.

> **Recuerde**: Al rechazar una invitación a un evento privado, no podrá volver a recibirla ni, por lo tanto, participar en la página del evento.

Si recibe una notificación donde se le invita a un evento próximo, en primer lugar, para verla deberá pulsar sobre el icono *Notificaciones* de la barra de navegación superior. Al hacerlo verá el menú de acceso rápido con las notificaciones pendientes (véase Figura 3.53).

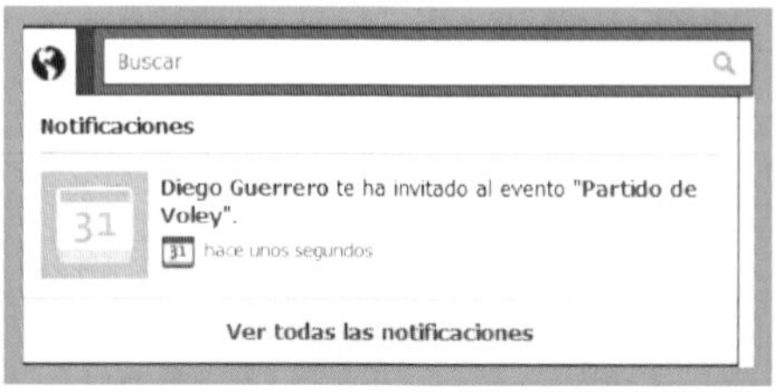

Figura 3.53. Notificación de evento

Al pulsar sobre el evento accederá a la página principal del evento desde la que, como ya sabe, podrá confirmar su asistencia o elegir alguna de entre las opciones posibles.

Si se trata de un evento público del que ha tenido conocimiento mediante el sistema de búsquedas, tiene dos formas de confirmar su intención de acudir (véase Figura 3.54).

Figura 3.54. Resultado de búsquedas

1. Si pulsa sobre el título del evento se mostrará la página del mismo, en la que podrá escoger la opción que prefiera, como ha visto anteriormente.

2. Pulsando sobre el botón **Enviar respuesta** aparecerá una ventana emergente similar a la vista anteriormente desde la que confirmar o no su asistencia.

> **Nota**: Si desea participar en algún evento al que alguno de sus amigos haya confirmado su asistencia podrá hacerlo siempre que sea público, pues de otro modo, ni tan siquiera podrá verlo.
>
> Para ello, pulse sobre el vínculo **Eventos de mis amigos** y haga clic sobre el evento que le atraiga. Para confirmar su asistencia siga el procedimiento habitual.

Crear un evento

Crear un evento puede ser una buena opción para planear una reunión de amigos, cenas, cumpleaños y casi cualquier acontecimiento de tipo social que se le ocurra.

Del mismo modo, en el ámbito empresarial, le será muy útil para convocar a sus empleados o colaboradores de forma rápida y sencilla.

Le vamos a mostrar cómo crear un evento mediante un ejemplo práctico en unos pocos pasos.

Veamos un ejemplo

Paso 1

En primer lugar, haremos clic sobre la categoría **Eventos** que podemos encontrar en el menú principal, situado en la página de inicio (véase Figura 3.55).

Figura 3.55. Creando un evento Paso 1

Paso 2

Ahora, dentro de la página *Eventos*, pulse sobre el botón **Crear un evento**, situado en la parte superior derecha (véase Figura 3.56).

Figura 3.56. Creando un evento Paso 2

Paso 3

Aparecerá la página *Crear un evento* (véase Figura 3.57), que contiene distintos campos que deberá cumplimentar, algunos de ellos, como el nombre o la fecha y hora son de carácter obligatorio.

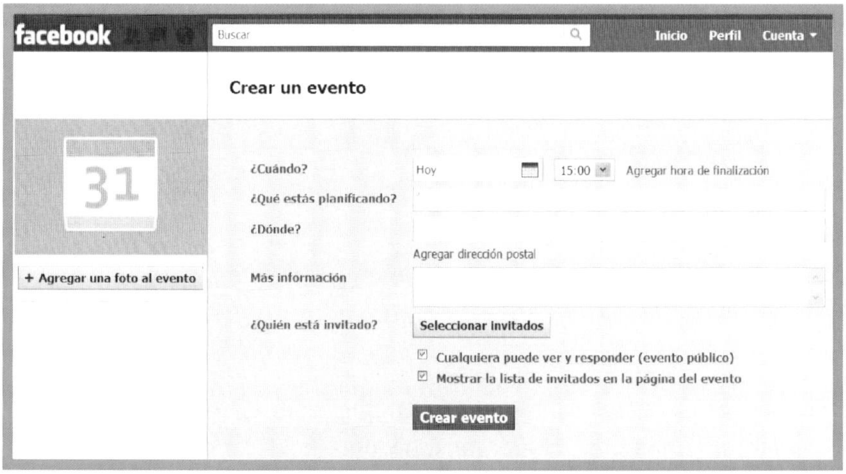

Figura 3.57. Crear un evento

Lo más recomendable es incluir la mayor cantidad de información posible, principalmente si se trata de crear un evento público. Al hacerlo, lo convertirá en más interesante y por tanto su difusión será mayor.

Si lo desea, es posible incluir una imagen a modo de foto de perfil para el evento, pulsando sobre **Añadir una foto al evento**, escoja aquella que resulte más descriptiva. Con ello, su evento será más atractivo y destacará en las búsquedas.

Paso 4

Tanto si se trata de un evento público como privado, pulsando sobre el botón **Seleccionar invitados**, podrá enviar invitaciones a sus amistades.

Figura 3.58. Seleccionar Invitados Paso 4

Para seleccionar los contactos a los que quiera enviar invitaciones, solamente es preciso marcar encima del contacto con el ratón y, al hacerlo, aparecerán sombreados tal como puede ver en la imagen anterior.

Tenga en cuenta que solo puede incluir a aquellos usuarios que se encuentren en su lista de amigos o pertenezcan a grupos de los que sea responsable.

Sin embargo, sí puede enviar invitaciones a personas que no tengan cuenta en Facebook; para ello, incluya sus direcciones de correo electrónico separadas por comas en el campo **Invitar por correo electrónico**.

Haciendo clic sobre el vínculo **Agregar un mensaje personal**, aparecerá un campo adicional donde puede incluir cualquier comentario que acompañará a la invitación.

Una vez terminado, para confirmar pulse sobre el botón **Guardar y cerrar**. Observará como junto al botón de selección aparece un número, que representa los usuarios invitados hasta el momento.

Paso 5

Para finalizar, antes de crear el evento debe personalizar las opciones de privacidad; *Cualquiera puede ver y responder* y *Mostrar la lista de invitados en la página del evento*.

Ambas opciones aparecen marcadas por defecto, lo que como ya supondrá, implica que el evento sería público y cualquier usuario podrá ver la lista de invitados.

Si quisiera que el nuevo evento fuera privado desmarque la casilla correspondiente a *Cualquiera puede ver y responder*.

Al pulsar sobre **Cualquiera puede ver y responder** se mostrará una tercera opción dependiente de esta: *Los invitados pueden invitar amigos* (véase Figura 3.59).

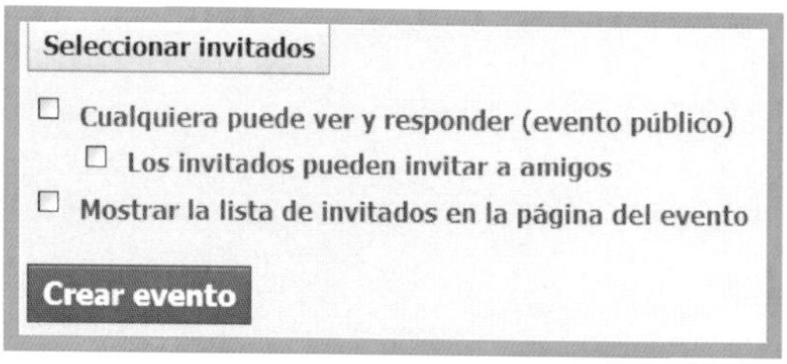

Figura 3.59. Opciones de privacidad Paso 5

Al marcar sobre la casilla adjunta permitirá que aquellas personas a las que haya invitado, a su vez puedan invitar a sus amigos.

> **" Nota**: No olvide personalizar adecuadamente la configu-
> ración de privacidad de sus eventos. Como ha podido comprobar,
> resulta muy sencillo hacerlo y de gran utilidad, sobre todo para
> aquellos eventos en los que quiera filtrar o proteger la privacidad
> de los invitados.

Paso 6

Por último, cuando haya cumplimentado todos los campos y opciones,
para difundir su nuevo evento pulse sobre el botón **Crear evento**.

Al hacerlo Facebook le presentará la página del evento tal y como la
verán sus invitados, salvo por los botones de edición y administración
que solo estarán disponibles para el creador (véase Figura 3.60).

En la esquina superior derecha encontrará el vínculo **Enviar un mensaje
a los invitados**; si pulsa sobre él podrá mandar una nota a todos los
invitados al evento, de forma muy similar a como enviaría un mensaje
de Facebook.

Podrá discriminar al enviar su mensaje en función de su situación actual,
entre: *Todos*, *Asistiré*, *Tal vez asista* y *No han respondido*.

Figura 3.60. Página del evento Paso 6

Si decidió crear un evento público, éste se mostrará en sus últimas
noticias y, por tanto, en las de todas sus amistades, hayan sido o no
invitados (véase Figura 3.61).

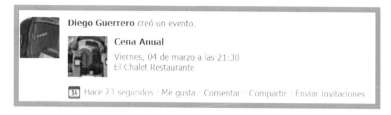

Figura 3.61. Resumen evento

Administración y edición de eventos

En cualquier momento puede editar cualquier evento que haya creado, bien para añadir o ampliar información o para modificar la configuración de privacidad del mismo.

Para ello, pulse sobre el botón **Editar evento** que se encuentra en la parte superior de la página del evento en el que quiera introducir cambios (véase Figura 3.60).

Como sabe, puede ojear un listado de todos los eventos disponibles en la categoría *Eventos* del menú lateral, tanto los que haya creado, como a los que ha sido invitado.

Figura 3.62. Edición de evento

Una vez que haya efectuado todos los cambios necesarios, para aplicarlos, haga clic sobre el botón **Guardar evento** (véase Figura 3.62).

Cancelar un evento

Si por cualquier motivo desea eliminar un evento que haya creado, debe acceder en primer lugar a la ventana de edición del mismo (véase Figura 3.62).

Una vez allí, en la esquina inferior derecha, verá el vínculo **Cancelar este evento**; pulse sobre él y podrá suprimirlo.

Cuando anule un evento, el sistema enviará a todos los invitados un correo electrónico comunicándolo. De hecho, adicionalmente, al cancelar el evento, en la ventana de confirmación podrá incluir un mensaje complementario (véase Figura 3.63).

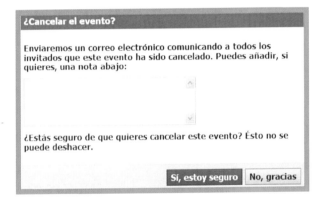

Figura 3.63. Confirmación de cancelación de evento

Amigos

Los amigos son la base de Facebook. El fin último de toda red social es precisamente ese, mantener y renovar el contacto con amigos o conocidos, sin ellos no tendrían sentido.

Precisamente a causa de esto, Facebook pone a su disposición una serie de herramientas orientadas a facilitar la búsqueda de amigos, conocidos o compañeros, actuales o que lo hayan sido en algún momento de su vida.

Al pulsar sobre **Amigos** verá la ventana principal de la categoría desde la que podrá buscar a sus amigos y conocidos, así como administrar y editar los existentes (véase Figura 3.64).

Cuenta con una única subcategoría: Actualizados recientemente.

Actualizados recientemente

Si hace clic sobre esta opción podrá ver qué partes de sus perfiles han actualizado sus amistades recientemente.

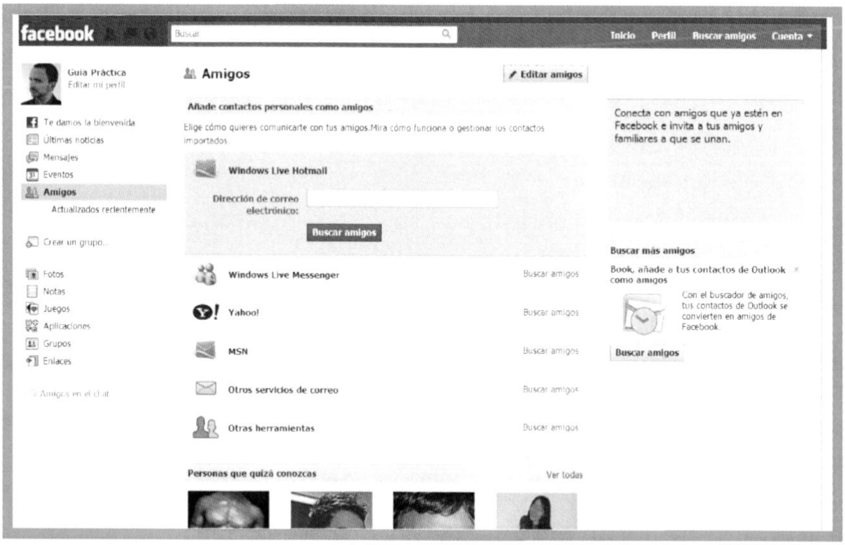

Figura 3.64. Categoría Amigos

En la mitad inferior de la pantalla Facebook le sugerirá nuevas amistades bajo el título *Personas que quizá conozcas*; habitualmente, el sistema le recomendará como amigos a aquellos usuarios que lo son de los suyos.

Resulta una manera muy conveniente de localizar a personas que conocemos, pues lo más probable es que pertenezcan a nuestro círculo cercano.

En la parte superior derecha, de forma habitual podrá ver algunas de las últimas fotos compartidas por sus amistades.

La parte inferior derecha queda reservada para anuncios publicitarios, estos se muestran de forma aleatoria y en función de sus gustos e intereses.

Para ello, Facebook usa su información personal, únicamente la referida a gustos e intereses con el fin de personalizar los anuncios visibles.

> **Nota**: Los anuncios de Facebook suponen una potente herramienta de marketing, téngalo en cuenta a la hora de promocionar su negocio.

Buscar amigos y conocidos

Facebook le proporciona tres métodos principales para buscar amigos y conocidos.

A lo largo del capítulo dos y tres los ha podido ver conforme avanzaba en la configuración de su cuenta; en cualquier caso, vamos a nombrarlos de nuevo brevemente.

- Mediante el uso del formulario de búsqueda situado en la barra de navegación superior.
- Buscando entre los contactos de su correo electrónico
- Buscar amigos en función de su información personal, referida a instituciones educativas, empresas y redes.

En la parte central de la categoría *Amigos* verá distintas posibilidades de búsqueda; como muestra la Figura 3.65 puede explorar la libreta de direcciones de otros servicios de correo electrónico que use habitualmente.

Ya conoce el procedimiento por haberlo visto anteriormente, concretamente a lo largo del capítulo dos referido a la configuración inicial.

Únicamente tendrá que introducir el nombre de usuario y contraseña del servicio de correo electrónico elegido para, de este modo, autorizar a Facebook a buscar amigos con perfil en el sistema entre los contactos de su correo.

El sistema únicamente utilizará sus datos de conexión con dicho fin. En ningún caso almacenará esta información ni la usará de ningún modo.

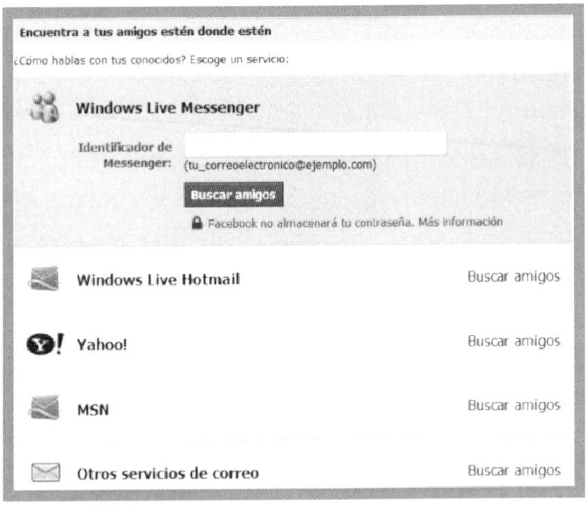

Figura 3.65. Búsqueda de amistades en servicios de correo

> **Recuerde**: Mediante la configuración de la privacidad puede evitar aparecer en las búsquedas; esto puede ser de gran utilidad en muchos casos, por ejemplo, solamente aquellas personas a las que usted mismo se lo haga saber y envíe una invitación podrán ser sus amigos.

Otras herramientas

Esta, quizás sea una de las características de búsqueda de contactos más interesantes de entre las que cuenta el sistema. Gracias a ella podrá filtrar de forma efectiva, no solo las amistades sugeridas, sino la totalidad de los usuarios de Facebook, en función de distintos parámetros, empresa, institución educativa, ciudad, etc.

Para verla pulse sobre el botón **Buscar amigos**, situado a la derecha de la opción *Otras herramientas*. Una vez hecho, se desplegarán las opciones disponibles (véase Figura 3.66).

Figura 3.66. Otras herramientas de búsqueda de amigos

Cargar archivo de contactos

Esta opción le permitirá importar a sus contactos directamente desde un archivo.

También, previa autorización, podrá permitir que Facebook busque nuevos contactos en su sistema operativo Windows.

Para ello, descargará una pequeña aplicación que sondeará su equipo buscando su libreta de direcciones.

Observación: Aunque pueda resultar muy práctica, no se recomienda permitir que se instale ninguna aplicación extra en el ordenador, incluso cuando como en este caso es de origen conocido.

Si pulsa sobre cualquiera de las opciones restantes (*Buscar a compañeros de trabajo, de Nombre de la Empresa, Buscar a compañeros de clase de la Universidad... o Buscar amigos, compañeros de clase o de trabajo*) obtendrá una ventana similar a ésta (véase Figura 3.67).

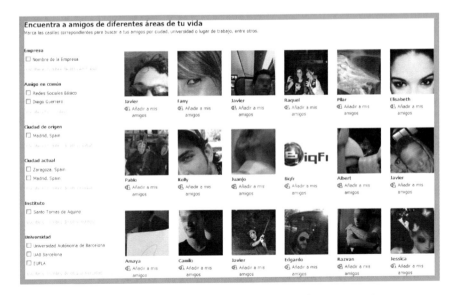

Figura 3.67. Encuentra tus amigos de diferentes áreas de tu vida

En principio, únicamente verá como amistades sugeridas a los amigos de sus amigos. El verdadero potencial de esta opción reside en el manejo del menú lateral y de los campos de búsqueda adjuntos.

Aplicando los distintos filtros disponibles, simplemente marcando la casilla respectiva, verá los registros coincidentes entre los amigos de sus amigos.

Sin embargo, puede ampliar la exploración a personas que no se encuentran en su círculo de amistades simplemente introduciendo en el campo de búsqueda que corresponda a la categoría que escoja, el texto que desee.

Por ejemplo, si en el formulario de búsqueda *Universidad*, teclea el nombre de cualquier universidad y pulsa sobre él, verá todos los usuarios de Facebook que han indicado en su perfil estudiar o haber estudiado en ella.

Recuerde que conforme empiece a escribir, Facebook, le sugerirá de forma automática los resultados más aproximados.

Cada vez que introduzca una nueva búsqueda, ésta se incorporará como una categoría relacionada donde corresponda.

Posteriormente, podrá combinar de forma simultánea las opciones disponibles en todas las categorías, delimitando de este modo el número y calidad de los resultados.

En cualquier caso, si desea añadir alguna de las amistades sugeridas como amigo debe pulsar sobre el vínculo **Añadir a mis amigos**; al hacerlo, como ya tratamos en el segundo capítulo, se remitirá una invitación de amistad al contacto seleccionado. Una vez que sea aceptada, aparecerá en su perfil como amigo.

Invitar a amigos que no tienen cuenta en Facebook

Seguramente muchas de sus amistades no dispongan de cuenta en Facebook, sin embargo, es posible que quiera añadirlos como amigos. Para ello, como ya supondrá, en primer lugar deben abrir una cuenta.

La mejor forma de lograrlo consiste en que les envíe una invitación personal para unirse a Facebook. Vamos a verlo con un ejemplo práctico.

Veamos un ejemplo

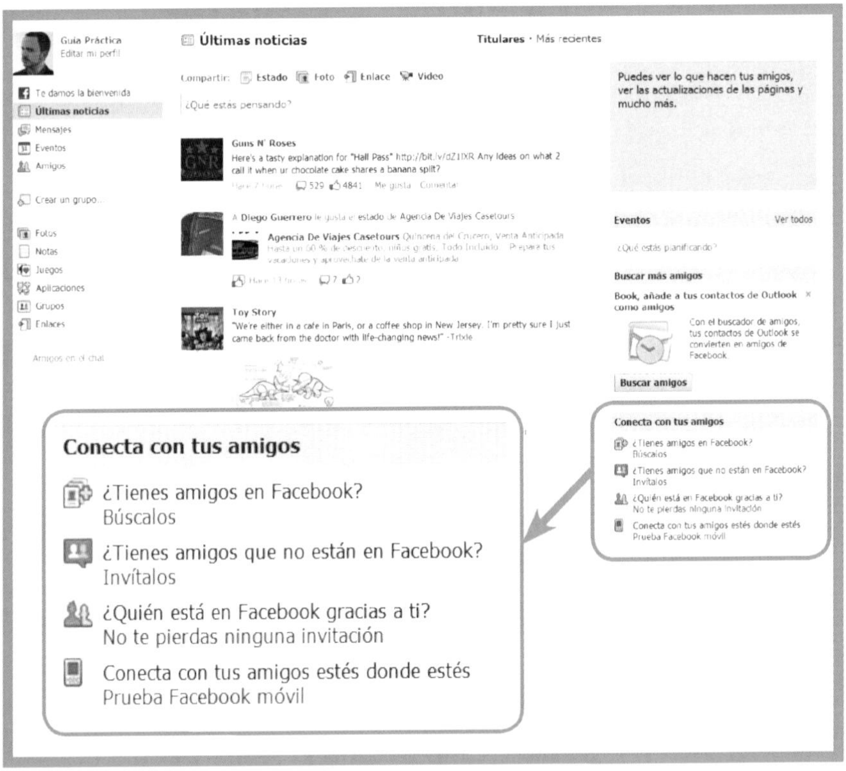

Figura 3.68. Invitar amigos a Facebook Paso 1

Paso 1

En primer lugar, tenemos que situarnos en la página de inicio de nuestro perfil. Para ello pulsaremos sobre el vínculo **Inicio** de la barra de navegación superior.

Una vez en la página de inicio, nos fijaremos en la esquina inferior derecha. Allí veremos el módulo *Conecta con tus amigos* (véase Figura 3.66).

Paso 2

En concreto nos interesa el renglón titulado *¿Tienes amigos que no están en Facebook?*. Una vez localizado pulsaremos sobre el vínculo que se encuentra inmediatamente debajo, **Invítalos**.

Página de inicio

Al hacerlo, veremos la página *Invita a tus amigos*, donde, en el campo *Para* escribiremos las direcciones de correo electrónico de los amigos que queremos invitar, separadas por comas. Así mismo, podemos incluir un mensaje personal en el campo *Mensaje*.

En el caso de este ejemplo, vamos a invitar a nuestros amigos Antonio y Eduardo, cuyos correos electrónicos son *antonio.conrado@hotmail.com* y *egonzalez@yahoo.com*. Como mensaje adjunto incluiremos el texto: *"Hola. Os invito a uniros a Facebook, algunos de los amigos de siempre ya estamos aquí. Os esperamos."* (véase Figura 3.69).

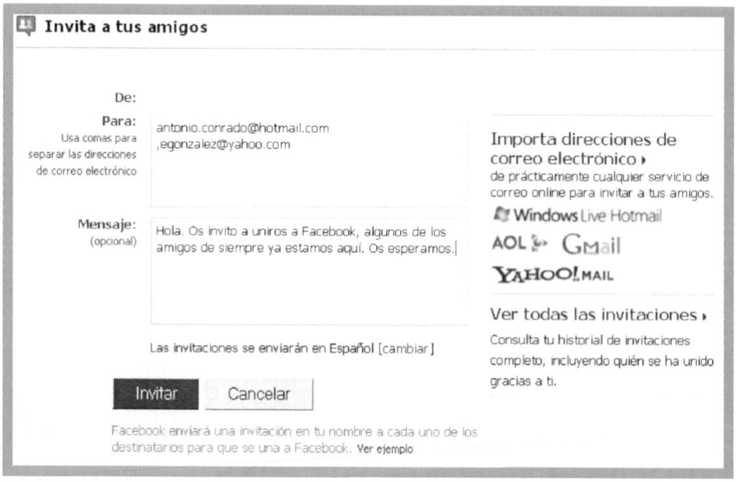

Figura 3.69. Invita a tus amigos Paso 2

Paso 3

Por último, para enviar las invitaciones pulsaremos sobre el botón **Invitar** de la imagen anterior.

Cada uno de nuestros amigos recibirá un mensaje de correo electrónico con nuestro mensaje y un enlace directo para facilitarles el registro en Facebook.

> **Nota**: Una vez enviada su invitación, el sistema le mostrará una ventana desde la que podrá sugerir a sus amistades que acepten como amigo a la persona que haya invitado.
>
> Claro está, en primer lugar tendrá que haber aceptado su propuesta y haberse registrado en Facebook.

Editar amigos

En el momento que empiece a tener una cantidad respetable de amigos confirmados, tal vez eche en falta organizarlos de forma distinta o gestionarlos más eficazmente.

Facebook le proporciona distintas herramientas para ayudarle a administrar sus contactos de forma rápida y sencilla.

Para acceder al menú principal debe identificar el botón **Editar amigos**, situado en la parte superior derecha de la categoría *Amigos*. Al pulsar sobre él, Facebook le mostrará un listado con todos sus amigos, así como distintas opciones para su organización (véase Figura 3.70).

En la parte izquierda podrá ver un menú de acceso rápido con distintas opciones: *Amigos, Solicitudes, Agenda telefónica, Buscar amigos* e *Invitar a amigos*.

Figura 3.70. Ventana Editar amigos

> **Nota**: La categoría *Solicitudes* solo será visible en caso de tener solicitudes pendientes u ocultas para mostrar.

Amigos

Si pulsa sobre esta opción volverá a la ventana inicial de *Editar Amigos*.

Agenda telefónica

Muestra los teléfonos de nuestros amigos, siempre y cuando lo hayan incluido en su información de contacto y lo compartan.

También aquellos que hayamos cargado desde nuestro teléfono móvil.

Buscar amigos

Al hacer clic el sistema le dirigirá a la categoría amigos, donde encontrará distintos procedimientos para buscar a sus amistades.

Invitar amigos

Su función es permitirle invitar a amigos y conocidos que no disponen de cuenta en Facebook.

Como sabe es muy sencillo, ya conoce el procedimiento por haberlo practicado en el punto anterior.

En la parte central, justo encima del nombre de sus amistades, verá el menú desplegable **Interacciones Recientes/Todos mis amigos**, el cual le permitirá filtrar y mostrar sus amistades en función de distintos parámetros (véase Figura 3.71).

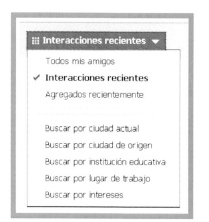

Figura 3.71. Filtrado de amistades

Justo a la derecha del desplegable anterior encontrará un formulario de búsqueda que le ayudará a buscar entre todos sus contactos.

Puede parecer innecesario pero si cuenta con cientos de amigos, como sucede en muchos casos, se hace casi imprescindible para localizar con rapidez a uno en concreto.

Por último, en la esquina superior derecha verá el botón *Crea una lista*. Por su utilidad e importancia en la gestión de amistades, lo verá en detalle un poco más adelante.

Suprimir un contacto de su cuenta

A lo largo del tiempo, es muy probable que por distintos motivos quiera eliminar algún contacto de su lista de amigos.

Hacerlo es muy sencillo. En primer lugar vaya a la categoría *Amigos* de su página de inicio y, una vez en ella, pulse sobre **Editar amigos**.

> **Nota**: Obtendrá el mismo resultado si hace clic sobre el vínculo **Cuenta** de la barra de navegación superior y en el desplegable pulse sobre **Editar amigos**.

Localice a la persona o contacto que desee eliminar. Puede conseguirlo ayudándose del campo de búsqueda o en el menú desplegable. Cuando lo haya hecho, verá como en la parte derecha del mismo se encuentra un icono con forma de aspa, púlselo para suprimirlo del listado de amigos (véase Figura 3.70).

Figura 3.72. Borrar un contacto

El sistema le mostrará una ventana donde deberá confirmar que efectivamente desea quitar el contacto seleccionado. Pulse sobre el botón **Eliminar de mis amigos** si está conforme con su elección (véase Figura 3.73).

> **Recuerde**: Aunque haya eliminado un contacto, en cualquier momento puede enviarle una nueva solicitud de amistad para volver a incluirlo como amigo.

Figura 3.73. Mensaje de confirmación "Borrar un amigo"

Otro método consiste en entrar en el perfil público del contacto que quiera eliminar. En la parte inferior izquierda, verá entre otras, la opción **Eliminar de amigos**. Pulsando sobre ella obtendría el mismo resultado.

Gestionar sus solicitudes de amistad

La categoría **Solicitudes** se encuentra dentro de la edición de amistades, concretamente en el menú lateral; sin embargo, solo estará visible si tiene alguna pendiente. Mostrará un valor numérico equivalente al número de solicitudes a contestar (véase Figura 3.74).

Figura 3.74. Solicitudes pendientes

Al pulsar sobre el vínculo **Solicitudes** accederá a la página relacionada donde figuran las solicitudes pendientes (véase Figura 3.75).

Figura 3.75. Solicitudes pendientes

En la parte derecha de cada una de ellas podrá ver las distintas opciones disponibles: *Confirmar* o *En otro momento*.

Confirmar

Al pulsar sobre este botón aceptará la solicitud de amistad, añadiendo al remitente a su lista de amigos.

En otro momento

Al hacer clic sobre este botón se ocultará la solicitud pendiente. Podrá recuperarla en cualquier momento accediendo a la página *Solicitudes* y pulsando sobre **Ver la única solicitud oculta** (véase Figura 3.76).

Figura 3.76. Mostrar solicitudes ocultas

El título del vínculo variará en función del número de solicitudes ocultas que tenga.

Por último, en la esquina superior derecha verá el botón **Ocultar Todas/Hide all requests**. Al pulsar sobre él, ocultará todas las solicitudes pendientes.

Página de inicio

Aceptar una solicitud de amistad

Cuando un usuario le envía una solicitud de amistad, Facebook se lo notificará de dos maneras:

- Enviándole un correo electrónico a su cuenta de correo principal.
- Mediante el menú de acceso rápido *Solicitudes de amistad*.

Facebook le remitirá un correo electrónico informándole de que una persona quiere ser su amigo (véase Figura 3.77).

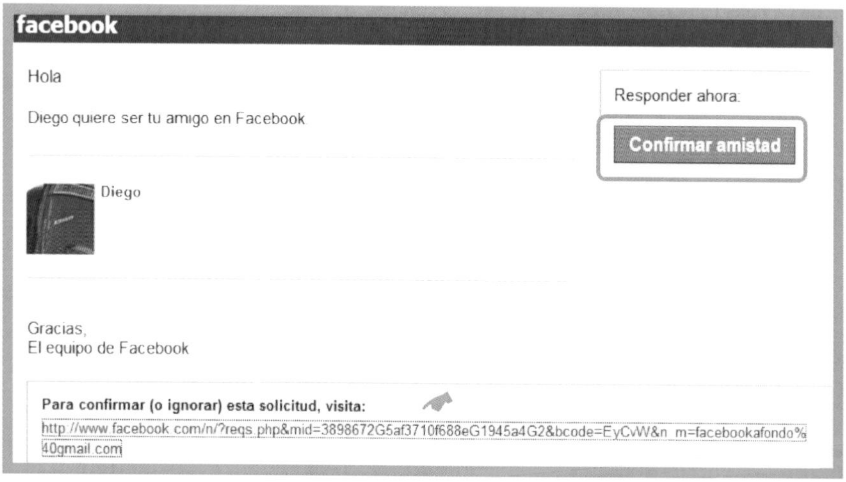

facebook

Hola

Diego quiere ser tu amigo en Facebook

Responder ahora:

Confirmar amistad

Diego

Gracias,
El equipo de Facebook

Para confirmar (o ignorar) esta solicitud, visita:
http://www.facebook.com/n/?reqs.php&mid=3898672G5af3710f688eG1945a4G2&bcode=EyCvW&n_m=facebookafondo%40gmail.com

Figura 3.77. Solicitud de amistad recibida por correo electrónico

Dentro del mismo encontrará un enlace y el botón **Confirmar amistad**. Si pulsa sobre cualquiera de ellos será redirigido a la categoría *Solicitudes*, donde podrá confirmar o dejar para más adelante la solicitud, según prefiera.

Igualmente, en la barra de navegación superior, en el icono correspondiente a *Solicitudes de amistad*, verá un superíndice con fondo rojo conteniendo un valor numérico que variará en relación con el número de solicitudes en trámite (véase Figura 3.78).

Figura 3.78. Solicitudes pendientes

Al pulsar sobre él se muestra un desplegable con las solicitudes pendientes (véase Figura 3.79).

Figura 3.79. Solicitudes pendientes

> **Nota**: Fíjese en la imagen anterior, el vínculo inferior ha cambiado. Como sabe, debería ser *Ver a todos tus amigos*, sin embargo, encontramos *Ver todas las solicitudes de amistad*. Esto ocurrirá siempre que tenga dos o más solicitudes pendientes.
>
> Si pulsa sobre el texto **Ver todas las solicitudes de amistad**, accederá a la ventana de edición de amigos, concretamente a la categoría *Solicitudes*, desde la que podrá ver todas las solicitudes pendientes y actuar sobre ellas.

Solo resta escoger la opción que prefiera y pulsar sobre el botón correspondiente.

Si confirma la petición de amistad, el sistema le dará la opción de añadirla a una lista de amigos en concreto o bien, directamente publicar algún contenido en su muro (véase Figura 3.80).

Figura 3.80. Opciones una vez aceptada la solicitud

Así mismo, en cualquier momento puede visualizar y gestionar todas sus solicitudes de amistad pendientes desde la categoría *Solicitudes*, dentro de la pantalla *Editar amigos*.

Las solicitudes en espera también se muestran en el lateral derecho de la página de inicio, bajo el epígrafe *Solicitudes*, donde también se muestran sugerencias, notificaciones, solicitudes pendientes, eventos próximos y anuncios del sistema.

Eliminar solicitud de amistad pendiente

Es posible que después de haber dejado varias solicitudes para contestarlas más adelante, decida que no está interesado en aceptarlas y quiera suprimirlas.

Nada más sencillo, para suprimir definitivamente una solicitud de amistad, en primer lugar, siguiendo el procedimiento del punto anterior, ha debido dejarlas para otra ocasión, pulsando sobre el botón *En otro momento*.

Como sabe, pulsando sobre el vínculo **Ver solicitudes ocultas** (véase Figura 3.76) podrá verlas todas (véase Figura 3.81).

Para suprimir una solicitud, simplemente pulse sobre el botón **Eliminar solicitud**, que, como puede ver en la imagen, se encuentra en la parte derecha de la pantalla.

En el caso de que tenga varias, puede borrarlas todas de una sola vez pulsando sobre el vínculo **Borrar todas**.

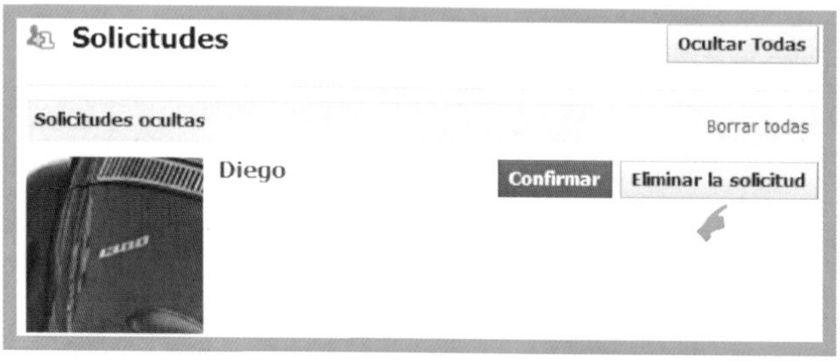

Figura 3.81. Solicitudes ocultas

Sin embargo, eliminar una solicitud de amistad no impide que el mismo usuario le siga enviando nuevas solicitudes.

Si no quiere recibir solicitudes de amistad de un determinado usuario, una vez que haya dejado para más adelante o eliminado la última recibida, en la ventana que aparece, pulse sobre el vínculo **¿No conoces a...?** (véase Figura 3.82).

Figura 3.82. Impedir recibir nuevas solicitudes

Cuando lo haya hecho, la ventana cambiará ofreciéndole la posibilidad de volver atrás si se ha equivocado. Para lograrlo pulse sobre el vínculo **Deshacer** (véase Figura 3.83).

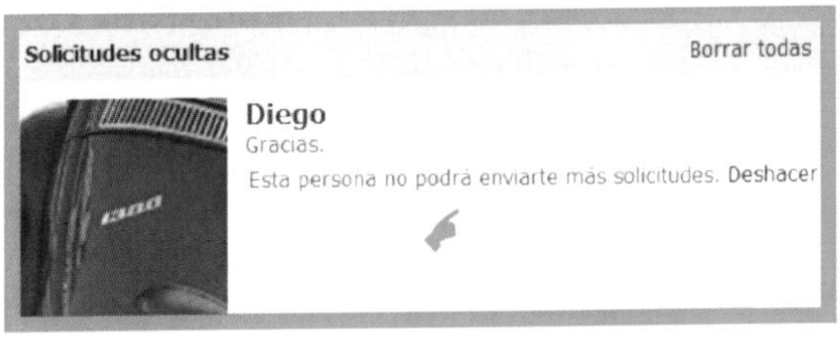

Figura 3.83. Cancelar, impedir nuevas solicitudes

A partir de este momento este usuario no podrá volver a enviarle ninguna solicitud de amistad. Si en algún momento quisiera añadirlo como amigo, deberá ser usted el que le remita una solicitud de amistad.

> **Recuerde**: Para proteger su privacidad, Facebook no notificará a los usuarios de ninguna manera si usted ha rechazado sus solicitudes de amistad.

Cancelar solicitud de amistad pendiente

Curiosamente, a día de hoy no hay ninguna posibilidad de ver todas las solicitudes de amistad que haya cursado, sin embargo, esto puede cambiar en breve.

Facebook está en constante evolución, implementando, modificando y ampliando funciones continuamente, muchas de ellas a sugerencia de los propios usuarios.

> **Nota**: Como alternativa, al visitar cualquier perfil público, en caso de haberle mandado una solicitud de amistad podrá ver justo a la derecha del nombre la leyenda **Solicitud de amistad enviada**.

Cabe la posibilidad de que haya enviado una solicitud de amistad por equivocación o, simplemente, puede que haya cambiado de idea.

Mientras no sea confirmada es posible cancelarla; para ello visite el perfil público de la persona a la que haya remitido la solicitud de amistad que quiere anular.

Concretamente, en la parte izquierda de la pantalla, al final del todo, encontrará el vínculo **Cancelar la solicitud de amistad** (véase Figura 3.84).

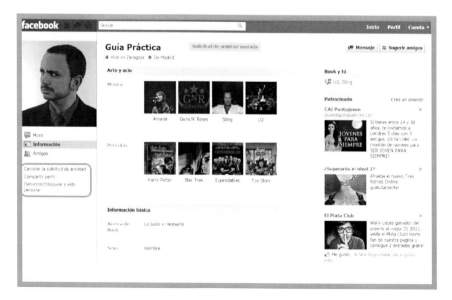

Figura 3.84. Cancelar solicitud de amistad

Página de inicio

Al pulsar sobre él cancelará la solicitud enviada y el usuario afectado no recibirá ningún tipo de notificación al respecto.

Sin embargo, tenga en cuenta que Facebook le enviaría un correo electrónico cuando cursó la solicitud y, si esta desaparece de su cuenta, resulta evidente lo ocurrido.

Esto no impide que más adelante pueda enviarle una nueva solicitud si así lo desea.

Listas de amigos

Una lista de amigos no es más que un grupo en el que podrá incluir aquellas amistades que prefiera

Cuando el número de sus amistades aumente de forma considerable, el empleo de listas de amigos le facilitará enormemente la gestión de las mismas y el uso de Facebook.

Por ejemplo, si tiene entre las amistades de su perfil familiares, compañeros de trabajo, amigos, conocidos, contactos empresariales, etc., puede crear una lista de amigos para cada una de esas categorías y darle el nombre que desee.

Crear una lista de amigos

Vamos a crear una lista de amigos como ejemplo práctico. En este caso incluiremos en ella únicamente a compañeros de trabajo, por lo cual, le daremos como nombre "*Trabajo*".

Figura 3.85. Ventana Editar amigos

Página de inicio

En primer lugar, pulsaremos el botón **Crea una lista** que podemos encontrar en la parte superior derecha de la imagen anterior (véase Figura 3.85), que, como sabemos, pertenece a la pantalla principal de edición de amigos. Al hacerlo, Facebook nos mostrará la ventana de creación de listas de amigos (véase Figura 3.86).

Figura 3.86. Crear nueva lista de amigos

Ahora, le daremos nombre a nuestra nueva lista, recordemos que es "*Trabajo*". Haga clic sobre el cuadro de texto con la leyenda **Escribe un nombre**, después seleccionaremos los contactos que queremos incluir; para ello, solamente es preciso marcar encima del contacto con el ratón (véase Figura 3.87) y, para deseleccionarlos, vuelva a hacer clic sobre ellos.

Una vez que hayamos terminado, para crear la nueva lista haremos clic sobre el botón **Crea una lista**, que puede ver en la imagen superior.

A partir de ese momento en el menú principal de la ventana editar amigos verá la nueva lista creada (véase Figura 3.88).

Es posible mostrar la nueva lista en su perfil público personal, de tal manera que, al pulsar sobre ella, el sistema le mostrará las últimas noticias que afecten a los contactos que contenga, así como opciones de edición de la lista y sugerencias. Se verá en detalle en el próximo capítulo.

Figura 3.87. Selección de contactos lista Trabajo

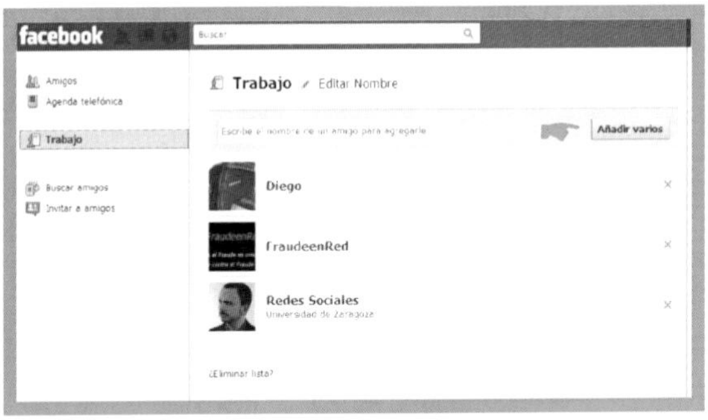

Figura 3.88. Lista de amigos Trabajo

Añadir o eliminar contactos de una lista

En cualquier momento puede añadir o eliminar contactos de sus listas; para ello seleccione la lista que desea editar haciendo clic sobre ella y, después, pulse sobre el botón **Añadir varios**, que podrá ver en la parte superior derecha (véase Figura 3.88).

A continuación, el sistema le mostrará la ventana similar a la de elección de amistades, en ella, marque o desmarque sus contactos, en función de si quiere añadirlos o borrarlos de la lista.

Para confirmar su selección, pulse sobre el botón **Guardar lista** que verá en la parte inferior de la imagen (véase Figura 3.89).

Tiene a su disposición, en la parte superior de cualquier lista, así como en las distintas ventanas de selección de amistades, un campo de búsqueda.

Éste le será especialmente útil si cuenta con gran cantidad de contactos, de cara a localizar alguno en concreto.

Así mismo, es posible eliminar contactos pulsando sobre el icono con forma de aspa que encontrará situado a la derecha de cada uno de ellos (véase Figura 3.88).

Figura 3.89. Añadir o eliminar contactos de una lista

Puede incluir a sus amistades en distintas listas de forma simultánea, no hay ningún problema en ello, más allá del tipo de organización que prefiera.

Una forma de lograrlo, aparte de las ya vistas, consiste en entrar dentro de cualquier lista que haya creado y situar el cursor del ratón sobre el contacto que desee añadir en cualquier otra lista.

Cuando lo haga aparecerá una nueva opción en la parte derecha de la imagen *Editar Listas* (véase Figura 3.90).

Figura 3.90. Añadir contacto a varias listas

Se trata de un menú desplegable. Pulse sobre él y podrá ver las listas de amigos disponibles. Claro está, para que cumpla su función, deberá tener al menos dos listas (véase Figura 3.91).

Figura 3.91. Listas disponibles y selección de listas

Ahora, seleccione la lista a la que quiere agregarle sencillamente haciendo clic sobre ella. Observe que aparecen en negrita aquellas a las que ya pertenece.

Del mismo modo, puede borrarlo de una lista a la que pertenezca pulsando sobre ella verá como desaparece el signo de confirmación.

> **Nota**: Podrá editar el nombre de cualquier lista accediendo a la misma y pulsando sobre el vínculo *Editar nombre* que se encuentra a la derecha del mismo.

Eliminar una lista de amigos

Para eliminar una lista de amigos, lo más sencillo es hacer clic sobre el texto **Editar amigos**, que se encuentra en la parte superior derecha de la categoría *Amigos*.

Cuando lo haga, podrá ver el listado de todos sus amigos y el menú principal, en el lado izquierdo de la pantalla.

A continuación, haga clic sobre la lista de amigos que desee borrar. Una vez hecho, verá en la parte central un listado con todos los amigos incluidos en la lista seleccionada.

En la parte inferior pulse sobre el vínculo **¿Eliminar lista?** (véase Figura 3.92), después, en el mensaje de confirmación pulse sobre el botón **Confirmar**.

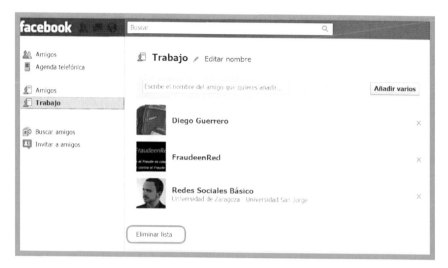

Figura 3.92. Eliminar lista

Recuerde: Tenga en cuenta que los contactos de una lista eliminada no desaparecen, siguen disponibles en la categoría principal de amigos.

Esta función aporta varias ventajas a la gestión de su perfil y amistades, una de ellas es la posibilidad de aplicar restricciones específicas para las distintas listas.

Puede permitir a la lista "*Familiares*" que vea todas sus fotos y a su vez impedir que lo haga su lista de "*Compañeros de trabajo*".

Una forma sencilla de lograr esto, es haciendo clic sobre el candado de privacidad del contenido al que quiera limitar el acceso y seleccionar la opción **Personalizar**. Ahora, debería incluir las personas a las que desea autorizar o no para ver el contenido elegido.

En lugar de nombres individuales, incluya el nombre de la lista de amigos que desee y se aplicarán las restricciones a todos sus miembros.

Si tiene una gran cantidad de amistades en Facebook, el uso de las listas de amigos se vuelve imprescindible. De no hacerlo, su ventana noticias será poco o nada útil al estar saturada por las novedades de todos sus contactos.

Una vez confeccionadas las listas de amigos solo es preciso hacer clic sobre cualquiera de ellas para ver las últimas noticias de los contactos que la componen

Para lograrlo, en primer lugar deberá tenerla visible en su perfil público personal. En el próximo capítulo trataremos todas las cuestiones referentes al mismo.

> **Recuerde**: Configurar correctamente las opciones de visualización y privacidad es de vital importancia para su experiencia de uso en Facebook.
>
> Tenga presente la cantidad ingente de información personal suya y de sus amigos y conocidos que deberá controlar.
>
> No se agobie, más adelante verá como en pocos minutos es capaz de adoptar una configuración adecuada.

Grupos

Hasta ahora, todo lo que ha visto referido al menú principal de la página de inicio se refiere a categorías fijas que siempre se encuentran disponibles.

Sin embargo, en la parte restante verá lo que Facebook denomina aplicaciones. Se trata de pequeños programas añadidos con distintas funcionalidades.

Algunas de ellas siempre están visibles; otras aparecerán si usa determinados servicios, como anuncios o páginas.

Comencemos por los *Grupos*: un grupo en Facebook, actualmente podría verse una forma avanzada de comunicarse con sus amistades, complementaria a las listas de amigos que ya conoce.

Imagine que quisiera contar con su propio espacio, un único lugar donde compartir sus ideas, fotos, vídeos, eventos, archivos, etc., solamente con algunos de sus amigos.

Página de inicio

Por ejemplo, podría crear un grupo e incluir en él únicamente a sus familiares para compartir fotos de cenas, reuniones, vídeos de vacaciones o acontecimientos. Así el resto de sus amistades no podría verlo.

No se le habrá pasado por alto el interés que puede tener para una entidad pública o privada, la posibilidad de crear un grupo para sus empleados o colaboradores, como herramienta de comunicación interna o participativa, resulta muy atrayente.

Si desea disponer de una imagen comercial en Facebook, por sus características particulares, deberá hacerlo mediante la creación de una página.

Trataremos este interesante tema un poco más adelante. Aprenderá a sacar partido al uso de páginas y grupos.

Tipos de grupos

Facebook distingue entre tres tipos de grupos en función del grado de privacidad: *Abierto*, *Cerrado* y *Secreto*.

Grupo abierto

- Cualquier usuario puede ver la información completa del grupo y publicaciones adjuntas, también puede publicar toda clase de contenido en el mismo.
- El propio usuario puede unirse al grupo sin ningún impedimento.
- Los grupos abiertos aparecen en los resultados de búsquedas del sistema.
- Los nombres de los usuarios que pertenecen al grupo son públicos.

Grupo cerrado

- Cualquier usuario podrá ver el grupo en las búsquedas. Sin embargo, si desea unirse, su inclusión tendrá que ser autorizada por el administrador del grupo.
- Igualmente los usuarios que no sean miembros solo podrán ver las pestañas correspondientes a *Información* y *Noticias recientes*.
- Para publicar contenido es necesario ser miembro del grupo
- Los nombres de los usuarios que pertenecen al grupo son públicos.

Página de inicio

Grupo Secreto

- El grupo no aparece en las búsquedas.
- Es imprescindible recibir invitación para poder unirse.
- Los nombres de los usuarios que pertenecen al grupo son privados.
- Solo los miembros pueden ver y publicar contenidos.
- La pertenencia al grupo no será difundida ni compartida con otros usuarios, aunque sean sus amigos.

Búsqueda de grupos

En primer lugar, tenga en cuenta que solo podrá buscar grupos catalogados como abiertos o cerrados. Para hacerlo, deberá usar el formulario de búsqueda contenido en la barra de navegación superior (véase Figura 3.13).

Active el campo de búsqueda pulsando sobre él. Después teclee el nombre o las palabras que más se aproximen al tema sobre el que desea localizar grupos disponibles.

Cuando lo haya hecho, pulse la tecla retorno de su teclado o el icono con forma de lupa, situado en la parte derecha del campo de búsqueda.

> **Nota**: Tenga en cuenta que únicamente se buscarán coincidencias con los títulos de grupos disponibles, sea preciso en sus búsquedas.

Como en cualquier otra búsqueda, el sistema arrojará todos los resultados coincidentes encontrados. Para reducirlo únicamente a los grupos localizados debe pulsar sobre el vínculo **Grupos** (véase Figura 3.93).

Figura 3.93. Filtro de resultados

Página de inicio

Aparecerá un listado englobando los eventos relacionados con su búsqueda. En este caso, el término usado ha sido "the Rolling Stones" (véase Figura 3.94).

Figura 3.94. Resultados de la búsqueda

Unirse a un grupo

Facebook le permitirá unirse a un máximo de 300 grupos, sin embargo, lo más habitual es que solo sea activo en dos o tres de ellos.

El procedimiento para unirse a un grupo abierto es muy sencillo. En primer lugar, siga los pasos descritos en el punto anterior para buscar un grupo.

Seguidamente, cuando localice el grupo que le interesa en la página de resultados de las búsquedas (véase Figura 3.94), pulse sobre el botón **Únete al grupo**. De este modo se hará "socio" del mismo. A continuación, será redirigido automáticamente a la página del grupo escogido.

Antes de unirse a un grupo puede consultar su actividad y contenidos, haciendo clic sobre su nombre en la página de resultados.

Si el grupo es cerrado, en lugar del botón *Únete al grupo*, aparecerá *Envía una solicitud para unirte al grupo* (véase Figura 3.95).

Al pulsar sobre él, se remitiría una petición al administrador. Si éste la aceptara, Facebook le enviará una notificación comunicándoselo.

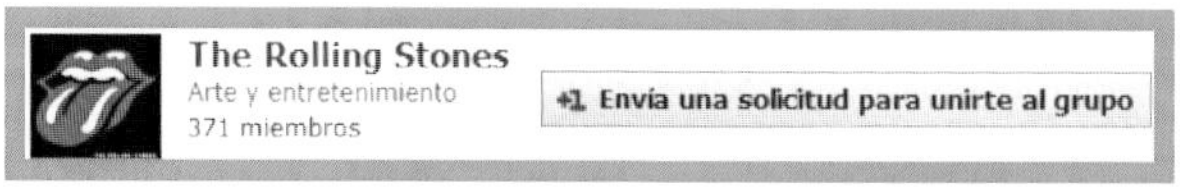

Figura 3.95. Enviar solicitud

En cualquier momento, si lo desea puede ver todos los grupos a los que está suscrito. Para ello, en el menú lateral de la página de inicio, justo debajo de *Crear un grupo*, pulse sobre **Ver todos** (véase Figura 3.96).

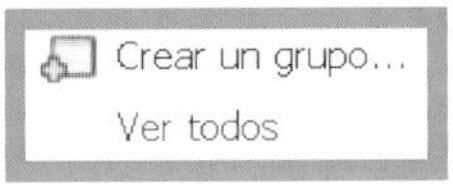

> Crear un grupo...
> Ver todos

Figura 3.96. Ver todos los grupos a los que pertenece

Si se trata de de un grupo secreto la única manera de unirse es recibiendo una invitación por parte del administrador. Ésta aparecerá en el área de notificaciones y en la categoría *Grupos* del menú de la página de inicio.

También puede unirse a un grupo desde la página principal del mismo. Para ello, pulse sobre el botón **Unirte** o **Pedir unirme al grupo**, según sea abierto o cerrado, podrá ver ambos vínculos en la parte superior, en línea con el nombre del grupo (véase Figura 3.97).

Figura 3.97. Unirse a un grupo

Abandonar un grupo

Existen distintos procedimientos para abandonar un grupo, pero sin duda alguna, éste es el más rápido y sencillo.

1. Vaya a la página principal del grupo del que desea darse de baja.

2. En la mitad superior derecha, encontrará el vínculo **Abandonar grupo**; pulse sobre él (véase Figura 3.98).

Seguidamente, aparecerá un mensaje de confirmación. Pulse sobre el botón **Eliminar**, para dejar de participar.

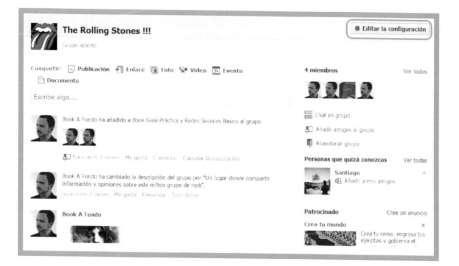

Figura 3.98. Abandonar un grupo

Crear un grupo

Seguramente piense que ésta puede ser su ocasión de compartir una afición o una inquietud con el resto de la comunidad.

Ése es precisamente el espíritu con el que nacieron los grupos en Facebook; reunir gente entorno a un interés común.

Debe percibir un grupo como una herramienta participativa, no como una mera forma lineal de compartir información que solamente usted publica.

Lo que verdaderamente hace que un grupo funcione y se desarrolle son sus miembros que, con sus aportaciones, hacen grande la comunidad creada.

Vamos a mostrarle cómo crear un grupo mediante un ejemplo práctico, en unos pocos pasos.

Veamos un ejemplo

Supongamos que queremos crear un grupo abierto relacionado con el aprendizaje para tocar la guitarra eléctrica; le llamaremos "**Aula Rock**".

Paso 1

En primer lugar iremos a la página de inicio. A continuación, en el menú de la izquierda pulsaremos sobre **Grupos** (véase Figura 3.99).

Figura 3.99. Acceso a grupos Paso 1

> **Truco**: Los iconos presentes en esta zona de la barra lateral pertenecen a distintas aplicaciones propias de Facebook. Depende de usted que sean o no visibles; si desea ocultarlas puede hacerlo con facilidad.
>
> Sitúe el cursor del ratón sobre la aplicación que desee quitar de la vista. Verá como en su parte izquierda aparece un icono con forma de aspa. Al pulsar sobre él ocultará la aplicación.
>
> Para mostrar de nuevo las aplicaciones ocultas pulse sobre el vínculo **Mostrar ocultas** o **Ver más**, disponible al final del listado de aplicaciones únicamente si alguna no se encuentra visible.

En el caso de que no veamos la aplicación es posible llegar a ella de otro modo: introduciendo la palabra *Grupos* en el formulario de búsqueda de la barra de navegación superior.

Habitualmente, aparecerá como primera sugerencia (véase Figura 3.100) y haremos clic sobre ella para ir a la página *Grupos*.

Figura 3.100. Aplicación grupos

Una vez dentro de la aplicación, aparte de la opción *Crear un grupo*, veremos todos aquellos a los que ya pertenecemos (véase Figura 3.101).

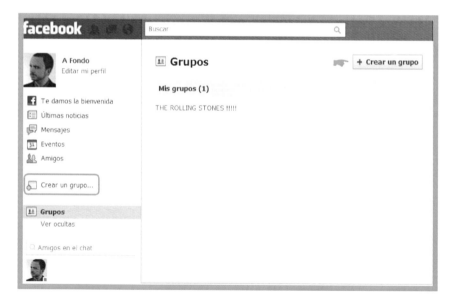

Figura 3.101. Página principal Grupos Paso 2

Paso 2

Ahora buscaremos el botón **Crear un grupo**, situado en la esquina superior derecha y pulsaremos sobre él para iniciar el proceso (véase Figura 3.101).

Obtendrá el mismo resultado si pulsa sobre el vínculo **Crear un grupo...**, presente en el menú lateral de la página de inicio.

> **Nota**: Para crear una página o grupo no necesita hacerse una cuenta nueva. Puede administrarlos desde la existente, sin embargo, si se tiene una finalidad comercial, sería una buena idea crear una cuenta con esa única función.

Paso 3

Aparecerá un formulario inicial donde tendremos que incluir información básica: nombre, privacidad y contactos a los que enviar una invitación (véase Figura 3.102).

Figura 3.102. Crear un Grupo Paso 3

Como en otras ocasiones, primero deberá activar el campo que desee cumplimentar haciendo clic sobre él con el ratón.

En el caso de las invitaciones, recuerde que cuando comience a escribir, el sistema le irá mostrando una lista de coincidencias que se aproximen al texto que haya introducido. Escoja cualquiera de ellas haciendo clic sobre el nombre elegido.

Una vez completado, pulsaremos sobre el botón **Crear**, situado en la esquina inferior derecha de la imagen anterior

Pasados unos segundos, veremos la vista de administrador de nuestro nuevo grupo desde donde podremos continuar la personalización o empezar a publicar contenidos.

> **Recuerde**: Para invitar gente a su grupo, estos tienen que figurar primero como amigos en su perfil personal.

Personalizar un grupo

Como acaba de ver en el punto anterior, una vez que haya terminado la creación de su nuevo grupo, lo primero que aparece es la vista de administrador del mismo (véase Figura 3.103).

Figura 3.103. Vista de administrador

Como administrador dispone de dos opciones principales: *Editar el grupo* y *Editar la configuración*, ésta última visible para todos los miembros del grupo.

Editar y modificar un grupo

Al pulsar sobre el botón **Editar el grupo**, aparecerá una ventana desde la que podrá personalizar distintos aspectos del mismo: añadir una descripción, publicar una imagen como foto de perfil, crear una dirección de correo del grupo, eliminar miembros, editar la privacidad, etc. (véase Figura 3.104).

Para una mejor organización y comodidad de uso se divide en tres categorías principales que puede ver en el menú situado en la parte izquierda de la ventana: *Información básica*, *Foto del perfil* y *Miembros*.

Información básica

Ésta es la categoría que aparece por defecto. En ella podrá modificar distintos aspectos referidos a la configuración inicial.

- *Nombre del grupo*: Aquí puede cambiar el nombre del mismo por otro simplemente haciendo clic sobre el campo y tecleando el nuevo.

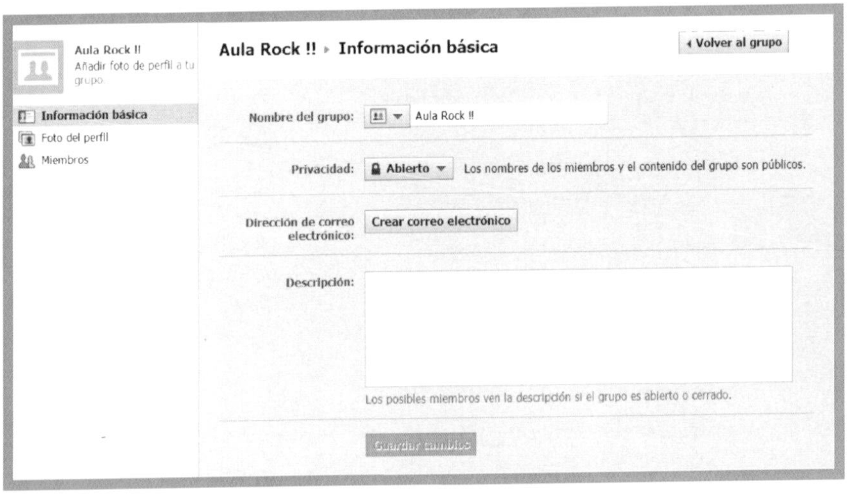

Figura 3.104. Ventana de edición de grupos Información básica

- *Privacidad*: En cualquier momento podrá convertir su grupo en privado o secreto. Pulse sobre el desplegable y escoja la nueva situación de visibilidad.

- *Dirección de correo electrónico*: Contar con un correo electrónico del grupo le permitirá publicar tanto a usted como a los miembros cualquier contenido simplemente remitiéndolo a la dirección de correo electrónico del mismo. Pulse sobre el botón **Crear correo electrónico** para hacerlo.

   No solo eso, sino que cuando se publique algo nuevo en su grupo, todos los miembros recibirán un correo electrónico; incluso, al contestarlo, podrán añadir comentarios.

- *Descripción*: En este campo puede incluir un resumen del objetivo del grupo y lo que ofrece. Una buena descripción lo hará más atrayente en los resultados de búsquedas.

Una vez que haya terminado de personalizar la información básica de su grupo haga clic sobre el botón **Guardar cambios** para que el sistema los confirme y aplique.

Foto del perfil

Aunque no es imprescindible añadir una foto de perfil a su grupo, lo hará más atractivo visualmente. Escoja una imagen que pueda representarlo adecuadamente.

Si pulsa sobre la categoría **Foto del perfil** accederá a una página desde la que podrá hacer una foto en el momento o bien subir una desde su ordenador (véase Figura 3.105).

Obtendrá el mismo resultado si pulsa sobre **Añadir foto de perfil...**, presente en la esquina superior izquierda de la ventana *Editar el grupo*, justo debajo del nombre (véase Figura 3.104).

Aula Rock !! ► **Foto del perfil**   ◄ Volver al grupo

Seleccionar un archivo de imagen de tu ordenador (4 MB máx.):

Examinar...

O bien

▣ Hacer una foto

Al cargar el archivo de una imagen, confirmas que tienes derecho a distribuirla y que ello no infringe las Condiciones del servicio.

Serie de fotos situadas al principio de tu perfil: Mostrar todas

Figura 3.105. Añadir foto de perfil

El proceso es muy sencillo: pulsando sobre el botón **Examinar** puede cargar una foto desde su ordenador, o bien, si dispone de cámara web y así lo desea, hacer una foto en el momento.

Su funcionamiento es muy similar al que ya conoce para añadir una imagen como foto de perfil en su cuenta personal. Visto en el capítulo dos.

En cualquier momento, es posible modificarla o eliminarla, hay distintas formas de hacerlo, pero lo más rápido y sencillo consiste en situar el cursor del ratón sobre la foto de perfil y pulsar sobre ella.

Al hacerlo, aparecerá una ventana emergente mostrando la imagen actual y, en su parte inferior, el botón **Editar la foto del grupo**. Pulse sobre él (véase Figura 3.104).

Esto le trasladará a la categoría *Foto del perfil*, donde podrá llevar cualquiera de las acciones descritas a cabo con unos pocos clics de ratón.

Puede utilizar cualquiera de los formatos más comunes de imagen actuales, únicamente teniendo en cuenta que el tamaño del archivo no supere los 4 Mb.

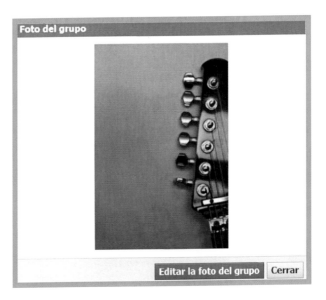

Figura 3.106. Editar la foto del grupo

Miembros

En esta ficha verá una relación de todos los miembros del grupo, así como las opciones de gestión disponibles (véase Figura 3.107).

Figura 3.107. Categoría Miembros

- *Añadir amigos al grupo*: Esta posibilidad, que también se encuentra disponible en la página principal del grupo, le permitirá añadir a sus amigos al grupo. Para hacerlo pulse sobre el vínculo **Añadir amigos al grupo**.

- *Formulario de búsqueda*: Los grupos en Facebook no tienen un número máximo de miembros, por lo que se hace imprescindible contar con un sistema que le permita localizar a un miembro en concreto.

  Esa es precisamente la función del formulario de búsqueda presente en la categoría miembros.

- *Hacer Administrador*: Cuando un grupo es especialmente extenso y activo resulta recomendable contar con más de un administrador, quienes en un momento dado, puedan hacerse cargo de alguna incidencia.

  Convertir un miembro en administrador es tan sencillo como pulsar sobre el vínculo **Hacer Administrador**, presente justo debajo de su nombre.

  Obtendrá un mensaje de confirmación que le aportará información extra sobre lo que implica. Si está conforme pulse sobre el botón **Nombrar Administrador** (véase Figura 3.108).

Figura 3.108. Nombrar administrador

Del mismo modo, puede retirar los privilegios de administración de un usuario en cualquier momento. Para ello, pulse sobre el vínculo **Eliminar administrador**, presente debajo del nombre de usuario y, después, haga clic sobre el botón **Aceptar**, que aparecerá en el mensaje de confirmación.

> **Nota**: El usuario recibirá una notificación cuando sea nombrado administrador, sin embargo, esto no será así si decide que deje de serlo. Aunque no la reciba, cuando visite el grupo y quiera actuar sobre él, comprobará que no tiene permisos para hacerlo.

En la esquina superior derecha, en todas las ventanas pertenecientes a la edición del grupo, encontrará en botón **Volver al grupo**. Al pulsar sobre él será redirigido a la página principal del mismo.

Editar la configuración

Esta opción se encuentra disponible para todos los miembros del grupo en la esquina superior derecha de la página principal del mismo (véase Figura 3.101).

Al pulsar sobre ella aparecerá una venta emergente donde podrá personalizar distintos aspectos referentes a la manera en que quiera interactuar con el grupo escogido (véase Figura 3.109).

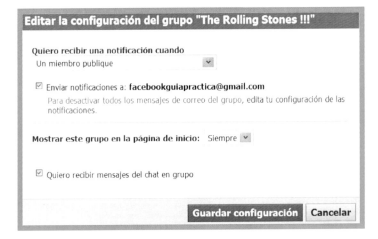

Figura 3.109. Edición de la configuración

Quiero recibir una notificación cuando

Al pulsar sobre el menú desplegable podrá elegir cuándo desea que Facebook le envíe un aviso. Las opciones disponibles son: *Un miembro publique*, *Un miembro publique y comente*, *Un amigo publique* y *Solo las publicaciones a las que me he suscrito*.

Por defecto el sistema le enviará notificaciones cada vez que un miembro publique contenido. Esta opción, sobre todo en el caso de grupos muy activos, puede saturar de entradas su propia página de inicio, lo que supone un engorro.

Salvo casos puntuales, la opción más recomendable sería *Solo las publicaciones a las que me he suscrito*.

Enviar notificaciones por correo electrónico

Marque o desmarque la casilla de verificación en función de si desea o no recibir notificaciones por correo electrónico.

Al igual que sucede con las notificaciones en su perfil, si está suscrito a varios grupos con cierta actividad, tal vez reciba una cantidad excesiva de correos.

Mostrar este grupo en la página de inicio

Al pulsar sobre el menú desplegable podrá elegir cuándo prefiere que sea visible este grupo en el menú lateral de su página de inicio, siendo las posibilidades: *Siempre*, *A veces* y *Nunca*.

Resulta muy práctico tener a la vista los grupos que más frecuente, así con un solo clic podrá ver las últimas novedades y acceder a la página principal del mismo (véase Figura 3.110).

Figura 3.110. Resultado de mostrar grupo en la página de inicio

Quiero recibir mensajes del chat en grupo

Marque o desmarque la casilla de verificación en función de si desea recibir o no mensajes a través del chat del grupo seleccionado.

El funcionamiento y posibilidades del servicio de chat integrado en Facebook se verá en detalle un poco más adelante.

Una vez que haya realizado todas las modificaciones a su gusto, para confirmar los cambios pulse sobre el botón **Guardar configuración** (véase Figura 3.109).

Como siempre, si no está conforme o no desea realizar cambio alguno en ese momento haga clic sobre **Cancelar**.

Eliminar miembros de un grupo

Como administrador de un grupo tendrá la capacidad de eliminar a cualquiera de sus miembros, bien de forma temporal o incluso definitiva.

1. Vaya a la página principal del grupo en el que desea suprimir algún miembro.

2. En la parte superior derecha encontrará el vínculo **Editar el grupo**, pulse sobre él (véase Figura 3.103).

3. Seguidamente pulse sobre la categoría **Miembros**, podrá verla en el menú del lateral izquierdo (véase Figura 3.104).

4. Ahora, busque a la persona que desea expulsar del grupo, bien en el listado o sirviéndose del formulario de búsqueda.

5. Una vez que lo tenga a la vista, observará que en la parte derecha del nombre se encuentra un icono con forma de aspa. Púlselo (véase Figura 3.111).

Figura 3.111. Eliminar miembro de un grupo

Página de inicio

6. A continuación, aparecerá un mensaje de confirmación, pulse sobre el botón **Confirmar** para eliminar el usuario.

   Si activa la casilla **Bloquear permanentemente** no podrá volver a invitar a esta persona hasta que lo borre de la lista de usuarios bloqueados (véase Figura 3.112).

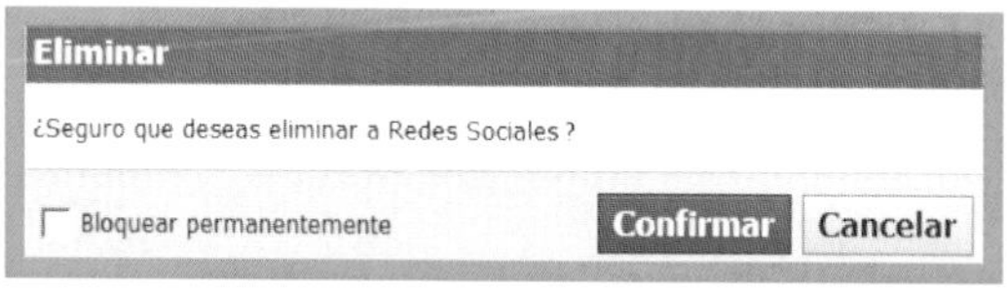

Figura 3.112. Confirmar eliminar miembro de un grupo

Cerrar y suprimir un grupo

Por distintos motivos, ya sea porque ha cumplido su función o porque no obtiene lo que esperaba de él, puede decidir cerrar un grupo que haya creado.

Solamente el creador y administrador inicial de un grupo puede eliminarlo. El procedimiento es bien sencillo:

1. En primer lugar elimine a todos los miembros del grupo siguiendo los pasos que acabamos de describir.

2. Una vez que se haya asegurado de que usted es el único miembro restante del grupo, abandónelo también.

   Pulse sobre el vínculo **Abandonar Grupo** que encontrará en la página principal del mismo, situado en la mitad inferior derecha (véase Figura 3.103).

   En unos días Facebook eliminará permanentemente el grupo vacío.

> **Nota**: Tenga en cuenta que al eliminar un grupo se borrarán de forma definitiva todos los contenidos y colaboraciones que incluyera.

Como ha podido comprobar, el trabajo con grupos está al alcance de cualquiera y su potencial es enorme, principalmente en su aplicación para entornos empresariales.

Su uso como herramienta de comunicación, dentro de un grupo de trabajo, es sin duda una de sus virtudes más destacables.

Fotos

Seguramente, las imágenes sean los contenidos que más se comparten en Facebook, lo que convierte a la aplicación *Fotos* en una de las más populares entre los usuarios.

Al pulsar sobre **Fotos** verá una selección de las fotografías y álbumes, compartidos por sus amistades, ordenados cronológicamente (véase Figura 3.113).

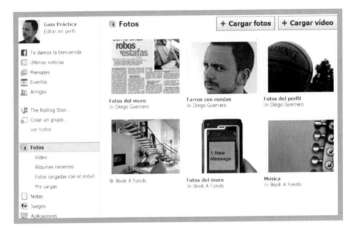

Figura 3.113. Aplicación Fotos

En la parte izquierda se ha desplegado un menú de acceso rápido con distintas opciones: *Vídeo, Álbumes recientes, Fotos cargadas con el móvil* y *Mis cargas* (véase Figura 3.114).

Figura 3.114. Menú de acceso rápido

Vídeo

Si pulsa sobre esta opción verá todos los vídeos publicados por sus amigos ordenados en función de su antigüedad.

Álbumes recientes

Del mismo modo, al seleccionar esta opción, aparecerán los últimos álbumes compartidos o modificados.

Fotos cargadas con el móvil

En este caso podrá ver todas las fotos que se hayan subido desde Facebook para móviles.

Mis cargas

Como su propio nombre indica, al pulsar sobre esta categoría únicamente verá las fotos que haya subido usted a su perfil, ordenadas en álbumes.

Compartir fotos y vídeos en Facebook

Facebook le proporciona distintas herramientas para ayudarle a administrar sus imágenes y vídeos de forma rápida y sencilla.

Si desea publicar una imagen o vídeo único, deberá usar el menú de acción disponible (véase Figura 3.115) tanto en su muro, como en el de los grupos y páginas a los que pertenezca. Se verá en el capítulo *Compartir en Facebook*.

Compartir: 📝 Estado 🖼 Foto 🔗 Enlace 🎥 Vídeo

Figura 3.115. Compartir en Facebook

En la página *Fotos*, concretamente en la esquina superior derecha (véase Figura 3.113), dispone de dos opciones para compartir sus imágenes y vídeos: *Cargar Fotos* y *Cargar Vídeo*.

Cargar Fotos

Si pulsa sobre este botón se iniciará el proceso de creación de un nuevo álbum de fotos.

Cargar Vídeo

Al hacer clic sobre él le será posible subir un vídeo de su ordenador o grabarlo en el momento e incluirlo en sus vídeos.

Crear un álbum de fotos

En primer lugar, aprenderá cómo crear un nuevo álbum de fotos. Deberá escoger una de las posibilidades disponibles, en función de si va a publicar sus fotos de una en una o en grupo.

Para ello, en primer lugar haga clic sobre el texto **Cargar fotos**. Facebook le mostrará una ventana de información (véase Figura 3.116).

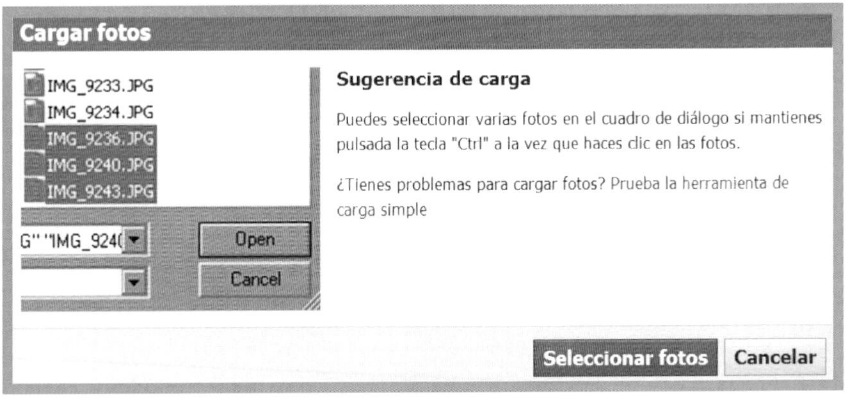

Figura 3.116. Sugerencia de carga de imágenes

En ella, el sistema le informa sobre un método más cómodo a la hora de seleccionar varias fotografías contenidas en una misma carpeta. La opción más simple consiste en mantener pulsada la tecla **Control** de su teclado, o bien la tecla **Cmd** si se trata de un Mac, y hacer clic sobre las distintas imágenes elegidas.

También le proporciona otra forma para subir imágenes a su perfil, una a una, lo que en algunos casos puede resultarle más sencillo.

Página de inicio

Si escoge el método recomendado, al hacer clic sobre el botón con el texto **Seleccionar fotos**, aparecerá una ventana que le permitirá navegar entre los archivos de su ordenador y seleccionar las fotos que le interese incluir en su nuevo álbum (véase Figura 3.117).

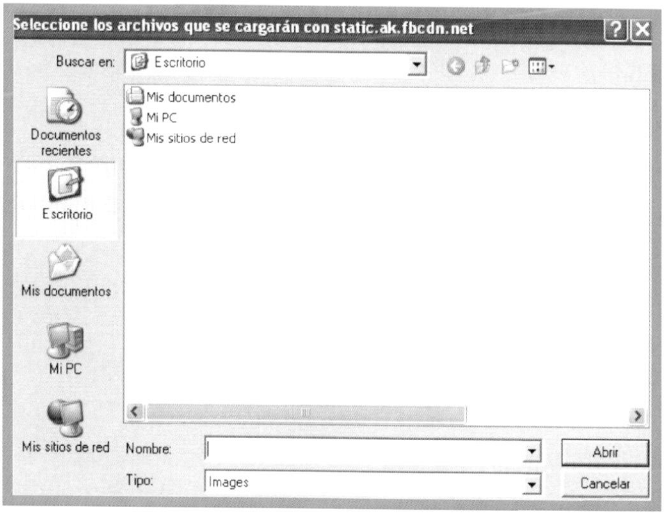

Figura 3.117. Seleccionando imágenes

Para iniciar el proceso de subida, una vez que tenga las imágenes seleccionadas, deberá hacer clic sobre el botón **Abrir** que le muestra la ventana de navegación en su parte inferior derecha.

Si por el contrario no está conforme o ha cometido algún error, puede pulsar sobre **Cancelar** y repetir la operación.

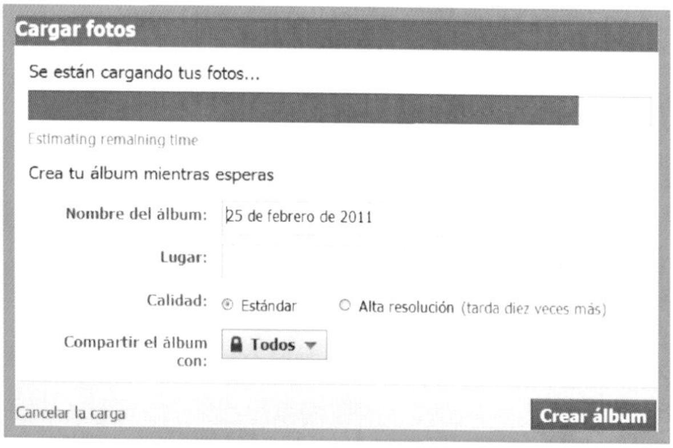

Figura 3.118. Ventana de estado carga de imágenes

Una vez que haya empezado la carga, Facebook le mostrará una ventana de estado (véase Figura 3.118). En ella podrá ver una barra de progreso que le indicará el porcentaje aproximado de fotos que ya están subidas, así como el tiempo restante.

Mientras espera podrá darle un nombre a su nuevo álbum de fotos, indicar un lugar y definir con quiénes quiere compartirlo.

Herramienta de Carga simple

Como ya sabe, Facebook le proporciona otro método para subir múltiples imágenes a un mismo álbum. En algunos casos puede resultarle más sencillo, por lo que vamos a comentarlo brevemente.

Siga el procedimiento que ya conoce: haga clic sobre el texto **Crear un álbum**, cuando el sistema le muestre la ventana de información *Cargar fotos – Sugerencia de carga* (véase Figura 3.116), pulse sobre el texto **Prueba la herramienta de carga simple**.

A continuación, el sistema le mostrará una ventana similar a la usada por el método de carga de imágenes habitual, donde podrá darle un nombre a su nuevo álbum de fotos. En este caso *"Muestra"*, indicar un lugar y definir de igual modo con quiénes quiere compartirlo (véase Figura 3.119).

Figura 3.119. Ventana de creación de álbum

Una vez hecho haga clic sobre el botón **Crear álbum**. Se le mostrará una ventana desde la que podrá seleccionar sus imágenes con facilidad (véase Figura 3.120).

Esta ventana además le permite realizar otras acciones, como editar el nombre del álbum, borrarlo, o la opción de cargar las fotos directamente desde su móvil, cuyo funcionamiento trataremos más adelante.

Como puede ver es posible subir a su nuevo álbum un máximo de cinco imágenes de forma simultánea. Para ello, haga clic sobre el botón **Examinar** y seleccione la imagen que desee, en la ubicación de su ordenador en la que se encuentre.

Cuando haya elegido las distintas imágenes y esté preparado para subirlas a su cuenta de Facebook, haga clic sobre el botón **Cargar fotos**.

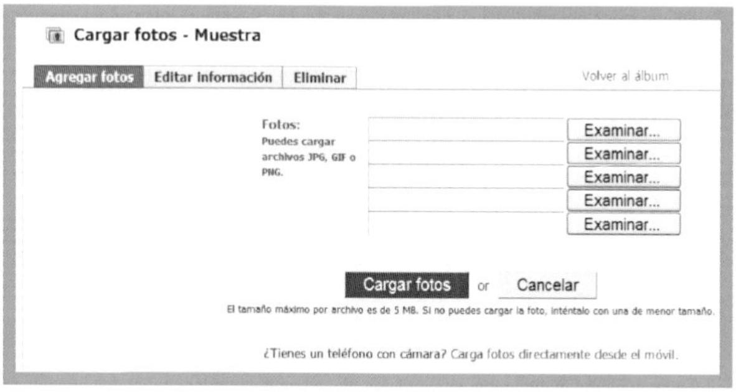

Figura 3.120. Selección y carga de imágenes

Una vez que el proceso de carga se haya completado podrá ver una pantalla similar a ésta (véase Figura 3.121).

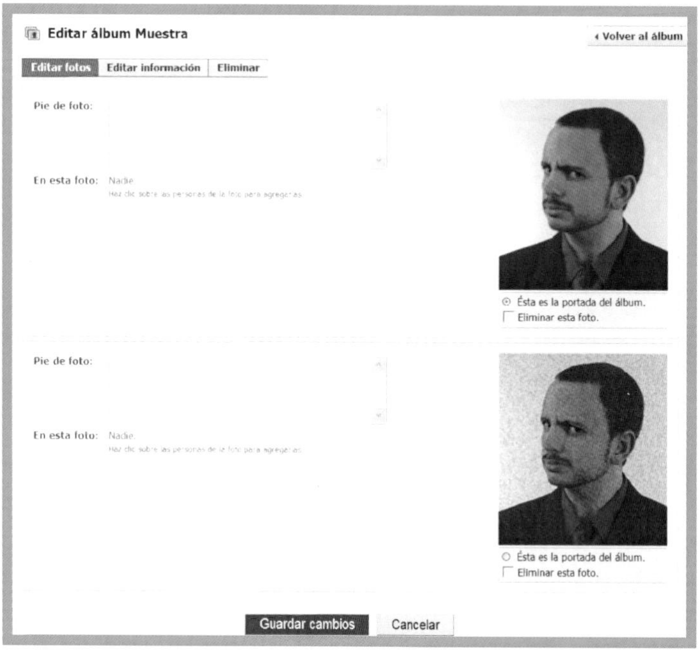

Figura 3.121. Edición de álbum

En ella, podrá incluir un breve comentario de cada imagen, eliminarlas o moverlas a otro álbum diferente, según crea conveniente.

Cuando haya incluido la información que le interese, para publicar finalmente su nuevo álbum, debe pulsar sobre el botón **Guardar Cambios** que encontrará al pie de la página.

Una vez subidas todas las fotos, aparecerán en su perfil en la pestaña con la denominación **Fotos**. Si las ha subido formando parte de un álbum, podrá ver también los distintos álbumes que tenga publicados.

Igualmente, estarán disponibles si pulsa sobre la subcategoría **Mis cargas**, dentro de la aplicación *Fotos* de su página de inicio.

Añadir un vídeo

A continuación, aprenderá cómo publicar un vídeo en su cuenta. La diferencia más apreciable consiste en que hasta el momento no es posible crear álbumes compuestos por vídeos.

En primer lugar haga clic sobre el botón **Cargar vídeo**. Facebook le mostrará una ventana con las opciones disponibles (véase Figura 3.122).

Figura 3.122. Selección y carga de vídeo

Subir archivo

En esta pestaña encontrará las opciones básicas que le permitirán subir a su perfil un video desde su ordenador, su funcionamiento es similar al que ha visto en el caso de las imágenes.

Pulse sobre el botón **Examinar** y siga las instrucciones, el sistema le guiará a través de todo el proceso.

Una vez que haya empezado a subir su vídeo, Facebook le mostrará una ventana de estado (véase Figura 3.123). En ella podrá ver una barra de progreso que le indicará el porcentaje aproximado que ya esté subido, así como el tiempo restante.

En esa misma ventana podrá darle un nombre a su nuevo vídeo, añadir una descripción, etiquetar a las personas que salen en el mismo y definir, de igual modo, con quiénes quiere compartirlo.

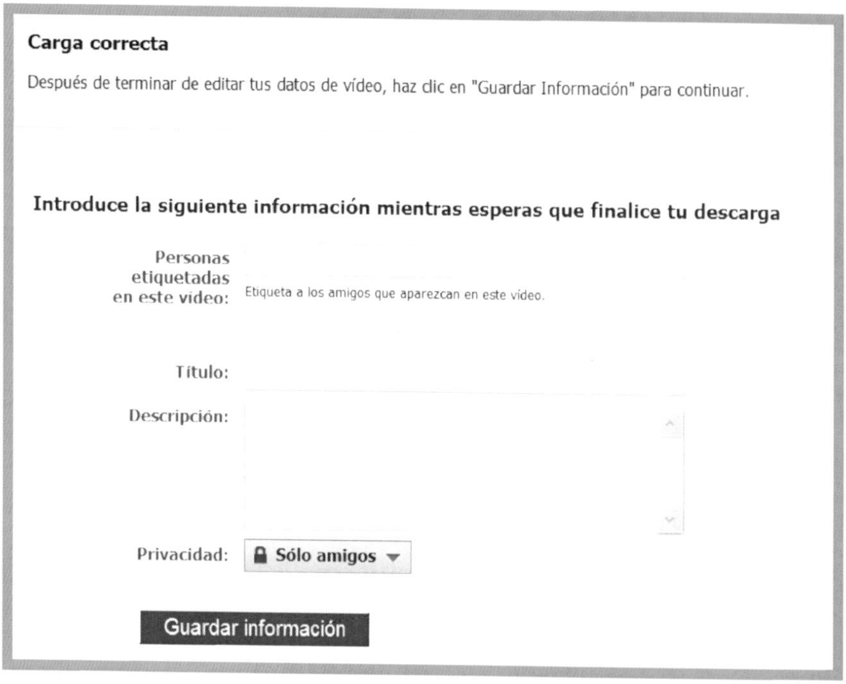

Carga correcta

Después de terminar de editar tus datos de vídeo, haz clic en "Guardar Información" para continuar.

Introduce la siguiente información mientras esperas que finalice tu descarga

Personas etiquetadas en este vídeo: Etiqueta a los amigos que aparezcan en este vídeo.

Título:

Descripción:

Privacidad: 🔒 Sólo amigos ▼

Guardar información

Figura 3.123. Ventana de estado e información

Vídeo de móvil

Al pulsar sobre esta pestaña aparecerá una ventana emergente, conteniendo información para poder publicar un vídeo enviándolo desde un terminal móvil sin necesidad de iniciar sesión (véase Figura 3.124).

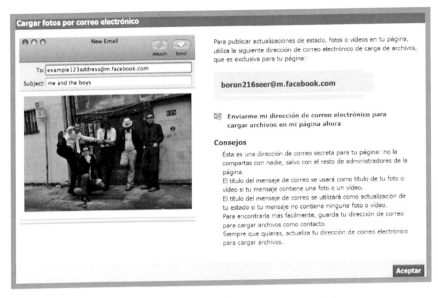

Figura 3.124. Cargar fotos y vídeos por correo electrónico

Concretamente, Facebook le proporciona una dirección de correo asociada a su cuenta a la que enviar sus imágenes, vídeos y actualizaciones de estado.

Al hacerlo, estos serán publicados directamente en su perfil siempre y cuando cumplan con los requisitos y limitaciones habituales.

Grabar vídeo

Mediante esta opción, podrá grabar un vídeo en el momento con la cámara web de su ordenador y publicarlo directamente.

Gestionar álbumes, fotos y vídeos

Como ve, subir y compartir sus fotos y vídeos es muy sencillo y rápido. También dispone de muchas opciones de personalización y edición; veamos alguna de las más importantes.

Cuando pulse sobre la subcategoría **Mis cargas** dentro de la aplicación *Fotos* de su página de inicio, verá todas las imágenes y vídeos que haya subido, divididas entre **Fotos del Muro**, **Foto del Perfil** y **Álbumes** (véase Figura 3.125).

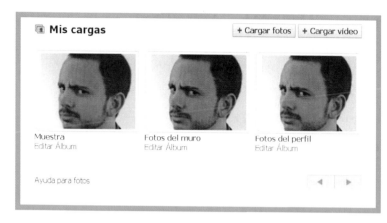

Figura 3.125. Mis cargas

Para acceder a las opciones de edición debe seleccionar en primer lugar la imagen/vídeo que quiera editar, solamente es preciso hacer clic sobre ella.

Puesto que las imágenes están ordenadas en distintos álbumes, primeramente tendrá que entrar en el que se encuentre la que busca. Para ello, haga clic sobre el título del álbum y así verá todas las imágenes que lo componen.

Una vez que haga clic sobre la imagen que le interesa la verá en tamaño grande. Justo debajo de la misma se encuentra un cajón de texto que le permitirá a usted y sus amistades hacer cualquier comentario sobre ella.

Aparte, en el lado derecho del cajón de comentarios podrá ver las opciones de edición disponibles (véase Figura 3.126).

Facebook se encuentra en este momento probando la integración de un nuevo sistema de visionado de imágenes llamado **Lightbox**. Básicamente, en el momento de pulsar sobre una imagen para verla en tamaño completo aparecerá dentro de una ventana emergente con fondo negro, con algunas opciones adicionales.

Se trata fundamentalmente de un cambio estético más que funcional ya que las opciones disponibles apenas varían. Tal vez lo más reseñable sea la inclusión de un vínculo *Cargar foto* y la posibilidad de rotarla una vez publicada, directamente.

Disponer de la posibilidad de visualizar las imágenes de un mismo álbum como si de una presentación se tratara sería interesante y, seguramente estará disponible a medio plazo. De momento, podrá pasar de una imagen a la siguiente haciendo clic con el ratón sobre ella.

Si desea ver sus imágenes a tamaño completo, en formato tradicional, pulse sobre el botón **F5** de su teclado cuando esté en una ventana *Lightbox*.

Esta implementación responde a una mejora del servicio para todos los usuarios y a una nueva solución de marketing de la plataforma. Observará que la parte inferior derecha queda reservada para anuncios publicitarios.

De tu álbum:
Muestra

Compartir

Etiquetar esta foto

Editar esta foto

Eliminar esta foto

Seleccionar esta foto como foto de perfil

Figura 3.126. Opciones de edición

 Pulsando sobre uno de estos símbolos, podrá rotar la imagen a derecha o izquierda, tantas veces como quiera, según le convenga.

Compartir

Haciendo clic sobre este texto podrá incluir un comentario sobre la imagen y publicarlo directamente en su muro.

Etiquetar esta foto

Esta es una de las opciones más prácticas del sistema de edición de imágenes de Facebook. Le permite, en una foto individual o de grupo, asignar nombres a cada una de las personas presentes en ella.

Simplemente, una vez marcado sobre *Etiquetar esta foto*, pulse sobre la imagen de la persona que desea etiquetar, indique su nombre en el campo emergente y pulse sobre el botón **Etiquetar** (véase Figura 3.127).

Cuando alguien la esté viendo, al pasar el cursor del ratón por encima de la imagen, el sistema le mostrará los nombres de los integrantes.

Además, si hace clic sobre alguno de ellos y este dispone de una cuenta en Facebook, accederá directamente a su perfil público.

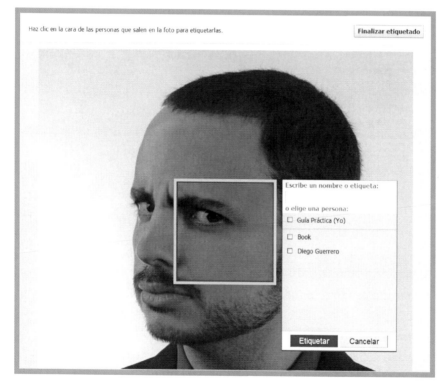

Figura 3.127. Etiquetar imágenes

Una vez que haya completado el etiquetado de una imagen, para concluir el proceso, deberá hacer clic sobre el texto **Finalizar etiquetado** que aparece en la parte superior derecha, justo encima de la imagen, sobre fondo amarillo.

Se trata de un procedimiento asequible, práctico y cómodo de identificar a las personas presentes en sus fotos.

> **¡Ojo!** Tenga en cuenta que al hacerlo, si no cuenta con la autorización de las personas presentes en la imagen, está facilitando una información que tal vez ellos no quisieran compartir.
>
> Lo más adecuado, es preguntar en primer lugar si tienen algún inconveniente en ser etiquetados.
>
> Piense que de nada sirve no compartir sus fotos con desconocidos o no publicar su foto real en su perfil, si un tercero le etiqueta en una foto de grupo en la que esté presente.

Editar esta foto

Esta opción le permite modificar el pie de foto o incluirlo si no lo hizo con anterioridad.

También podrá, marcando sobre el vínculo **Mover a**, trasladar la imagen a otro álbum.

Eliminar esta foto

Como su propio nombre indica, su función es previa confirmación. Elimina la foto de su perfil de forma definitiva.

Seleccionar como foto de perfil

Le permite cambiar la foto actual de perfil por la imagen mostrada.

Descargar en alta resolución

Pulsando sobre este vínculo podrá descargar la imagen en su ordenador en alta calidad, siempre que lo permita el original.

En el caso de los vídeos, las opciones son muy similares, añadiendo a las ya vistas en el vínculo **Insertar este vídeo**.

Al pulsar sobre él, Facebook le proporcionará un código HTML[21] que podrá insertar en cualquier foro o sitio web para que se visualice directamente el clip de vídeo (véase Figura 3.128).

---

21 Acrónimo de Hypertext Markup Languaje, es el lenguaje que se utiliza para la creación y composición de páginas web.

Figura 3.128. Inserta tu vídeo

Eliminar etiquetado

El etiquetado de fotos y vídeos puede suponer un riesgo para la protección de su intimidad, aunque usted limite correctamente quiénes pueden ver sus imágenes, incluso mediante el uso de la directiva de seguridad *Fotos y vídeos en los que estoy etiquetado*, no estará completamente cubierto.

Se preguntará a qué se debe este problema; muy sencillo, usted solo puede controlar la seguridad de aquellas imágenes de las que sea propietario.

Por lo tanto, nada impide que otro usuario publique una imagen en la que aparezca y le etiquete en ella.

Cuando esto suceda recibirá una notificación al respecto, además, podrá ver la imagen en la que haya sido etiquetado en la cabecera del perfil público y en la pestaña *Fotos*.

Por suerte, las únicas personas que pueden eliminar una etiqueta son el propietario de la imagen y la persona etiquetada en ella.

Para suprimir el etiquetado siga estos pasos:

1. Haga clic sobre la imagen que le interesa para verla a pantalla completa junto con las opciones habituales.

2. Verá, como en el pie de foto, donde figuran las personas etiquetadas, al lado de su nombre aparece el vínculo **Eliminar la etiqueta**, pulse sobre él para borrarla.

> **Nota**: Una vez que elimine su etiqueta de una imagen que no le pertenezca, no podrán volverle a etiquetar en ella. Solamente usted podría hacerlo de nuevo.
>
> Facebook actualmente no dispone de ninguna opción que le permita escoger si desea o no ser etiquetado, aunque sería de gran utilidad para muchos.

Aplicaciones y juegos

Quizás, una de las particularidades más interesantes del entorno de Facebook es la posibilidad de disponer de miles de aplicaciones gratuitas.

Una aplicación no es más que un pequeño programa que se ejecuta dentro del entorno de Facebook, algunas son propietarias como *Grupos*, *Páginas* o *Mensajes*.

Otras, han sido desarrolladas por terceros, para su uso en la plataforma del sistema, como los juegos *Texas Holdem Poker*, *Mafia Wars* o *Pet Society*, por citar algunas de las que cuentan con mayor número de jugadores suscritos.

En cualquier caso, con gran diferencia, las más populares son aquellas que aumentan las posibilidades del perfil público y, sobre todo, las orientadas a la diversión y el entretenimiento.

Sin embargo, no hay que olvidar el impacto que está teniendo Facebook en el entorno comercial y corporativo, de tal modo que las aplicaciones con fines profesionales cada vez son más numerosas y de mayor calidad.

Como habrá descubierto, gran parte de las funciones que usa habitualmente en Facebook (subir y gestionar imágenes, enviar correos electrónicos o publicar vídeos) son realmente aplicaciones, tiene que verlas como un complemento que mejora su experiencia en la red social.

Encontrar aplicaciones y juegos

Su perfil en Facebook cuenta por defecto con las aplicaciones necesarias para aprovechar todas las posibilidades sociales y de comunicación que le ofrece la plataforma.

Sin embargo, en cualquier momento puede añadir nuevas aplicaciones y juegos que le atraigan o le resulten interesantes, vamos a ver cómo.

La forma más sencilla de hacerlo podría ser viendo qué aplicaciones y juegos utilizan sus amistades.

Para lograrlo, haga clic sobre la categoría **Aplicaciones** o **Juegos** que encontrará en la mitad inferior del menú lateral izquierdo de su página de inicio. Como ya sabe, si no se encuentran visibles, debe pulsar sobre el vínculo **Ver más** o **Ver Ocultas**.

Ahora, en la parte central de la pantalla verá junto al nombre de sus amigos, en función de la categoría elegida, las aplicaciones o juegos que utilizan (véase Figura 3.129).

Figura 3.129. Categoría Juegos

En la parte superior, bajo el epígrafe *Historias de juegos*, se encuentran las aplicaciones o juegos que tiene instalados. En este caso, como no ha instalado ninguno aún permanece vacío.

En la parte derecha de la pantalla aparecerá un listado con aplicaciones recomendadas. Así mismo verá un renglón bajo el título *Tu balance de créditos*, con información sobre la cantidad de créditos de los que dispone.

Los créditos son la moneda interna del sistema y son útiles para adquirir determinados bienes y servicios dentro de las aplicaciones de Facebook, los verá en detalle en el capítulo seis, dentro de la sección *Pagos*.

Si pulsa sobre el vínculo **Directorio de juegos** o **Directorio de aplicaciones**, según corresponda, que se encuentra bajo el listado de programas de sus amigos, accederá al inventario de aplicaciones disponibles ordenados por categorías (véase Figura 3.130).

Una vez en él, le será muy sencillo navegar entre las distintas secciones para verlas todas, puesto que existen miles de posibilidades. Facebook en cada categoría que visite le mostrará algunas sugerencias en función de su popularidad.

Figura 3.130. Inventario de aplicaciones

La navegación básica en cualquier ventana de Facebook es muy similar, de modo que enseguida reconocerá las características habituales, campo de búsqueda, avance de página, sugerencias y categorías.

Puede acceder directamente al listado general de aplicaciones disponibles introduciendo en la barra de direcciones de su navegador la siguiente dirección:

http://www.facebook.com/apps/directory.php?app_type=0&category=0

> **Recuerde**: Si conoce el nombre completo o una parte de una aplicación puede utilizar el campo de búsqueda de la barra de navegación superior para encontrarla.
>
> Una vez obtenido el listado de resultados posibles, acote su búsqueda filtrando únicamente los que correspondan a aplicaciones; para ello debe pulsar en el menú lateral sobre la categoría *Aplicaciones*.

Agregar y utilizar aplicaciones

Para empezar a utilizar una aplicación de cualquier tipo, deberá instalarla previamente. Vamos a ver cómo, en unos pocos pasos, mediante un ejemplo práctico.

Concretamente, nos convertiremos en usuarios del popular juego *Mafia Wars Game.*

Paso 1

En primer lugar, tendrá que buscar la aplicación y acceder a su página. Ya que conoce el nombre, quizás lo más adecuado sea introducirlo en el campo de búsqueda de la barra de navegación superior (véase Figura 3.131).

Como ha visto en otras ocasiones, conforme escriba el texto a buscar, el sistema le proporcionará un listado de posibles coincidencias. Si, como en este caso, aparece la aplicación que desea, haga clic sobre ella.

De lo contrario, siga el procedimiento de búsqueda habitual: pulse sobre el icono con forma de lupa, filtre la búsqueda, limitándola únicamente a aplicaciones y explore los resultados obtenidos.

Figura 3.131. Resultados de búsqueda Mafia Wars Game

Paso 2

Una vez en la página del juego busque el botón **Ir a la aplicación**, habitualmente situado bajo la imagen de perfil, y púlselo para iniciar el proceso de registro (véase Figura 3.132).

Figura 3.132. Página del juego Mafia Wars

Observe que la página principal pone a su disposición abundante material y recursos sobre el juego y sus posibilidades.

La información básica, referente al número de usuarios, sitio web de los autores, categoría y puntuación otorgada por sus usuarios, se encuentra en la parte izquierda.

Así mismo, en la parte superior dispone de diferentes pestañas con recursos e información adicional. La distribución es similar para todas las aplicaciones disponibles.

En este caso concreto, también podría iniciar el proceso de registro pulsando sobre el botón **Play Now** que aparece en la imagen anterior, sin embargo esta posibilidad depende del diseño de la página de la aplicación que desee utilizar.

Paso 3

A continuación, el sistema mostrará un aviso, solicitándole permiso para que la aplicación acceda a la información básica de su cuenta, así como para enviarle correos electrónicos.

Es imprescindible que permita el acceso de la aplicación a su perfil, de lo contrario no podrá utilizarla, por eso es de vital importancia que personalice con cuidado la privacidad de su cuenta.

Si está de acuerdo, pulse sobre el botón **Permitir**, de lo contrario hágalo sobre **Salir de la aplicación** (véase Figura 3.133).

> **Nota**: Las aplicaciones solo podrán acceder a la información que usted comparta de forma pública. Personalice la configuración de privacidad relacionada para seleccionar lo que desea o no compartir y con quién.

Figura 3.133. Solicitud de permiso

Esta última acción finaliza el proceso de registro. Facebook le redirigirá hacía la ventana de inicio del juego (véase Figura 3.134).

El manejo, las opciones y las posibilidades disponibles varían en cada aplicación, por lo que no hay una regla a seguir para su uso.

Sin embargo, la gran mayoría incorpora un menú de configuración donde incluye un servicio de ayuda y primer contacto, que podrá servirle para familiarizarse con ella.

Figura 3.134. Inicio del juego y opciones

Puede dejar de jugar y volver a empezar en cualquier momento.

Para dejar de jugar

Tan sencillo como salir de la página del juego, utilizando cualquiera de las posibilidades que ofrece la barra de navegación superior.

Para volver a jugar

Hay al menos tres formas de hacerlo, sin embargo nos centraremos en dos; la más sencilla consiste en acceder a la categoría *Juegos* y pulsar sobre el vínculo que tiene como leyenda el nombre del juego. Otra de ellas consiste en entrar en la página del juego y pulsar sobre el botón **Ir a la aplicación**.

En el caso de que se trate de una aplicación, el procedimiento es exactamente el mismo, con la salvedad de que tendrá que acceder a la categoría *Aplicaciones* en lugar de a *Juegos*.

Eliminar una aplicación

Si desea eliminar cualquier aplicación puede hacerlo fácilmente siguiendo estos sencillos pasos:

1. Haga clic sobre el vínculo **Cuenta** que encontrará en la esquina superior derecha de cualquier página de Facebook, dentro de la barra de navegación superior.

2. Pulse sobre **Configuración de la privacidad** y, en la siguiente pantalla, busque la sección *Aplicaciones y sitios web* en la parte inferior izquierda.

3. Haga clic sobre el vínculo que encontrará inmediatamente debajo: **Edita tu configuración** (véase Figura 3.135).

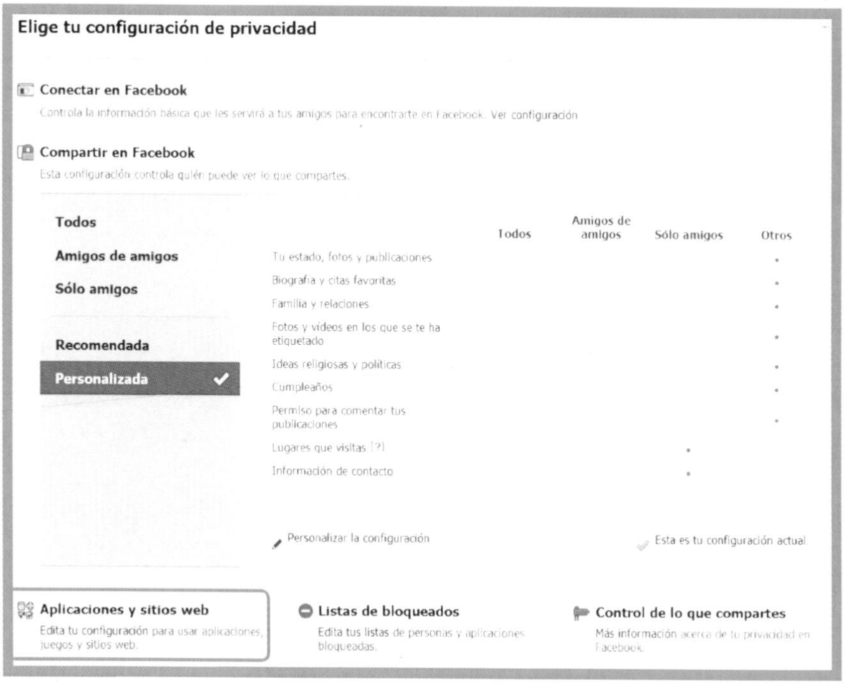

Figura 3.135. Aplicaciones y sitios web Paso 3

4. Pulse sobre el nombre de la aplicación que desea eliminar, encontrará el listado de aplicaciones que usa, junto al renglón *Aplicaciones que utilizas* (véase Figura 3.136).

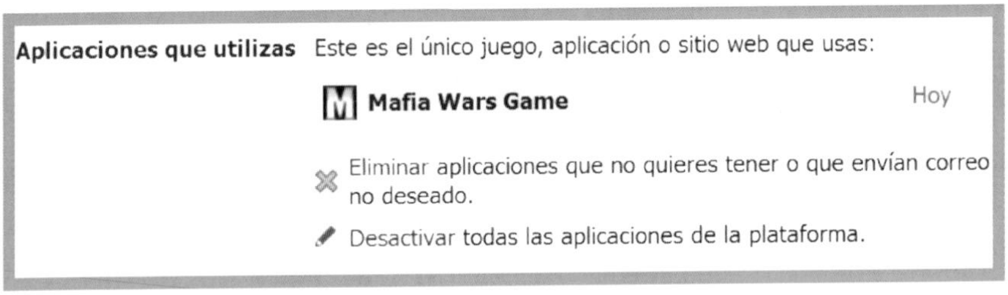

> **Aplicaciones que utilizas** Este es el único juego, aplicación o sitio web que usas:
>
> 🅼 **Mafia Wars Game**   Hoy
>
> ✖ Eliminar aplicaciones que no quieres tener o que envían correo no deseado.
>
> ✏ Desactivar todas las aplicaciones de la plataforma.

Figura 3.136. Listado de aplicaciones Paso 4

5. Para terminar haga clic sobre el vínculo **Eliminar aplicación** que verá en la esquina superior derecha (véase Figura 3.137) y aparecerá una ventana de confirmación donde una vez más, tendrá que pulsar sobre el botón **Eliminar**.

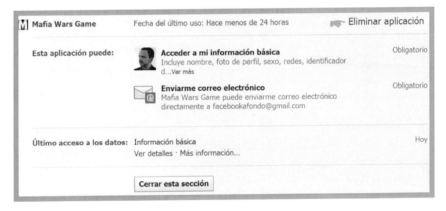

Figura 3.137. Eliminar aplicación Paso 5

Bloquear una aplicación

En función de la configuración de privacidad de sus amistades es muy probable que reciba en su perfil público distintos mensajes de las aplicaciones que utilicen.

Esto puede resultar un estorbo y complica una vista limpia de su perfil. En el caso de que tenga muchas amistades puede llegar a ser insufrible.

Figura 3.138. Bloquear aplicación

Lo mejor que puede hacer es bloquear la aplicación de la que recibe mensajes; existen varias formas de lograrlo pero, sin lugar a dudas, lo más efectivo es entrar en la página de la aplicación y pulsar sobre el vínculo **Bloquear aplicación**.

Lo encontrará en el menú principal, situado en el lateral izquierdo, justo debajo de la foto de perfil de la página junto al resto de opciones básicas (véase Figura 3.138).

A partir de ese momento, pasará a formar parte de la lista de aplicaciones bloqueadas que se encuentra dentro de la ventana *Configuración de la privacidad*, en la sección *Listas de bloqueados*.

En el capítulo concerniente a la configuración de privacidad se tratará en profundidad esta característica, así como la forma de controlar la información que comparte mediante su uso de las aplicaciones.

Aplicaciones y juegos recomendados

Facebook pone a su disposición miles de aplicaciones y juegos con las más diversas funciones, no es la finalidad de este manual realizar un examen exhaustivo de las mismas, sin embargo, sí se mencionarán algunas de las que pueden resultarle más útiles e interesantes.

Las aplicaciones suponen, sin lugar a dudas, un valor añadido a la experiencia de Facebook, y consiguen su objetivo: lograr que los usuarios pasen el máximo tiempo posible conectados a la red, lo que redunda en una mayor interacción con otros usuarios y por tanto en el desarrollo del sistema.

Las posibilidades comerciales y empresariales de juegos y aplicaciones son muchas y variadas, aún existe mucho camino por recorrer, ya sea en el ámbito del entretenimiento o en el de la productividad.

Recuerde que puede tener tantas aplicaciones como desee. Facebook no pone ningún límite a esta característica.

Trip Advisor

La integración de este conocido portal de viajes con Facebook viene de atrás, sin embargo, recientemente han implementado distintas mejoras en su servicio.

Fundamentalmente se refiere a TripFriends. Esta nueva característica permitirá, cuando visite el sitio web de TripAdvisor (*www.tripadvisor.es*) personalizar la página para usted en función de la información social recogida de su perfil por la aplicación.

Con esta utilidad podrá compartir con sus amistades sus viajes, lugares que ha visitado y experiencias de forma rápida y sencilla. Por ejemplo, marcándolos en un mapamundi que podrá publicar en su muro, resulta muy curioso ver en perspectiva los lugares a los que ha viajado.

Puede ver una muestra a continuación (véase Figura 3.139).

Figura 3.139. TripAdvisor

Twitter

Esta aplicación le permitirá vincular su cuenta con la de Twitter, de tal manera que sin salir de Facebook podrá publicar Tweets[22] sin mayor complicación (véase Figura 3.140).

Con ella también podrá localizar y seguir a usuarios a los que ya está conectado en Facebook, pero desconoce que dispongan de una cuenta en Twitter.

Incluso, es posible compartir automáticamente las actualizaciones de Facebook con su cuenta de Twitter.

Sin duda una interesantísima aplicación que une a las dos grandes redes sociales del momento.

---

22 Un Tweet es una publicación o una actualización de su estado en Twitter.

Figura 3.140. Aplicación Twitter

Marketplace

Se traduce como *Mercado* y es exactamente un lugar donde comprar y vender absolutamente de todo y en todo el mundo (véase Figura 3.141).

Una de sus mayores virtudes es la gratuidad del servicio. No le costará ni un céntimo poner sus artículos en venta.

Cuenta con un sistema de búsquedas basado en la proximidad geográfica y, además, puede publicar los anuncios en su muro y compartirlos con sus amigos, aumentando así su difusión y por tanto las posibilidades de venta.

También resulta de utilidad y es posible encontrar propuestas de trueque, ofertas de trabajo, donaciones y casi cualquier medio de intercambio legal que imagine.

Como cualquier lugar en el que se mueve dinero, no está libre de la presencia de estafadores. Sea precavido, utilice medios de pago seguros, como Paypal o Google Checkout. Desconfíe de ofertas irresistibles, si algo es demasiado bueno para ser cierto, seguramente no lo sea.

Página de inicio

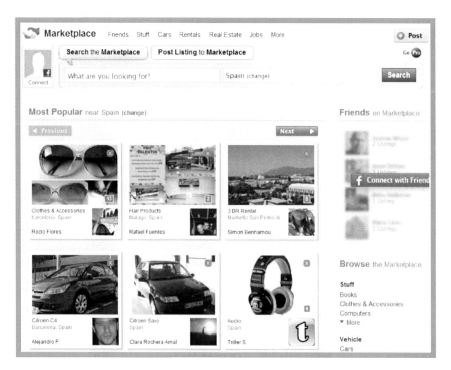

Figura 3.141. Aplicación MarketPlace

GoGoStat

Sin lugar a dudas una de las mayores preocupaciones de los padres en la actualidad es el uso que le den sus hijos menores de edad a las redes sociales.

Por un lado, es necesario limitar la información que compartan y supervisarla, pues de lo contrario se convierte en un peligro potencial.

Por otro, debido al natural anonimato que proporciona Internet, no podemos estar completamente seguros de la identidad real de todos los "amigos" de nuestros hijos en Facebook.

Como sabe, los padres o tutores legales, custodios de la patria potestad, pueden ejercer su derecho a cancelar la cuenta de los menores de edad, solicitándolo a Facebook. Sin embargo, esto no soluciona ni mucho menos el problema.

La herramienta GoGoStat debe verse como complemento en el ámbito de una adecuada relación con sus hijos menores de edad, basada en el diálogo y la confianza, no como un medio represivo o para limitar su libertad.

Se trata de una aplicación muy poco invasiva con la privacidad de sus hijos que le permitirá estar al tanto de los amigos que tienen, la información que comparten, fotos, vídeos y cualquier otro detalle relevante (véase Figura 3.142).

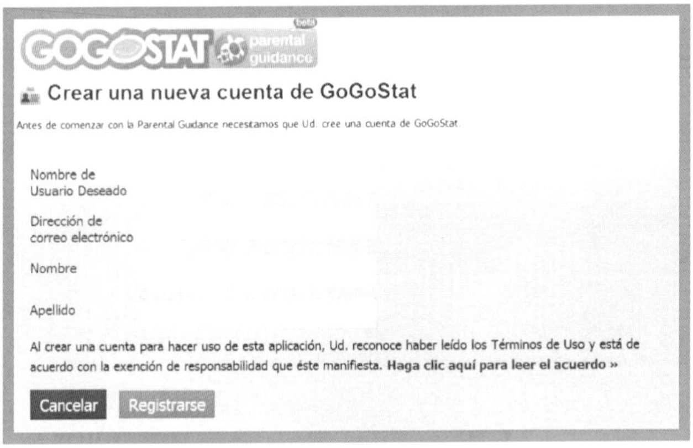

Figura 3.142. Aplicación GoGoStat

No se trata de espiar (de hecho sus hijos van a saber que la aplicación se encuentra instalada), sino de supervisar que, al fin y al cabo, es labor de los padres y tutores.

Texas Holdem Poker

Sin duda uno de los juegos con más aceptación de la plataforma Facebook, como ya habrá adivinado, es un juego de Poker (véase Figura 3.143).

Cuenta con más de treinta y ocho millones de usuarios mensuales en todo el mundo, por lo tanto, siempre hay miles de personas con las que echar una mano.

Jugar, actualmente, es completamente gratuito así como las fichas necesarias para sus apuestas, que irán aumentando cada día.

Figura 3.143. Texas Holdem Poker

Pet Society

Este juego, extremadamente adictivo, le permitirá crear una mascota virtual que se convertirá en su alter ego dentro del mundo a medida de estos simpáticos amiguitos.

Podríamos decir que es una adaptación del popular formato del juego Los Sims, al entorno de Facebook (véase Figura 3.144).

Deberá cuidar de su personaje, alimentarlo, asearlo y procurar que se relacione con otras mascotas, que pueden ser las de sus amigos o cualquier otra.

Figura 3.144. Pet Society

Cityville

Otro de los grandes, más de noventa y ocho millones de usuarios activos mensuales le avalan (véase Figura 3.145).

El objetivo de este juego es sencillo, deberá crear su propia ciudad, dotarla de calles, servicios, edificios, zonas verdes, todo para que los ciudadanos estén felices de vivir en ella.

Como en todos los juegos dentro de Facebook, es posible aumentar la experiencia social a través de ellos, de tal modo que podrá relacionarse con las ciudades creadas por nuestros amigos.

¡La unión hace la fuerza!

Figura 3.145. CityVille

Who has the biggest brain?

En este caso pondrá a prueba su capacidad de razonamiento mediante pequeños juegos y pruebas de agilidad mental que deberá superar (véase Figura 3.146).

Se trata de evaluar y mejorar las áreas del cerebro relacionadas con la memoria, la lógica, el cálculo y la capacidad visual abstracta.

Podrá compartir y comparar sus resultados con los de sus amistades, así como competir con ellas por la mejor posición.

Figura 3.146. Who has the biggest brain?

Consejos de seguridad

Debido a la cantidad de información que puede contener su perfil en un momento dado, la protección de la misma se convierte en un problema delicado al que debe dedicar un tiempo, sin duda bien invertido.

En el capítulo siete de este manual, dedicado a la configuración de la privacidad, trataremos las distintas posibilidades que le ofrece Facebook para proteger su intimidad y la de los suyos.

Sin embargo, no está de más adelantar algunas nociones básicas referidas al uso de aplicaciones en la plataforma de Facebook.

Como acaba de ver, a la hora de convertirse en usuario de cualquier aplicación, ésta le pedirá autorización para acceder a su información básica.

En cualquier caso, ésta se limita única y exclusivamente a aquella que tenga a disposición del público en general, es decir, la que comparta con "todos".

Por lo tanto, es usted realmente el que controla la información que será accesible.

Pero, tal vez se pregunte, ¿para qué necesita una aplicación parte de mis datos personales? La teoría dice que para aumentar la experiencia social.

En la práctica no podemos saber cuál es el uso real de la misma aunque sí intuirlo. Facebook debería ser especialmente riguroso en la supervisión de las aplicaciones desarrolladas por terceros.

> **Recuerde**: La seguridad de una cadena es tan fuerte como su eslabón más débil y, en este caso, ese papel corresponde al usuario.

Indudablemente, sería un gran paso adelante si los responsables de Facebook instauraran un sistema de control y revisión similar al que utiliza Apple con su AppStore, de tal modo que cualquier aplicación o modificación en la misma, necesariamente debe ser verificado primero por Apple.

> **Recuerde**: No existe límite para el número de aplicaciones que utilice, puede convertirse en usuario de todas las que quiera.

Notas

La aplicación notas, a priori le puede parecer innecesaria, nada más lejos de la realidad. Estamos de acuerdo en que Facebook pone a su disposición distintas maneras de compartir sus pensamientos e intereses.

Sin embargo, el potencial de notas es muy superior, puede ser un lugar donde llevar un diario a la vista de todos o bien de forma privada y, como en muchos casos, una especie de blog dentro de su perfil en Facebook.

Página de inicio

De hecho, esa es la finalidad con la que se ideó el sistema. Por ejemplo, si dispone de un blog alojado en cualquiera de los sitios web dedicados a este fin, puede indicarle a Facebook que cada vez que publique una actualización en él, cree una nueva nota con el mismo contenido.

Además, podrá incluir en sus notas fotos e incluso etiquetar a personas para, de este modo, llamar su atención sobre la nota que acaba de publicar.

Como puede ver, y ya viene siendo acostumbrado, Facebook se inspira en un sistema conocido y le imprime un nuevo carácter adaptado al entorno de su red social.

Para comenzar, haga clic sobre la categoría **Notas** que encontrará en la mitad inferior del menú lateral izquierdo de su página de inicio. Como ya sabe, si no se encuentra visible, debe pulsar sobre el vínculo **Ver más** o **Ver Ocultas**.

Si no apareciera puede localizarla fácilmente; escriba **Notas** en el campo de búsqueda de la barra de navegación superior y se mostrará la aplicación, seguramente como primera sugerencia.

Al pulsar sobre ella, verá en la parte central de la pantalla las últimas notas publicadas por sus amistades ordenadas cronológicamente.

En la parte izquierda se habrá desplegado un menú de acceso rápido con distintas opciones: *Mis borradores*, *Notas sobre mí* y *Mis Notas* (véase Figura 3.144).

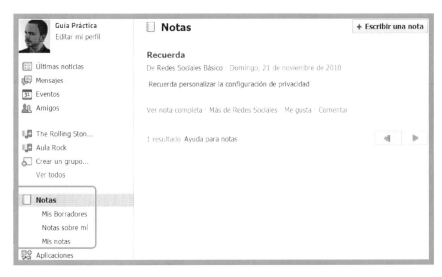

Figura 3.147. Notas

Mis Borradores

Si pulsa sobre esta sección verá los borradores de todas las notas que haya creado hasta la fecha.

Notas sobre mí

Aquí encontrará todas las notas en las que haya sido etiquetado, recuerde que del mismo modo que puede etiquetar a otros, estos pueden hacerlo con usted.

Mis notas

Bajo este epígrafe hallará todas las notas que haya publicado.

Publicar una nueva nota

Publicar una nota es tan sencillo como mandar un mensaje. De hecho el mecanismo es muy similar, veámoslo en unos pocos pasos.

Paso 1

Pulse sobre el botón **Escribir una nota** que encontrará en la parte superior derecha de la ventana Notas (véase Figura 3.144).

Observe que en la ventana que aparece, aparte de la nueva nota en blanco, dispone de un menú en el lateral izquierdo que le permitirá acceder a sus notas de forma similar a las categorías anteriormente vistas (véase Figura 3.145).

Figura 3.148. Menú de acceso rápido

Paso 2

Cumplimente los distintos campos de su nueva nota con la información que desee (véase Figura 3.149).

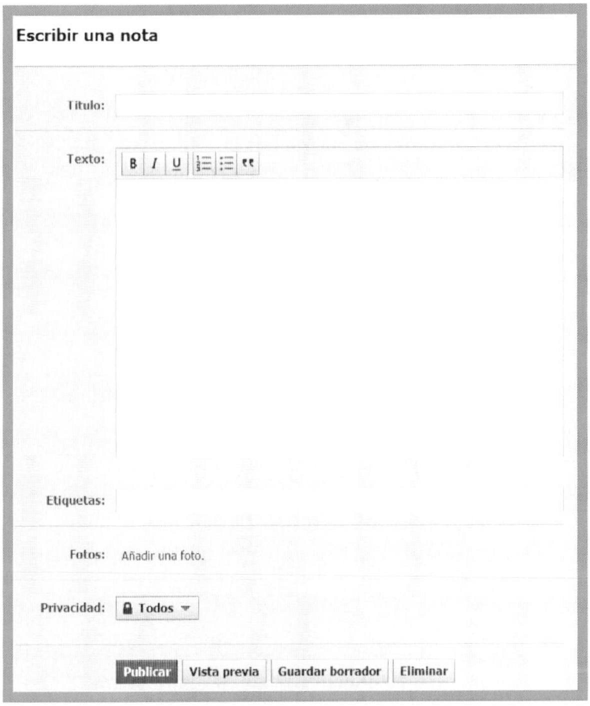

Figura 3.149. Nueva nota

Título

Introduzca en este campo un encabezado que defina su nueva nota, así la hará más atrayente.

Texto

En este campo deberá escribir el cuerpo de la nota completo. Como ve en la imagen, dispone de distintos botones que le servirán para formatear el texto, introduciendo letras en negrita, cursivas, subrayados, comillas, numeraciones, de forma similar a como lo haría en su procesador de textos habitual.

Etiquetar

Ahora tiene la posibilidad de relacionar a sus amistades con su nueva nota. Para ello introduzca sus nombres en este campo y, conforme empiece a escribir, el sistema le sugerirá opciones de su lista de amigos, facilitándole la tarea.

Fotos

Si pulsa sobre el vínculo **Añadir una foto** se abrirá un menú contextual, desde el que, haciendo clic sobre el botón **Examinar**, podrá seleccionar una imagen de su ordenador y añadirla a la nota. Si desea agregar más imágenes no tiene más que repetir el proceso.

Privacidad

Esta es una de las opciones más importantes, en función de su elección, la nota será visible para unos u otros usuarios de Facebook.

Al pulsar sobre el desplegable verá las opciones posibles que son: *Todos*, *Amigos y redes*, *Amigos de amigos*, *Solo amigos* y *Personalizar*.

- **Todos**: Cualquier usuario de Facebook podrá leer su nota.

- **Amigos y redes**: Solo podrán ver su nota sus amigos y los miembros de las redes a las que pertenezca.

- **Amigos de amigos**: En este caso será visible para sus amigos y los amigos de estos.

- **Solo Amigos**: Únicamente sus amigos confirmados tendrán autorización para ver su publicación.

- **Personalizar**: Esta opción le permite personalizar en detalle quién o quiénes podrán visualizar su nota. Incluso puede excluir a alguna de sus amistades o redes en concreto.

> **Recuerde**: Es fundamental escoger adecuadamente con quién desea compartir sus publicaciones. No olvide que en Internet no todo el mundo alberga buenas intenciones. Desconoce qué uso podrían darle a la información que publique.

Paso 3

Una vez completada su nueva nota, si está conforme con lo escrito, puede publicarla directamente pulsando sobre el botón **Publicar**.

Sin embargo, dispone tres posibilidades más que en determinadas circunstancias pueden serle útiles: *Vista previa*, *Guardar borrador* y *Eliminar*.

Vista previa

En muchos casos, debido a la extensión de la nota o a la combinación de imágenes y texto, resulta muy útil poder ver antes de la publicación definitiva, cómo quedará su nueva nota una vez terminada.

Al pulsar sobre este botón aparecerá tal cual la vería cualquiera de sus amigos cuando la visite. Si está de acuerdo, para publicarla pulse sobre el botón **Publicar**. De lo contrario haga clic sobre **Editar** para modificarla (véase Figura 3.150).

Figura 3.150. Vista previa de Nota

Guardar borrador

Esta opción le servirá para guardar su nota y continuar en otro momento. Al pulsar sobre ella se almacenará en la categoría *Mis Borradores*.

Cuando desee seguir confeccionando su nota, solo tiene que acceder a dicha categoría y hacer clic sobre el vínculo **Editar**, que encontrará bajo el título de la misma. En caso de que quisiera eliminarla definitivamente pulse sobre **Descartar**.

Eliminar

Al pulsar sobre este botón, previa confirmación, borrará definitivamente la nota y todo su contenido.

Una vez publicada, aparecerá en la sección *Notas* de su perfil público, donde podrán leerla y añadir comentarios todos los usuarios a los que haya autorizado a verla. Así mismo, se enviará una notificación a los amigos que haya etiquetado.

Editar, compartir y borrar una nota

La aplicación *Notas* le permite una avanzada gestión de las mismas. En cualquier momento podrá añadir información, compartir sus notas con otros usuarios, incluso con aquellos que no disponen de cuenta en Facebook y, en última instancia si lo desea, borrar una nota definitivamente.

Editar una nota

Si desea editar cualquier nota, puede hacerlo fácilmente siguiendo estos sencillos pasos:

1. Haga clic sobre el vínculo **Notas** que encontrará en la parte baja del menú lateral izquierdo de su página de inicio.

2. Pulse sobre la subcategoría **Mis notas** para listar todas sus notas publicadas.

3. Seleccione la nota que desea editar y pulse sobre su título o bien sobre el vínculo **Ver nota completa**.

4. Seguidamente, haga clic sobre el botón **Editar**, situado en la esquina superior derecha (véase Figura 3.151).

Figura 3.151. Editar nota

5. Realice todos los cambios que precise y, una vez terminado, para finalizar el proceso de edición, pulse sobre el botón **Guardar**, ubicado al final de la ventana de edición.

Compartir una nota

Esta opción le será útil si quiere compartir su nota en el muro con un comentario o si desea enviarla junto a una aclaración, mediante el sistema de mensajería de Facebook.

1. Haga clic sobre el vínculo **Notas** que encontrará en la parte baja del menú lateral izquierdo de su página de inicio.

2. Pulse en la categoría donde se encuentre la nota que le interesa compartir.

3. Escoja la que prefiera y, a continuación, pulse sobre el título. Obtendrá el mismo resultado haciendo clic sobre el vínculo **Ver nota completa**.

4. Pulse sobre el botón **Compartir**, ubicado en la parte inferior de la ventana.

   Ahora, se abrirá una ventana emergente con un campo vacío donde podrá introducir el texto que desee compartir en su muro junto con la nota. Una vez completado pulse sobre el botón **Compartir** (véase Figura 3.152).

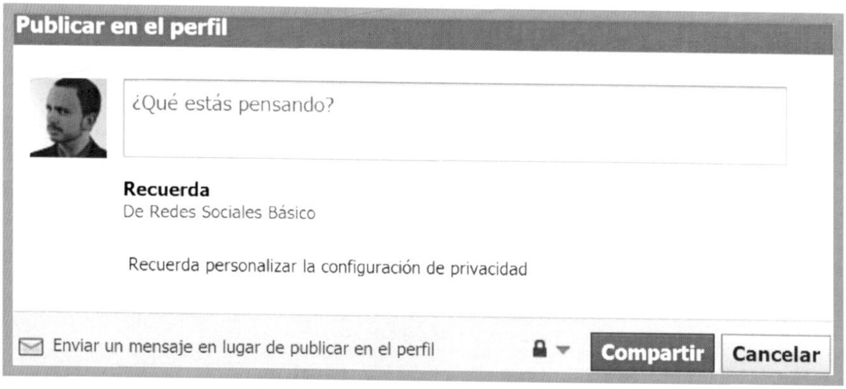

Figura 3.152. Compartir y publicar en el perfil

5. Para enviarla como mensaje privado, en la imagen anterior pulse sobre el vínculo **Enviar un mensaje en lugar de publicar en el perfil**.

6. Se mostrará una ventana, similar a la que utiliza el servicio de mensajería al enviar un mensaje nuevo (véase Figura 3.153).

Introduzca en el campo **Para** el destinatario o destinatarios del mensaje. Del mismo modo añada al campo **Mensaje** el contenido deseado.

Cuando haya concluido, para remitir el mensaje pulse sobre el botón **Enviar Mensaje**.

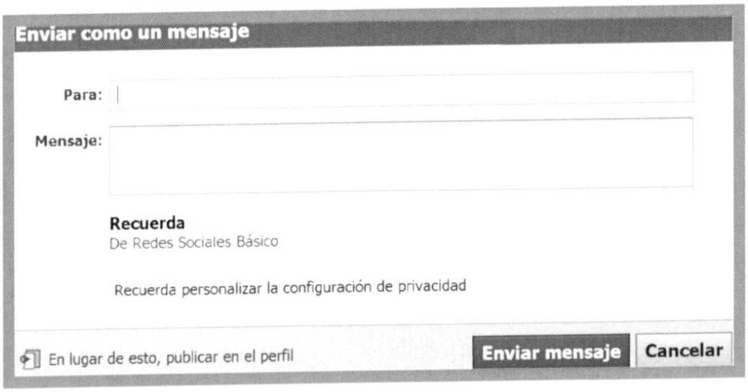

Figura 3.153. Compartir nota como mensaje privado

Borrar una nota

Borrar una nota publicada es un proceso enormemente simple, que comparte pasos con las anteriores opciones.

1. Haga clic sobre el vínculo **Notas** que encontrará en la parte baja del menú lateral izquierdo de su página de inicio.

2. Pulse sobre la subcategoría **Mis notas** para listar todas sus notas publicadas.

3. Seleccione la nota que desea borrar y pulse sobre su título o bien sobre el vínculo **Ver nota completa**.

4. Pulse sobre el botón **Eliminar**, situado en parte inferior de la ventana (véase Figura 3.151).

El sistema le pedirá confirmación de la acción. Para ejecutar el proceso y suprimir definitivamente la nota pulse sobre el botón **Confirmar**.

Importar notas desde un Blog

Si lleva tiempo en Internet, es muy probable que disponga de un blog personal, y, seguramente, le gustaría poder compartir toda la información acumulada en él con sus amigos dentro de la red social.

Gracias a Facebook, ahora es posible. Podrá convertir todas las entradas de su blog en notas de forma automática.

Del mismo modo, cada vez que publique una entrada en él, ésta aparecerá como nueva nota en su perfil.

Veamos cómo lograrlo en unos pocos pasos.

1. Haga clic sobre el vínculo **Notas** que encontrará en la parte baja del menú lateral izquierdo de su página de inicio.

2. Entre en la versión completa de cualquier nota disponible que haya creado, bien pulsando sobre el título, o sobre el vínculo **Ver nota completa** (véase Figura 3.154).

3. En la página resultante, haga clic sobre el vínculo **Editar la configuración de importación**, que se encuentra situado en la parte izquierda, bajo el menú, dentro de la categoría *Suscribirse* (véase Figura 3.155).

> **Truco**: Obtendrá el mismo resultado introduciendo en la barra de direcciones de su navegador web: *http://www.facebook.com/editnotes.php*.
>
> No olvide que Facebook está en constante evolución y cambio, por lo tanto, tal vez la forma más eficaz y rápida sería ésta directamente.

Figura 3.154. Nota de muestra

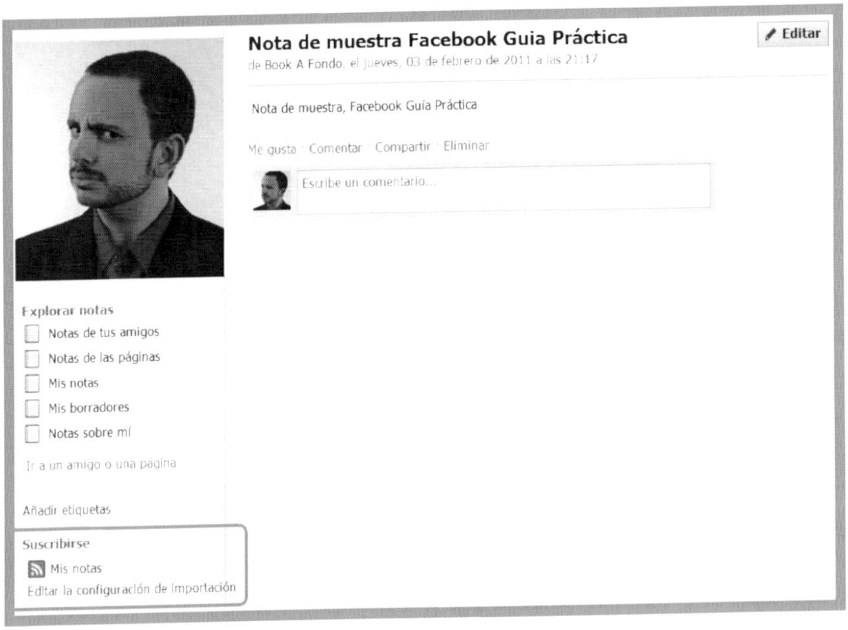

Página de inicio

Nota de muestra Facebook Guía Práctica

de Book A Fondo, el jueves, 03 de febrero de 2011 a las 21:17

Nota de muestra, Facebook Guía Práctica

Me gusta · Comentar · Compartir · Eliminar

Editar

Escribe un comentario...

Explorar notas
☐ Notas de tus amigos
☐ Notas de las páginas
☐ Mis notas
☐ Mis borradores
☐ Notas sobre mí

Ir a un amigo o una página

Añadir etiquetas

Suscribirse
📶 Mis notas
Editar la configuración de Importación

Figura 3.155. Editar la configuración de importación

4. Aparecerá la página *Importar un blog*, donde obtendrá información adicional sobre el proceso y las condiciones particulares (véase Figura 3.156).

Figura 3.156. Importar un blog

5. Teclee la dirección web de su blog en el campo **URL de web** (véase Figura 3.157).

URL de web:	Escribe un sitio web

Figura 3.157. Insertando dirección del blog

A continuación, marque la casilla de verificación donde confirma que usted es el propietario del blog que desea importar o, en su defecto, de los derechos de autor del mismo.

> **Recuerde**: Aunque en la práctica puede vincular cualquier blog, en caso de hacerlo con alguno cuyos contenidos no le pertenezcan, estaría vulnerando los derechos de autor que lo protegen y, por lo tanto, la legislación aplicable.

6. Para iniciar el proceso pulse sobre el botón **Iniciar importación** (véase Figura 3.156).

7. Facebook generará una vista previa del resultado de la importación. Si está conforme, haga clic sobre el botón **Confirmar Importación** que aparecerá al final de la misma.

Una vez concluido, sus entradas aparecerán ordenadas cronológicamente, dentro de la subcategoría *Mis notas*.

A tener en cuenta

No podrá editar ni modificar ninguna nota importada de un blog. Del mismo modo, cualquier cambio en la entrada original no se verá reflejado en Facebook.

Los comentarios que reciba la entrada de su blog o la nota en Facebook no serán compartidos por ambos sistemas, permaneciendo visibles donde hayan sido creados.

Página de inicio

Suscribirse a las notas de un usuario

Facebook le proporciona una herramienta RSS[23] que le permitiría suscribirse a las notas publicadas por un determinado usuario y a otros contenidos.

De este modo, podrá acceder a las últimas publicaciones de un usuario, grupo o página, sin necesidad de iniciar sesión en el sistema y desde cualquier ordenador, simplemente usando un lector de noticias. La mayoría de los navegadores como Internet Explorer o Mozilla Firefox cuentan con uno integrado.

Veamos como suscribirse a las notas de un usuario.

1. Haga clic sobre en la categoría **Notas** situada en el perfil público del usuario al que desea suscribirse.

2. Entre en la versión completa de cualquiera de las publicadas, bien pulsando sobre el título o sobre el vínculo **Ver nota completa** (véase Figura 3.154).

3. En la página siguiente, haga clic sobre el vínculo **Notas de (nombre usuario)**, que se encuentra situado en la parte izquierda, bajo el menú, dentro de la categoría *Suscribirse* (véase Figura 3.155).

4. A continuación, verá una vista previa del formato por defecto RSS de su navegador. Si está conforme pulse sobre **Suscribirse ahora** (véase Figura 3.158).

Figura 3.158. Suscribirse a las notas de un usuario

5. Su navegador web le mostrará una ventana emergente donde podrá darle un nombre a su nuevo canal RSS y añadirlo a sus favoritos. Así

---

23 Abreviatura de Really Simple Sindication, se utiliza para distribuir información actualizada sobre un tema en concreto, al que el usuario se ha suscrito.

podrá consultarlo en cualquier momento con un simple clic. Cuando lo haya hecho, para concluir el proceso pulse sobre el botón **Suscribirse** (véase Figura 3.159).

Figura 3.159. Añadir Canal RSS a sus favoritos/marcadores

De manera similar puede suscribirse a otros contenidos propios o de terceros. Lo irá viendo conforme avance este manual.

En un momento dado, las suscripciones pueden servirle para mantenerse conectado con sus amistades y al tanto de las últimas noticias.

Los canales RSS, se siguen considerando como uno de los medios de difusión y distribución de noticias más eficaces y veloces.

Consideraciones sobre notas

Sea prudente a la hora de etiquetar a sus amistades. Lo ideal es que cuente con su autorización previa. Recuerde que en muchos casos es posible que los interesados no quieran aparecer vinculados a sus comentarios.

No obstante, si ha sido vinculado y no desea seguir en esa situación, puede desvincularse de forma sencilla:

1. Haga clic sobre la categoría **Notas** que encontrará en la parte baja del menú lateral izquierdo de su página de inicio.

2. Pulse sobre **Notas sobre mí** para listar todas las notas en las que ha sido etiquetado.

3. Escoja la nota de la que desea desvincularse y despliéguela, pulsando sobre el título o el vínculo **Ver nota completa**.

4. En el menú situado en el lateral izquierdo, concretamente en su mitad inferior, verá la sección *Amigos etiquetados*. Para desvincularse pulse sobre **Eliminar mi etiqueta** (véase Figura 3.160).

Figura 3.160. Eliminar etiqueta

No olvide que, cada vez más frecuentemente, los responsables de recursos humanos utilizan las redes sociales para obtener información de posibles candidatos. Seguramente no le gustaría que se relacionara con algunos contenidos y comentarios.

Como habrá adivinado, la aplicación de este servicio orientada al entorno empresarial, de cara a mantener vinculada una página corporativa en Facebook, con su sitio web, resulta más que interesante.

Al hacerlo logrará una mayor penetración entre millones de potenciales clientes aumentando simultáneamente las visitas de sus sitios.

Enlaces

Del mismo modo que es posible publicar y compartir fotos, vídeos o pensamientos en el muro de Facebook, puede hacerlo con cualquier enlace interesante que haya encontrado en Internet y considere que merece la pena hacer partícipe de su contenido a amigos y conocidos.

Los enlaces pueden apuntar a imágenes, vídeos, artículos, canciones, etc., en definitiva, cualquier tema es válido.

Considere las virtudes de esta herramienta en un entorno empresarial como medio de difusión de memorandos, información relevante relacionada con proyectos en curso o, simplemente, para llamar la atención de sus colaboradores y empleados sobre una noticia en particular.

Todos los enlaces que publique, aparte de ser visibles en su muro y en la categoría noticias, serán almacenados cronológicamente en la aplicación *Enlaces*, junto con los de sus amistades, redes, grupos y páginas favoritas.

Para comenzar, haga clic sobre la categoría **Enlaces** que encontrará en la mitad inferior del menú lateral izquierdo de su página de inicio. Si no se encuentra visible, debe pulsar sobre el vínculo **Ver más** o **Ver Ocultas**.

Si no apareciera puede localizarla rápidamente: escriba *Enlaces* en el campo de búsqueda de la barra de navegación superior y se mostrará la aplicación, seguramente como primera sugerencia.

Al pulsar sobre ella verá en la parte central de la pantalla los últimos enlaces publicados por sus contactos, ordenados en función de la fecha de publicación (véase Figura 3.161).

En el área de menú izquierda dispondrá de las opciones principales para trabajar con la aplicación *Enlaces*: *Compartir un enlace, Buscar enlaces recientes* y *Suscribirse*.

Figura 3.161. Enlaces

Mis enlaces

Al pulsar sobre esta opción podrá ver todos los enlaces que haya publicado desde la creación de su cuenta, ordenados por fecha.

Los enlaces de mis amigos

Aquí se encuentran los enlaces publicados por sus amistades, redes, grupos y páginas favoritas, ordenados de igual manera.

Compartir un enlace

Tal vez, la forma más sencilla de mostrar el procedimiento para publicar y compartir un nuevo enlace, sea verlo a través de un ejemplo práctico.

Bien, suponga que desea compartir con la comunidad el sitio web dedicado a informar y asesorar sobre los fraudes y estafas más comunes en Internet, así como la mejor manera de protegerse contra ellos (Fraudeenred) cuya dirección es *http://www.fraudeenred.com*.

Aunque existen al menos tres métodos para la publicación de enlaces, vamos a ver el que ofrece la ventana *Enlaces*. Dejaremos para el capítulo *Compartir en Facebook* otras posibilidades.

Paso 1

En primer lugar, haga clic sobre la aplicación **Enlaces** que encontrará en la mitad inferior del menú lateral izquierdo de su página de inicio (véase Figura 3.162).

Figura 3.162 Aplicación Enlaces Paso 1

Paso 2

Ahora busque el cuadro *Compartir un enlace*. Habitualmente lo encontrará en la esquina superior izquierda de la página *Enlaces* (véase Figura 3.163).

Figura 3.163. Compartir un enlace Paso 2

Paso 3

Introduzca la dirección que desee compartir en el campo vacío, en este caso: *http://www.fraudeenred.com*. Cuando lo haya hecho, pulse sobre el botón **Compartir** (véase Figura 3.164).

Figura 3.164. Compartir un enlace Paso 3

Paso 4

A continuación, aparecerá una vista previa del enlace que le interesa distribuir, donde podrá incluir un comentario que se publicará adjunto, así como editar el título o la descripción simplemente haciendo clic sobre ella (véase Figura 3.165).

Figura 3.165. Vista previa de enlace Paso 4

" **Recuerde**: Al igual que en el caso de las notas, podrá escoger la privacidad de su publicación, definiendo quién o quiénes podrán verla. Haga clic sobre el icono con forma de candado para personalizar esta característica.

Del mismo modo, podrá enviar su enlace como mensaje privado, haciendo clic sobre el vínculo *Enviar un mensaje en lugar de publicar en el perfil*.

Cuando esté satisfecho pulse sobre el botón **Compartir**, situado en la parte inferior, y su nuevo enlace será publicado (véase Figura 3.163).

Figura 3.166. Resultado final una vez publicado

Compartir desde fuera de Facebook

El sistema le proporciona una forma de compartir sus enlaces empezando el proceso desde la página que desea publicar. Sencillamente, debe añadir a los favoritos de su navegador web el vínculo *Share on Facebook*.

Una vez hecho, si se encuentra con un contenido interesante y quiere compartirlo, simplemente pulse sobre el vínculo **Compartir en Facebook** de sus favoritos y el sistema le llevará directamente al Paso 4 de *Compartir un enlace*.

Para incluir esta posibilidad en su navegador, haga clic con el botón derecho de su ratón sobre el botón **Share on Facebook**, que encontrará al final del menú situado en el lateral izquierdo de la ventana *Enlaces*.

Desplegará un menú contextual en el que deberá escoger la opción **Agregar a favoritos** (véase Figura 3.167).

Figura 3.167. Agregar a favoritos Share on Facebook

A continuación, en el caso de Internet Explorer y de forma similar en otros navegadores, podrá elegir dónde colocar su nuevo favorito (véase Figura 3.168).

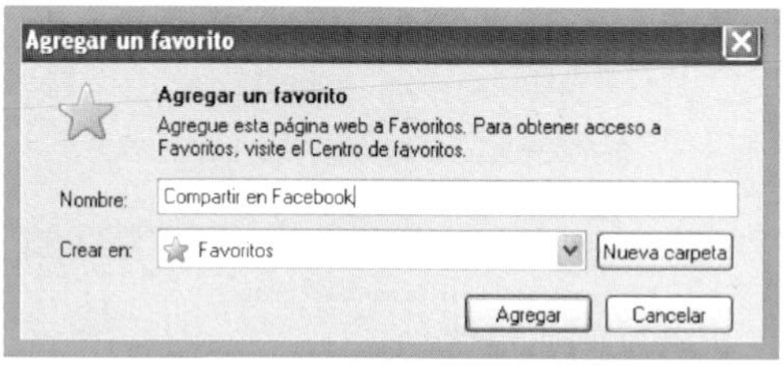

Figura 3.168. Agregar a favoritos

Resulta una buena idea agregar esta opción a la barra de favoritos de su navegador. Así, siempre la tendrá a mano y con un simple clic podrá iniciar el proceso (véase Figura 3.169).

Figura 3.169. Compartir en Facebook en Barra de Favoritos

Eliminar un enlace

Al igual que con cualquier otra publicación presente en su muro, si desea borrarla solo tiene que situar el cursor del ratón sobre la misma y pulsar en el icono con forma de aspa que aparecerá en el lado derecho (véase Figura 3.170).

Cuando lo haga aparecerá una ventana de confirmación. Si quiere suprimir definitivamente el enlace haga clic sobre el botón **Eliminar la publicación**.

Figura 3.170. Eliminar un enlace

Tenga en cuenta que para borrar eficazmente cualquier contenido deberá hacerlo en el lugar en que lo haya publicado.

Suscribirse a los enlaces de un usuario

De forma similar al caso de las notas es posible suscribirse a los enlaces publicados por un usuario, página, grupo o a los de todos de forma simultánea.

La mecánica es idéntica a la que ya conoce con la salvedad de que deberá buscar el vínculo que le permitirá iniciar la suscripción: dentro de la pestaña *Enlaces* del perfil público del usuario al que desea suscribirse, bajo el renglón *Suscribirse*, concretamente **Enlaces de (nombre de usuario)**.

Si quisiera suscribirse de forma simultánea a todos los enlaces publicados por sus amistades, pulse sobre el vínculo **Los enlaces de mis amigos** que encontrará bajo el epígrafe *Suscribirse* en el menú lateral izquierdo de su aplicación *Enlaces*.

Página de inicio

Nota: Eliminar una suscripción a un canal RSS es tan sencillo como borrarlo de la lista de fuentes de su navegador.

Servicio de chat

El chat es una herramienta prodigiosa que no podía faltar en Facebook. Le permitirá conversar con sus amistades en tiempo real intercambiando mensajes instantáneos con aquellos de sus amigos que se encuentren conectados al mismo tiempo.

Todas las conversaciones que mantenga con sus amistades serán guardadas automáticamente dentro del servicio de mensajería, asociadas al nombre del contacto, al igual que los correos electrónicos, los mensajes privados y los SMS, formando un "todo" ordenado cronológicamente.

Abrir sesión

Para empezar a utilizar el servicio de chat deberá, en primer lugar, conectarse y abrir la aplicación. Para iniciar una sesión siga estos pasos:

1. Haga clic sobre el botón **Chat** que se encuentra en la parte inferior derecha de todas las ventanas de Facebook (véase Figura 3.171).

Figura 3.171. Servicio de chat

2. Automáticamente se abrirá el programa, desplegándose una ventana donde podrá ver quiénes de sus amistades están conectadas y disponibles en ese momento (véase Figura 3.172).

Figura 3.172. Ventana principal del chat

El número entre paréntesis le indica cuántos amigos se encuentran conectados; el punto verde significa que el usuario está activo en ese momento; la media luna, sin embargo, da a entender que el usuario lleva al menos unos minutos inactivo.

En principio, cuando abre una sesión de chat, todos sus contactos podrán verle como conectado y abrirle una ventana de conversación. Tal vez, le gustaría poder escoger quiénes de sus amistades pueden iniciar una sesión de chat con usted.

De momento, Facebook no contempla este tipo de limitación. Sin embargo, sí proporciona un sistema suficientemente útil que puede servirle perfectamente para esta función.

Ya conoce el funcionamiento de las listas de amigos. Bien, aprovechando las posibilidades que le brindan, el servicio de chat le permite seleccionar si quiere o no aparecer como conectado para una lista de amigos determinada.

En la imagen anterior puede ver las listas de amigos que usó de ejemplo anteriormente, así como las listas predeterminadas. En la parte derecha de cada una de ellas aparece un botón de acción, por defecto en color verde, es decir *Conectado*.

Para aparecer como desconectado para una lista de amigos en concreto, pulse sobre él y verá cómo cambia a gris, apareciendo la leyenda desconectado.

Iniciar una conversación

1. Haga clic sobre el contacto con el que le interese comenzar a chatear y aparecerá la ventana de conversación (véase Figura 3.173).

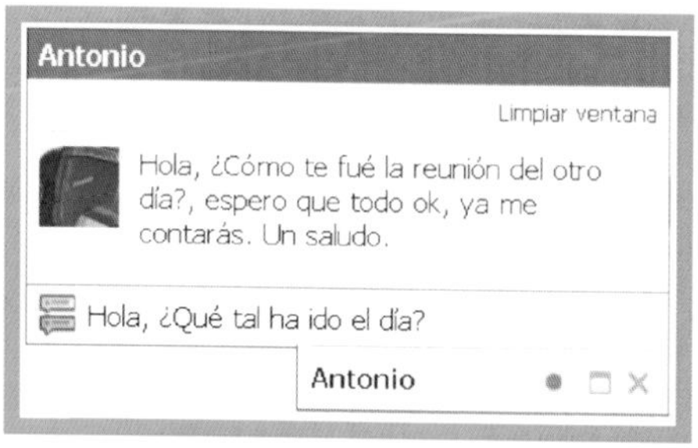

Figura 3.173. Conversación de chat abierta

2. Comience a escribir en el campo inferior y pulse la tecla **Enter** de su teclado. Su mensaje aparecerá inmediatamente en la ventana anterior.

Para dar por terminada una charla y cerrar la ventana, pulse sobre la **X** que aparece en la esquina inferior derecha. Recuerde que su sesión de chat será añadida automáticamente al historial que tenga con esa persona.

Ajustes y opciones

En la parte superior de la ventana principal del chat encontrará los ajustes y opciones disponibles para el servicio: *Listas de amigos* y *Opciones*.

Listas de amigos

Al hacer clic sobre ella se desplegará una ventana donde figura una relación de sus listas de amigos y un campo vacío desde el que es posible crear una lista nueva solamente tecleando el nombre y pulsando sobre la tecla **Return** de su teclado.

Una vez creada, aparecerá junto a las demás en la ventana principal del chat, al situar el cursor del ratón sobre ella, verá el vínculo **Editar**. Pulse sobre él para añadir miembros a su nueva lista.

Opciones

Dentro de esta categoría encontrará las opciones relativas a la forma en la que se visualiza la ventana de chat y la reproducción de sonidos.

Si está acostumbrado al funcionamiento de los clientes de chat[24] tradicionales, tal vez prefiera ver el chat de Facebook en una ventana aparte. Puede conseguirlo pulsando sobre **Abrir chat en otra ventana**.

También se encuentra en este menú el botón de desconexión que cierra su sesión de chat. Pulse sobre **Desconectar** para cerrar el programa.

Chat en grupos

El servicio de chat, presente en las páginas de los grupos a los que pertenezca, ofrece la posibilidad de chatear en una sala común al estilo de los servicios de chat más populares, como IRC[25].

De esta manera, podrá mantener conversaciones de forma simultánea con todos los miembros del grupo conectados en ese momento.

Aparte de su uso lúdico, aporta un valor añadido a la hora de gestionar grupos de trabajo, ya sea en el ámbito docente o en el empresarial, permitiendo una comunicación fluida entre los participantes.

El funcionamiento, en lo referente a las opciones, inicio de conversación o fin de la misma, es idéntico al que ya conoce.

---

24 Un cliente de chat es un programa externo que puede conectarse a distintos servicios de chat con la configuración adecuada.

25 Abreviatura de Internet Relay Chat es un protocolo de comunicación sobre texto que permite conversaciones entre dos o más personas simultáneamente en las denominadas salas de chat o canales de IRC.

Perfil público

En este momento, debe ver su perfil en una Red Social como una prolongación de su existencia y de su vida real.

Por lo tanto, es significativa cualquier acción que realice o información que comparta mediante Facebook, pues seguramente tenga un eco en la comunidad y en su círculo de amistades.

Su perfil público es la ventana a través de la cual otros podrán acceder a sus pensamientos, intereses, emociones, así como a cualquier contenido que ponga a su disposición: eventos, fotos, vídeos, etc.

Es básica una personalización del mismo, acorde a sus gustos e intereses, así como una configuración adecuada de los límites de su intimidad. En este capítulo aprenderá qué es su perfil público, para qué sirve y cómo aprovechar todas las características que le ofrece.

Vista principal

El diseño del perfil público de Facebook está en constante evolución. A lo largo del tiempo ha sufrido gran cantidad de modificaciones, tal vez la más profunda de todas ellas sea la última.

En ella, se ha simplificado enormemente el número de opciones y módulos disponibles a la vista y, además, se ha destacado la información más importante de tal manera que el resultado final ha sido magnífico.

De hecho, precisamente revela en primer plano, en la parte superior central, su información básica junto con las últimas fotos en las que ha sido etiquetado, mostrando así las últimas novedades de un modo muy visual.

No es ni más ni menos que su espacio propio dentro del sistema de Facebook. Contiene su información personal, fotos, gustos, intereses, opiniones, amigos... (véase Figura 4.1).

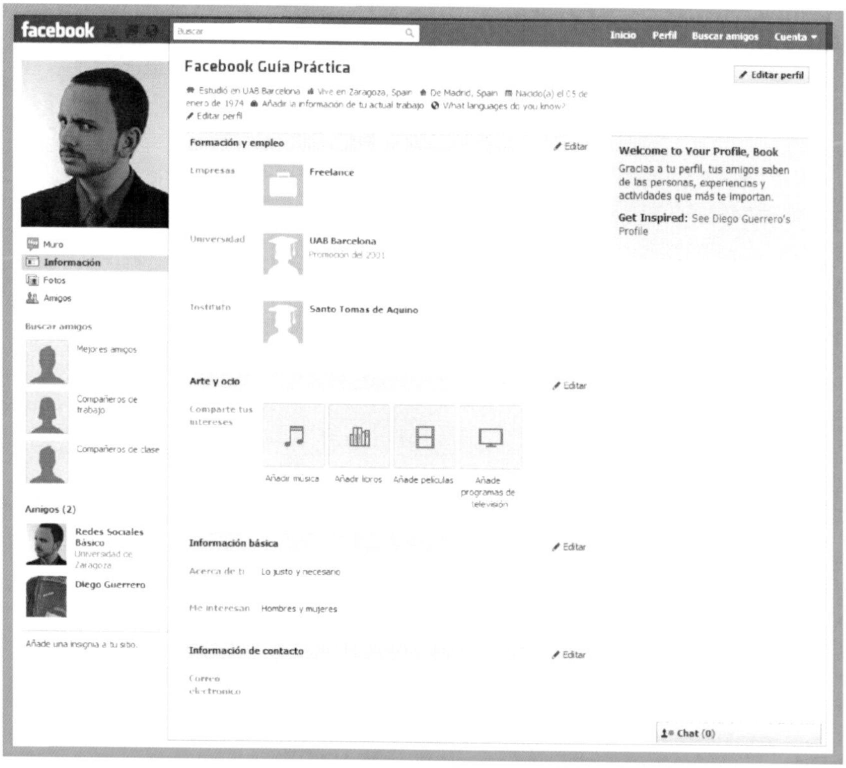

Figura 4.1. Perfil público de Facebook

Cómo acceder a su perfil público

Para acceder a su perfil público, en primer lugar debe iniciar sesión introduciendo en la página principal su dirección de correo y contraseña.

Esta acción, como ya sabe, hará que el sistema le muestre la página de inicio con las últimas noticias. Para acceder a su perfil público, debe hacer clic sobre su nombre, situado en la parte superior izquierda de la pantalla.

Otra forma de lograrlo, es pulsar sobre el vínculo **Perfil**, situado en la barra de navegación superior.

Recuerde conservar sus datos de conexión en lugar seguro. Evite utilizar ordenadores públicos para entrar en Facebook previniendo, de este modo, que terceros malintencionados se hagan con su cuenta.

Cuando lo haya hecho, verá por defecto la categoría *Información* de su perfil público de Facebook (véase Figura 4.1). Como puede comprobar, algunos de los datos que rellenamos anteriormente aparecen ya en ella.

Conforme avance en la personalización, en lugar de la categoría *Información*, verá por defecto la pestaña *Muro* de su perfil.

Podríamos decir que la pantalla que muestra su perfil público se divide en cuatro zonas principales:

- En la parte izquierda: encontrará su imagen y nombre, así como las categorías principales, *Muro*, *Información*, *Fotos*, *Notas* y *Amigos*, además de un espacio donde podrá ver sus amistades destacadas.

- En la parte central: en su mitad superior verá un breve resumen de su información personal, con algunas fotos donde haya sido etiquetado. El espacio restante corresponde a la actividad reciente de su perfil.

- En la parte derecha: de forma habitual podrá ver distintos anuncios ajustados a los intereses que ha incluido en su configuración inicial. También verá recomendaciones sobre nuevas amistades y una ventana de información.

- En la parte superior: con fondo azul, puede ver la barra de navegación superior, que siempre se encuentra disponible.

Además, en la parte inferior derecha, se encuentra el servicio de chat. Con él podrá saber cuáles de sus amigos se encuentran conectados en ese momento e iniciar una conversación en tiempo real con cualquiera de ellos.

Editar perfil

Para lograr una experiencia de uso satisfactoria en Facebook es importante que incluya en su cuenta información sobre usted, más allá de la información básica que aportó anteriormente. De este modo, podrá compartir sus gustos, actividades e intereses con los usuarios de Facebook

No se alarme, no tiene por qué incluir estos datos y, aunque lo haga, mediante una correcta configuración de su privacidad, podrá escoger quién o quiénes pueden verlos.

La forma más rápida de acceder a la edición de su información personal es pulsando sobre el botón **Editar perfil** que encontrará en la parte superior derecha de su perfil público (véase Figura 4.2).

Sin embargo, también es posible hacerlo a través de la ventana *Últimas noticias* que, como sabe, aparece por defecto al identificarse en el sistema. Justo debajo de su nombre verá el texto *Editar mi perfil* y, haciendo clic sobre él, obtendrá el mismo resultado.

Igualmente, podrá lograrlo pulsando sobre el vínculo **Editar**, situado en la parte derecha de cualquier renglón de información, dentro de la categoría *Información*.

Figura 4.2. Editar Perfil

Al pulsar sobre cualquiera de los vínculos disponibles para acceder a la edición de su perfil verá la ventana principal de edición, que contiene las distintas categorías, apareciendo por defecto en primer lugar Información básica (véase Figura 4.3).

Figura 4.3. Edición de perfil

En cualquier estado de la edición puede ver una vista preliminar de su perfil, pulsando sobre el botón **Ver mi perfil**, que se encuentra en la esquina superior derecha.

Así mismo, en la parte inferior del menú que contiene las distintas categorías para añadir información, verá el vínculo **Configura tu privacidad**. Al pulsarlo, accederá a la *Configuración de la privacidad* que se verá en profundidad más adelante.

Añadiendo información

Es el momento de añadir información más completa a su cuenta personal en Facebook. Como sabe, hacerlo no es imprescindible, de hecho puede dejar en blanco cuantos campos quiera.

Aparte, en la configuración de la privacidad, podrá elegir qué información mostrar y quién o quiénes podrán verla.

La información que quiera incluir sobre usted se encuentra clasificada en nueve categorías principales, que podrá seleccionar individualmente en el menú que encontrará en la parte superior izquierda.

Pulsando sobre cada una de ellas podrá añadir, modificar o eliminar la información relacionada (véase Figura 4.4).

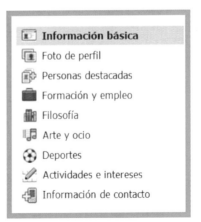

Figura 4.4. Categorías de información

Información básica

La categoría *Información Básica* contiene la información personal que añadimos en la configuración inicial.

Ahora, es posible añadir datos o modificar los existentes. También puede escoger alguna de las opciones extra disponibles (véase Figura 4.3).

Rellene los campos que desee:

- **Ciudad actual**: Empiece a escribir el nombre de la ciudad en la que reside actualmente y Facebook le sugerirá algunas opciones para evitar que tenga que escribirla entera.

  Incluir esta información le servirá, si le interesa, para recibir notificaciones de eventos que se vayan a hacer en su ciudad de residencia.

- **Ciudad de origen**: Este campo permitirá a antiguos amigos y conocidos localizarle con mayor facilidad.

- **Sexo**: Indique si lo desea si es hombre o mujer, seleccionando lo que corresponda en el desplegable.

- En la parte derecha podrá ver una casilla que aparece marcada por defecto y corresponde a la acción **Mostrar si soy hombre o mujer en mi perfil**.

  Si prefiere que no se muestre su sexo en su perfil público desmarque esta opción, esto puede ser muy útil para evitar recibir mensajes privados no deseados.

- **Fecha de nacimiento**: Si se equivocó al introducir su fecha de nacimiento en los primeros pasos, ahora y en cualquier momento puede modificarla. Elija la nueva según corresponda.

  En la parte derecha verá un cajón desplegable que le permite modificar el modo en que se muestra su fecha de nacimiento en el perfil público (véase Figura 4.5).

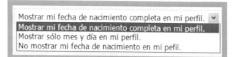

Figura 4.5. Opciones visualización fecha de nacimiento

- **Me interesan**: Facebook le proporciona la posibilidad de dar a entender que entre sus intereses se encuentra conocer a otras personas, aunque esto lo puede dejar más claro en otras categorías, esta es una forma inicial de hacerlo.

- **Idiomas**: Añada aquí los idiomas que conoce, esto le servirá para entablar nuevas relaciones de amistad con hablantes de los mismos.

- **Acerca de mí**: Si lo desea puede incluir un pequeño comentario sobre sí mismo.

Una vez que haya completado todos los cambios no olvide que para que estos sean aplicados, debe de pulsar sobre el botón **Guardar cambios**, que se encuentra al final de cualquiera de las fichas disponibles.

Foto de perfil

Si no añadió una fotografía en la configuración inicial, o si quiere modificarla, podrá hacerlo aquí de forma rápida y sencilla (véase Figura 4.6).

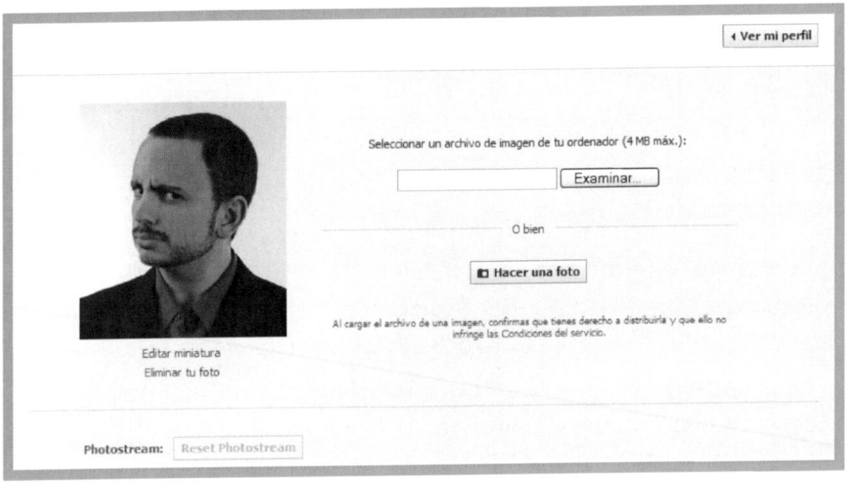

Figura 4.6. Ficha Foto de perfil

El proceso para cargar una foto nueva es muy cómodo. Puede hacerlo subiendo la imagen desde su ordenador, o bien, si dispone de cámara web y así lo desea, tomar una foto en el momento (véase Figura 4.7).

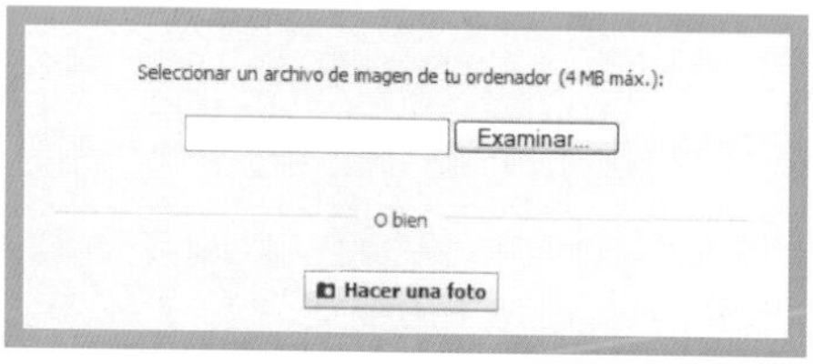

Seleccionar un archivo de imagen de tu ordenador (4 MB máx.):

Examinar...

O bien

📷 Hacer una foto

Figura 4.7. Añadir Foto de perfil

Recuerde que cada archivo de imagen que quiera añadir debe ocupar un máximo de 4 megabytes y tener un formato compatible.

Si pulsa sobre el botón **Examinar**, el sistema le mostrará una ventana que le permitirá navegar entre los archivos de su ordenador y escoger la imagen que quiera añadir como foto de perfil.

Si su ordenador dispone de cámara web y prefiere hacerse una foto en el momento para incluirla como foto de perfil, pulse sobre el botón **Hacer una foto**.

La primera vez que utilice esta opción, Facebook le mostrará una pequeña ventana de información donde deberá autorizar o no el acceso de Facebook a su cámara web (véase Figura 4.8).

Figura 4.8. Ventana de configuración de privacidad

> **¡OJO!** Está configuración es muy importante para proteger su intimidad y la de los suyos.
>
> Debe tener en cuenta que, autorizando el acceso de Facebook a su cámara web y micrófono, cualquier aplicación que lo contemple podrá activarlos en un momento dado y, con ello, transmitir lo que esté delante del objetivo de su cámara y escuchar lo que capte el micrófono de su sistema.

Como puede ver en la Figura 4.8, dispone de tres opciones básicas: **Permitir**, **Denegar** y **Recordar**, que las complementa.

Es sencillo. Si marca la casilla **Permitir** autorizará a Facebook para acceder a su cámara web y micrófono, sin embargo, si marca la casilla correspondiente a **Denegar**, impedirá este acceso.

En cualquiera de los dos casos, marcando la opción **Recordar**, el sistema, en sucesivas ocasiones, no volverá a pedirle autorización, aplicará por defecto la opción que haya seleccionado en esta ocasión.

Por lo tanto, lo más seguro para usted será siempre mantener desmarcada la opción *Recordar*, y elegir en cada ocasión, *Permitir* o *Denegar*, según le interese.

> **Recuerde**: Tenga muy presente este menú de configuración, sobre todo si su ordenador es usado por menores de edad, quienes, por error o desconocimiento, pueden comprometer su intimidad.

Figura 4.9. Toma de instantánea

Una vez que autorice el acceso, en la zona gris (véase Figura 4.9) podrá ver la imagen que capta su cámara web. Para tomar una foto, simplemente pulse sobre el icono de la imagen que representa una cámara de fotos.

Si está satisfecho con el resultado, para publicarla en su muro como foto de perfil solamente debe hacer clic sobre el botón **Guardar imagen**, que puede ver en la parte inferior.

Tanto si ha hecho una foto con su cámara web, como si la ha subido desde su ordenador, aparecerá en la ficha *Foto de perfil*, así como en el álbum *Fotos de perfil* dentro de la categoría *Fotos*.

Las opciones de edición disponibles son: *Editar miniatura* y *Eliminar tu foto* (véase Figura 4.10).

Al pulsar sobre **Editar miniatura**, haciendo clic sobre la imagen y manteniendo pulsado el botón izquierdo del ratón, podrá moverla en cualquier dirección para centrarla como prefiera.

Una vez que hecho, pulse sobre el botón **Guardar** para confirmar los cambios.

Si hace clic en **Eliminar foto**, previa confirmación como en el caso anterior, borrará la foto seleccionada como foto de perfil, aunque seguirá estando disponible en el álbum *Fotos de perfil*.

Editar miniatura
Eliminar tu foto

Figura 4.10. Opciones de edición

Desde la ficha *Foto de perfil* se puede actuar sobre la aplicación **Photostream**, en concreto es posible reiniciarla.

Para hacerlo, pulse sobre el botón **Reset Photostream**, situado en la parte inferior izquierda de la ficha (véase Figura 4.11).

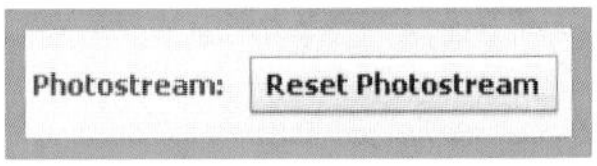

Figura 4.11. Reinicio de Photostream

Photostream es la aplicación que permite que en la parte superior de su perfil público, bajo el resumen, se muestren las fotos en las que ha sido etiquetado recientemente.

En el caso de que no funcione correctamente o de que haya eliminado de la vista alguna de las imágenes, puede hacerlo poniendo el cursor en la esquina superior derecha de la imagen que desee borrar y haciendo clic sobre el aspa que aparece.

Si desea que se vuelvan a mostrar tal como estaban antes de modificarlas, debe hacer uso de esta opción que, únicamente, estará disponible si ha eliminado alguna de las imágenes a la vista. De lo contrario permanecerá apagada.

Personas destacadas

Esta ficha está dedicada a sus relaciones personales, base fundamental de Facebook (véase Figura 4.12).

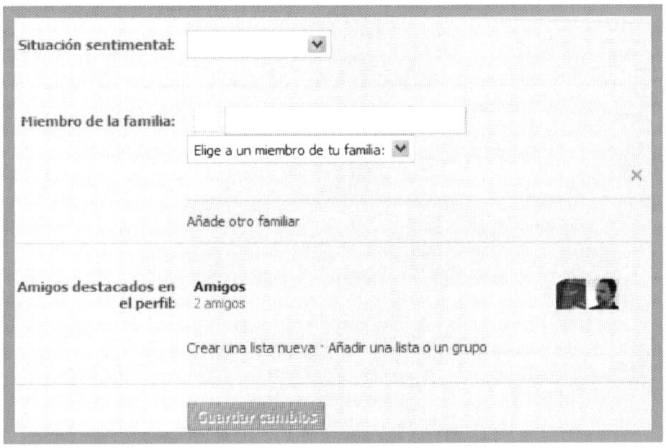

Figura 4.12. Ficha Personas destacadas

Rellene los campos que desee.

Situación sentimental

Haga clic sobre el desplegable y escoja la opción que más se ajuste para anunciar su estado actual o disponibilidad.

Miembro de la familia

Utilice esta opción para mandar invitaciones a familiares que aún no tengan cuenta en Facebook, o bien, para indicar la relación de parentesco que les une si ya tienen cuenta.

Empiece a escribir en el campo vacío el nombre de su pariente. Facebook le mostrará las coincidencias encontradas y elija la opción correcta entre las disponibles.

Una vez hecho, en el menú desplegable inmediatamente inferior, escoja la relación de parentesco que les une.

Al terminar, pulse sobre el botón **Guardar cambios**, situado en la parte inferior de la ficha. Facebook enviará una solicitud de parentesco a las personas seleccionadas para su confirmación.

Tenga en cuenta que el sistema solo buscará posibles candidatos dentro de su lista de amigos. Si desea enviar una solicitud de parentesco a un usuario, en primer lugar tendrá que enviarle una solicitud de amistad.

En el caso de que no tenga cuenta en Facebook dispondrá de la opción de enviarle un correo electrónico con una invitación personalizada.

Esto sucederá de forma automática si introduce el nombre de alguien que no esté en su lista de amigos (véase Figura 4.13).

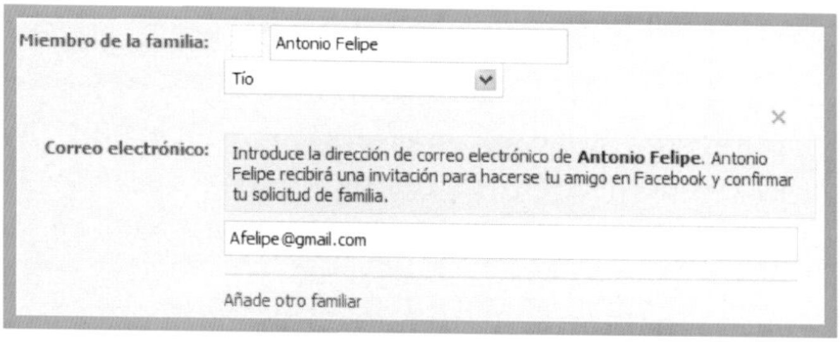

Figura 4.13. Enviando una invitación a un familiar

Puede añadir más familiares, tantos como desee, haciendo clic sobre el vínculo **Añade otro familiar** que puede ver en la imagen anterior.

Amigos destacados en el perfil

En la mitad inferior izquierda de su perfil público se muestra una selección de todos los usuarios que son sus amigos, ordenada por su actividad en el sistema.

Ahora, es posible destacar a sus amistades más importantes mediante el uso de listas, igualmente puede hacerlo con los *Grupos* a los que pertenezca.

La información inicial que nos proporciona la ficha *Personas destacadas* se limita al número de amigos y, si las tuviera, sus listas de amigos y número de miembros de cada una, además de dos opciones principales, **Crear una lista nueva** y **Agregar una lista o un grupo** (véase Figura 4.14).

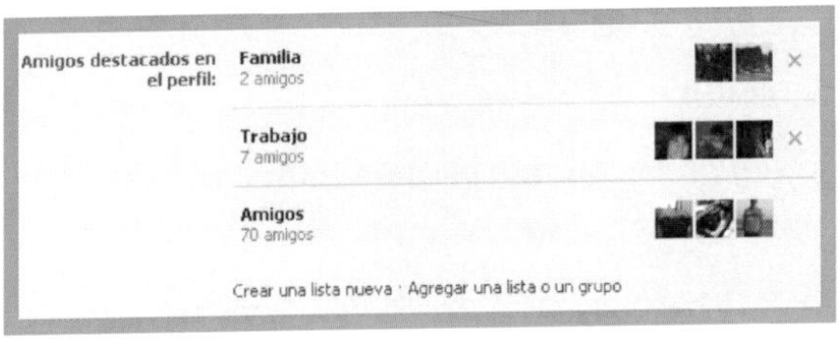

Figura 4.14. Amigos destacados y listas de amigos

Al pulsar sobre el vínculo ***Crear una lista nueva***, se abrirá una ventana donde podrá darle nombre y escoger los amigos que desea incluir en la nueva lista. Ya conoce el procedimiento, por haberse tratado en detalle en el capítulo tres de este manual.

A partir de ese momento, dentro de la ficha *Personas destacadas*, si mira en el renglón *Amigos destacados en el perfil* (véase Figura 4.14) verá la nueva lista creada y el número de integrantes.

El vínculo *Agregar una lista o un grupo* le permitirá destacar en su perfil público la lista de amigos o el grupo que escoja.

En este caso, vamos a destacar el grupo "*Trabajo*" que creó anteriormente. Para ello, pulse sobre el texto **Agregar una lista o un grupo**. Facebook le mostrará las listas y grupos disponibles, seleccione el que desee marcando la casilla adjunta y pulse sobre el botón **Añadir** (véase Figura 4.15).

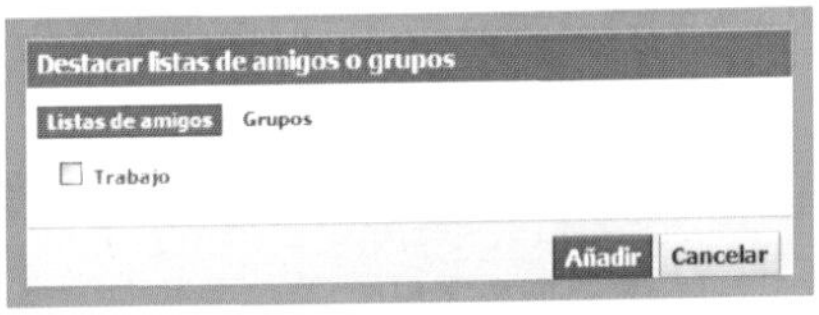

Figura 4.15. Selección de listas de amigos o grupos

A partir de este momento, la lista de amigos "*Trabajo*" ocupará un lugar destacado en su perfil público (véase Figura 4.16).

Como ve, el procedimiento necesario es muy simple, en unos pasos podrá destacar sus listas de amigos o grupos preferidos.

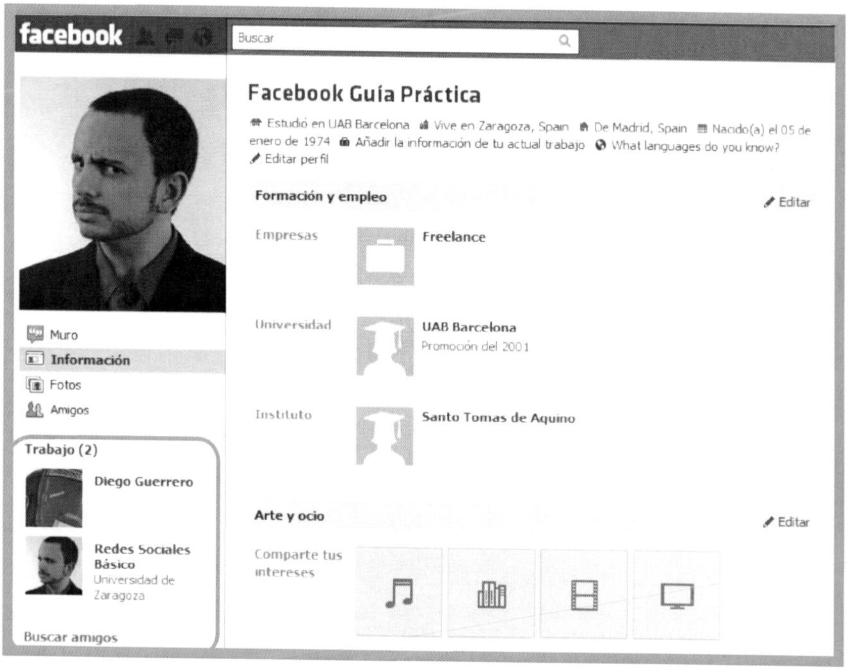

Figura 4.16. Destacando listas de amigos

> **Aclaración**: Para poder destacar un *Grupo* de Facebook en su perfil, éste tiene que tener su configuración de privacidad definida como *Abierto* o *Cerrado*. Si es *Secreto* no podrá destacarlo, aunque pertenezca a él o incluso sea su creador.

Cuando quiera puede eliminar una lista de su posición destacada. Para ello, dentro de la ficha *Personas destacadas*, sitúese en el renglón correspondiente a *Amigos destacados en el perfil* y, a continuación, pulse sobre el aspa que encontrará en la parte derecha de la lista a eliminar (véase Figura 4.17).

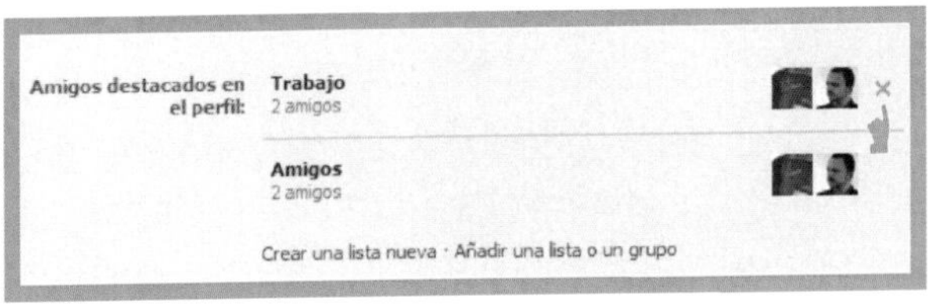

Figura 4.17. Eliminar lista destacada

Recuerde que para aplicar cualquier modificación es imprescindible pulsar sobre el botón **Guardar cambios** que encontrará al final de la ficha.

Formación y empleo

Aquí podrá incluir información referida a los lugares donde haya estudiado o trabajado a lo largo de su vida.

Estos datos serán de gran utilidad para que compañeros o antiguos compañeros de trabajo y estudios le localicen con facilidad.

También puede ser importante para establecer contactos profesionales que puedan resultarle beneficiosos.

Es posible que quiera usar su perfil en Facebook como currículum laboral o portafolio. Las posibilidades en este sentido son muchas, imagine un lugar donde poder compartir su trabajo, experiencia laboral, actividades de formación e inquietudes, dinámico y novedoso.

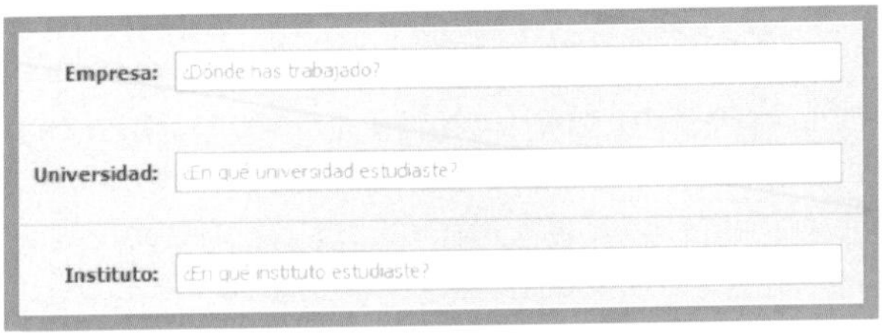

Figura 4.18. Ficha Formación y Empleo

Si no incluyó en la configuración inicial información sobre los lugares en los que haya estudiado o trabajado, este es un buen momento para hacerlo (véase Figura 4.18).

Empresa

Comience a escribir en el campo disponible el nombre de la empresa para la que trabaja. Como sabe, en cuanto empiece, Facebook le mostrara un listado de posibles coincidencias. Si su empresa aparece en la lista haga clic sobre ella, de lo contrario siga escribiendo y, al terminar, pulse la tecla **retorno** de su ordenador.

Ahora podrá ver una serie de campos adicionales donde aportar más información (véase Figura 4.19).

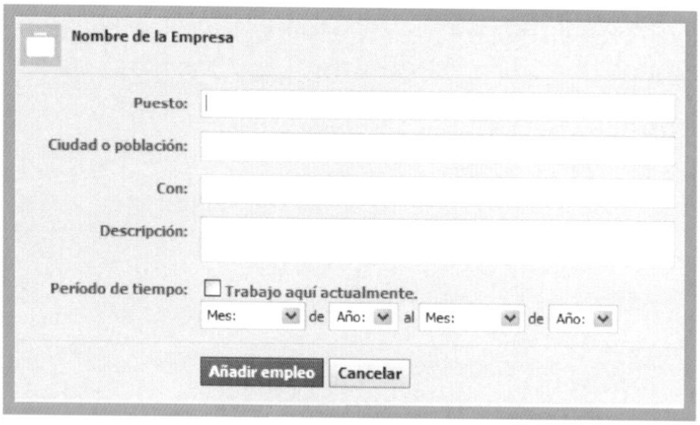

Figura 4.19. Información adicional empresa

Complete aquellos que considere oportunos y, cuando haya terminado, pulse sobre el botón **Añadir empleo**, situado en la parte inferior del formulario.

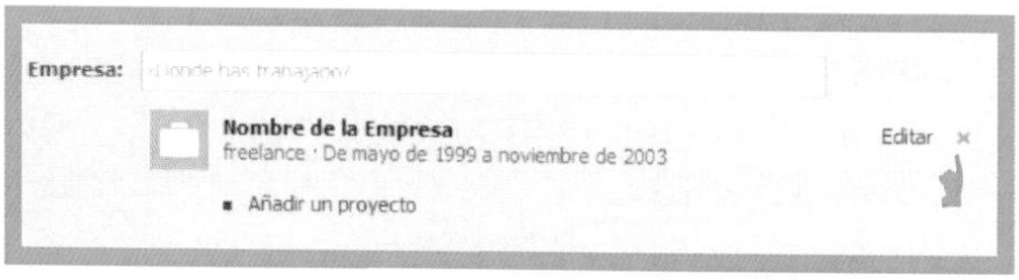

Figura 4.20. Añadiendo información de empresa

Aparte de en su perfil público, verá el resultado en la ficha *Formación y empleo*, (véase Figura 4.20) incluso, si lo desea, haciendo clic sobre el texto **Añadir un proyecto**, le será posible referirse a un proyecto en concreto llevado a cabo en dicha empresa.

Perfil público

Pulse sobre el vínculo **Editar**, que puede ver en la parte derecha de la imagen, para modificar los datos correspondientes a la empresa escogida. Si hace clic sobre el icono con forma de aspa, previa confirmación eliminará la empresa elegida de entre las que haya añadido.

En caso de que le interese incluir más empresas solo tiene que seguir nuevamente el mismo procedimiento.

Universidad

Del mismo modo puede añadir la universidad o universidades donde estudie o haya estudiado. Como ya hemos comentado, esto le permitirá localizar antiguos compañeros de estudios y facilitará que ellos puedan encontrarle a usted (véase Figura 4.21).

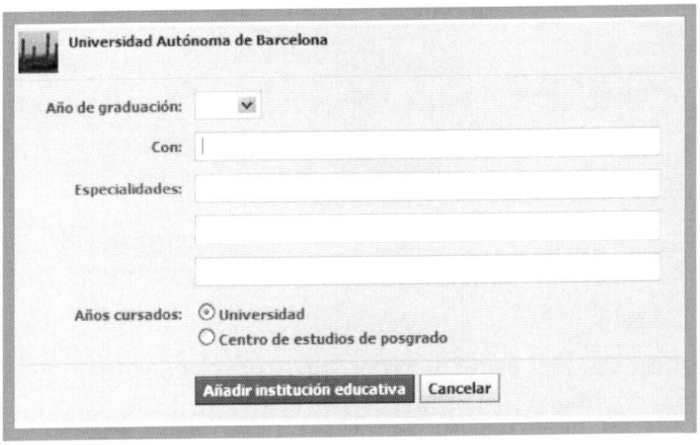

Figura 4.21. Información adicional universidad

Complete los campos con la información adicional que crea necesaria. Cuando termine, para completar el proceso, pulse sobre el botón **Añadir institución educativa**, que encontrará al final de la ficha.

Ahora, podrá ver el resultado obtenido en su perfil público y en la ficha *Formación y empleo* (véase Figura 4.22).

Figura 4.22. Resultado de añadir institución educativa

Tiene la posibilidad de asociar una asignatura concreta. Para hacerlo, haga clic sobre el vínculo **Añadir una asignatura**, podrá especificar el nombre de la asignatura, el profesor y una breve descripción. Cuando termine de rellenar los campos, pulse sobre **Añadir asignatura**.

Las opciones de edición son las mismas que en el caso anterior. Del mismo modo, si desea añadir otra institución educativa solo tiene que repetir los mismos pasos.

Instituto

Siga el mismo procedimiento para incluir el Instituto o Escuela de Educación Secundaria donde estudió.

Como sabe, en cuanto empiece a escribir, Facebook le mostrará un listado de opciones posibles, donde podrá escoger.

Si no apareciera su instituto, simplemente escríbalo usted y cuando termine pulse la tecla **retorno** de su teclado para confirmar su elección.

Figura 4.23. Información adicional instituto

Al igual que en anteriores ocasiones, podrá añadir información adicional, en este caso, referente al año de graduación y profesorado. Cuando haya acabado, pulse sobre **Añadir institución educativa**, así se concluirá el proceso (véase Figura 4.23).

Obtendrá un resultado similar al de añadir empresas o universidades. En esta ocasión, al igual que ocurría en el caso anterior, podrá incluir una asignatura, profesor y descripción de la misma: para ello pulse sobre el vínculo **Añadir una asignatura**.

Filosofía

Incluya en este apartado información sobre su forma de ver la vida, inquietudes, creencias religiosas o personas que le inspiran.

Este material puede resultar interesante, tanto para sus amistades como para otros usuarios de Facebook.

Recuerde que no es obligatorio añadir información a su perfil, aunque sí facilita la experiencia de uso.

Sea prudente con aquello que comparta, lo más aconsejable es limitar cualquier información sensible o que pudiera ser usada con fines dudosos.

Dispone de cuatro apartados principales: *Religión*, *Ideología política*, *Gente que te inspire* y *Citas Favoritas*. Además de dos campos extra para añadir comentarios sobre algunos de los apartados.

Una vez que haya cumplimentado los campos que prefiera, para terminar el proceso pulse sobre el botón de la parte inferior de la ficha, **Guardar cambios**.

Arte y Ocio

En esta categoría podrá añadir información sobre la música que le gusta, sus libros y películas favoritas, o los programas de televisión que prefiere.

El contenido de esta ficha lo podrá compartir en su perfil público de forma visual, con imágenes en miniatura que permitirán a cualquiera verlo a primera vista.

Como siempre, cuando haya terminado de añadir información, pulse sobre el botón **Guardar Cambios**, situado en la parte inferior de la ventana.

Veamos un ejemplo

Supongamos que es un gran fan del cantante **Sting** y quiere compartirlo en su perfil público.

Paso 1

En primer lugar, tendremos que acceder al menú de edición de nuestro perfil. Para ello pulsaremos sobre el vínculo **Editar mi perfil**, que encontraremos por ejemplo, bajo nuestro nombre de usuario (véase Figura 4.24).

Figura 4.24. Acceso a perfil público y edición de perfil

Paso 2

En el menú principal de edición escogeremos la ficha **Arte y Ocio**. Pulsando sobre ella será posible añadir información (véase Figura 4.25).

Figura 4.25. Menú de edición

Paso 3

En el campo disponible, junto a la categoría *Música*, comenzaremos a escribir el nombre de nuestro artista favorito, en este caso el cantante Sting.

Conforme vayamos escribiendo, Facebook nos mostrará un listado de coincidencias posibles entre las páginas, con imágenes en miniatura (véase Figura 4.26).

Perfil público

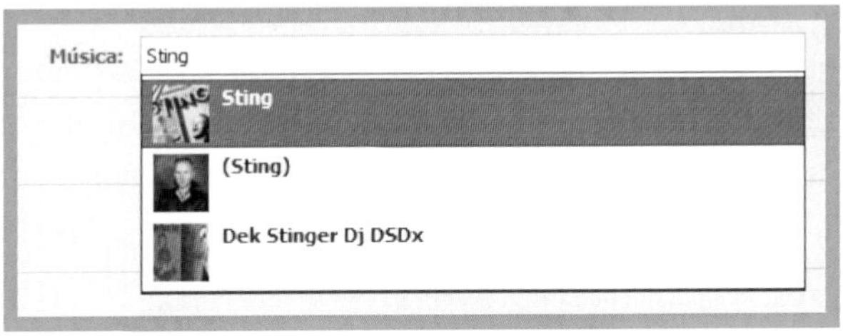

Figura 4.26. Paso 2. Sugerencias posibles

Paso 4

Ahora escogeremos la opción que más nos guste simplemente haciendo clic sobre ella.

Esto incorporará a Sting en nuestro listado de artistas preferidos, con una miniatura adjunta. Puede incluir en su perfil un máximo de 5 miniaturas que se mostrarán simultáneamente (véase Figura 4.27).

Figura 4.27. Paso 4. Incluyendo Sting como artista preferido

Cabe la posibilidad de que el artista que queremos añadir aún no exista en la base de datos de Facebook. En este caso, en la parte final del listado de sugerencias, verá un texto con la leyenda **Añadir**, al que sigue el artista sugerido entrecomillado. Pulse sobre dicho vínculo para incluir un nuevo artista.

Paso 5

Para finalizar y aplicar los cambios pulsaremos sobre el botón **Guardar cambios** que, como siempre, encontrará al final de la ficha.

Del mismo modo puede añadir *Música*, *Libros*, *Películas* y *Programas de televisión*.

Recuerde que, aunque puede añadir tantos elementos como quiera, solo cinco de ellos se verán en su perfil público de forma simultánea.

Administrarlos es bastante sencillo, puede eliminarlos, modificar su posición en el carrusel, o si tiene muchos, escoger cuáles se van a mostrar en su perfil.

Eliminar

Para eliminar un elemento debe acceder en primer lugar a la ficha *Arte y Ocio*. A continuación, cuando vea el que quiere suprimir, haga clic con el ratón sobre él.

Esta acción marcará el elemento elegido y lo mostrará destacado en la parte derecha de la pantalla. Justo bajo del nombre verá el vínculo **Eliminar**; púlselo y borrará de forma definitiva el elemento selecciona-do y, con él, su página asociada (véase Figura 4.28).

Figura 4.28. Eliminar elemento

Modificar orden

Puede que quiera variar el orden en que se muestran los distintos elementos en su perfil, conseguirlo es muy sencillo.

Siga los mismos pasos que para eliminar un elemento, pero cuando marque el que quiera mover, mediante un clic de ratón, mantenga pulsado el botón izquierdo y arrástrelo hasta la posición deseada (véase Figura 4.29).

Figura 4.29. Modificando la posición de un elemento

Perfil público

Elementos que se mostrarán

Si tiene muchos elementos, solo cinco de ellos se podrán ver en su perfil público. Puede escoger los que se van a visualizar de forma sencilla.

Siga los pasos que ya conoce hasta llegar a la categoría *Música*, de la ficha *Arte y Ocio*. Como tiene almacenados más de cinco elementos, los que no se muestran podrá verlos en la mitad inferior de la ventana (véase Figura 4.30).

Figura 4.30. Categoría Música

Para ocultar alguno de los elementos visibles, selecciónelo con un clic sobre él y mantenga pulsado el botón izquierdo del ratón para arrastrarlo hasta la barra inferior (véase Figura 4.31).

Figura 4.31. Ocultar elemento

Del mismo modo, para mostrar un elemento oculto, márquelo en el menú inferior y arrástrelo a la posición del carrusel que prefiera.

No olvide pulsar sobre el botón **Guardar cambios** para aplicar las modificaciones. Si no lo hace perderá todo el trabajo realizado.

Deportes

Con el mismo modo de funcionamiento que la ficha anterior, en *Deportes* podrá incluir información sobre los deportes que práctica, sus equipos preferidos y jugadores favoritos.

Actividades e intereses

Aquí podrá incluir información complementaria para que hable por usted. Añada sus actividades favoritas, sus gustos e intereses en general (véase Figura 4.32).

Incluso podrá añadir a su perfil público aquellas páginas de Facebook que le gusten y quiera que estén presentes en su perfil de usuario.

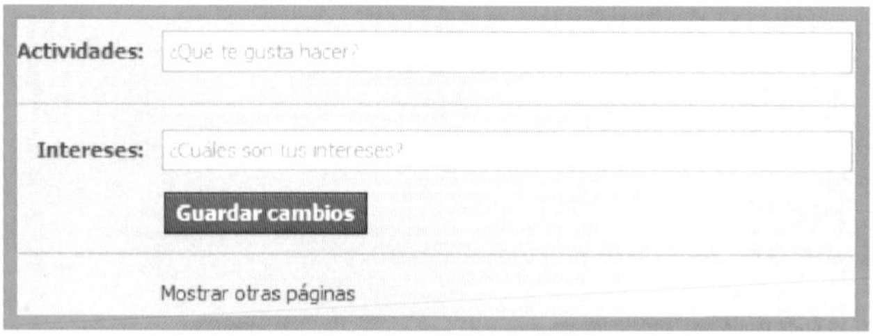

Figura 4.32. Actividades e Intereses

Complete los campos con la información que desee compartir. Para aplicar la personalización recuerde pulsar sobre el botón **Guardar cambios**.

Desde esta ficha podrá administrar todas las páginas de las que es fan, en concreto, si hace clic sobre el texto **Mostrar otras páginas**, verá una ventana emergente conteniendo un listado de las páginas de Facebook que le gustan (véase Figura 4.33).

Si quisiera eliminar alguna de ellas únicamente debe pulsar sobre el botón **Eliminar página**, a la derecha del título de cada una de ellas.

Perfil público

> **Nota**: En Facebook, hacerse Fan de una página significa que le gusta su motivo o contenido. Habitualmente para poder publicar en ellas tiene que ser fan en primer lugar.
>
> Para ser fan tendrá que pulsar sobre el botón **Me gusta** que verá, por norma general junto al nombre, en la parte superior central de cualquier página de Facebook sobre personas, colectivos, grupos, singularidades y otros.
>
> Como excepción, indicar que no es posible hacerse fan de una persona real, únicamente puede intentar hacerse amigo, pero nunca fan.

Figura 4.33. Otras páginas que le gustan

Información de contacto

Esta categoría contiene toda la información referida a sus datos personales. Sea especialmente cuidadoso con aquello que incluya en ella.

Como sabe, mediante la personalización de la configuración de la visibilidad, que veremos más adelante, puede limitar el acceso a sus datos de perfil.

Es de vital importancia para la protección de su intimidad que restrinja el acceso a información personal delicada.

Si se trata del perfil de un menor sus tutores legales deberían supervisar toda la información que comparta.

Una vez que haya completado todos los campos que desee pulse sobre el botón **Guardar cambios** y, de este modo, se aplicarán las modificaciones realizadas.

Como ve, aparte de sus datos personales, puede indicar un nombre de usuario que tenga asociado a cualquier servicio de mensajería instantánea disponible en el menú desplegable, como Skype, AOL, ICQ, Twitter...

Así sus amigos y conocidos podrán encontrarle con mayor facilidad, también en dichos servicios.

Puede incluir varios nombres de usuario. Podrá añadirlos de uno en uno, pulsando sobre el texto **Añadir otro nombre de usuario**.

Así mismo, verá como por defecto, aparece su dirección de correo de registro. Esto es así porque dicha dirección, a su vez, es la denominada dirección principal de contacto, mediante la cual recibirá los avisos y notificaciones de Facebook.

Es posible incluir otras direcciones y modificar la dirección principal. Pulse sobre el vínculo **Añadir/eliminar direcciones de correo** para hacerlo. Lo veremos más adelante.

Conozca su perfil público

El diseño del actual perfil público de Facebook aporta una nueva concepción basada en la reducción de elementos disponibles que pudieran desviar la atención. Esto ha conformado un perfil, simplificado pero eficaz, de líneas suaves y con todo lo necesario a golpe de vista.

La mayoría de la actividad que se desarrolla en él, guarda relación con alguna de las cinco categorías que verá comentadas a continuación: *Muro, Información, Fotos, Notas* y *Amigos* (véase Figura 4.34).

Figura 4.34. Categorías principales

Muro

El *Muro* es el elemento central sobre el que se relacionan los miembros de Facebook; en él podrá compartir no solo sus comentarios, pensamientos e intereses, sino fotos, vídeos, enlaces, notas y casi cualquier cosa que se le ocurra (véase Figura 4.35).

Todo ello gracias al *Editor*, que no es ni más ni menos que una especie de barra de herramientas, específica para facilitarle la tarea de publicar contenido en su muro. En el próximo capítulo se tratará en detalle su funcionamiento y posibilidades.

Figura 4.35. Muro

Desde esta ventana, como se ha visto anteriormente, se accede al menú de edición del perfil, pulsando sobre el vínculo **Editar perfil**.

Recuerde que es su decisión escoger quién o quiénes pueden publicar contenido en su muro, concretamente, personalizando adecuadamente la configuración de privacidad referida a la información que comparte.

En muchos casos las aplicaciones y juegos que usa y las de sus amistades, también dejarán entradas en su muro.

Esto puede llegar a ser muy molesto, hasta el extremo de convertir su muro en una herramienta inútil.

Borrar publicaciones del muro

Como solución, puede eliminar fácilmente cualquier contenido colgado en su muro, en dos sencillos pasos.

1. Sitúe el cursor del ratón sobre la entrada que desea eliminar. Cuando lo haga, verá que aparece en el lado derecho un icono con forma de aspa.

2. Pulse sobre él para suprimirla. Seguidamente, se mostrará una ventana de confirmación, donde tendrá que hacer clic sobre **Eliminar la publicación** para concluir el proceso.

Habrá observado que al pulsar sobre el aspa se despliega un menú contextual con dos opciones adicionales: *Marcar como spam* y *Denunciar como ofensivo* (véase Figura 4.36).

Figura 4.36. Opciones de eliminar publicación

Marcar como spam

Al pulsar sobre esta opción, aparte de eliminar la publicación, impedirá recibir nuevas entradas con el mismo origen, por lo tanto, éste se añadirá a su lista de bloqueados, lo que implica que ya no podrá comunicarse con usted.

Denunciar como ofensivo

Con los mismos efectos que en el caso anterior, pero con la posibilidad de informar a Facebook del problema (véase Figura 4.37).

Perfil público

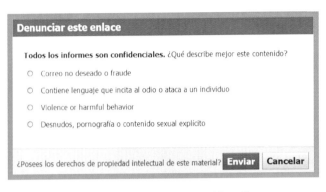

Figura 4.37. Denunciar una publicación

Facebook pretende ser un lugar seguro donde poder relacionarse en un ambiente confiable. Por lo tanto, las conductas abusivas, sean del tipo que sean, no solo no están permitidas, sino que se castigan con la expulsión del sistema.

No dude en informar a Facebook sobre cualquier perfil, página, grupo o comentario que considere que vulnera las normas establecidas o la legislación vigente.

En el caso de perfiles personales, páginas o grupos, deberá hacer clic sobre el vínculo **Denunciar/Bloquear** a esta persona, **Denunciar página** o **Denunciar grupo**, según corresponda.

> **Nota**: Facebook debe su éxito a los millones de personas que forman parte de su comunidad. Resultaría totalmente imposible supervisar las actividades de todos ellos, por lo tanto, el uso del sistema de denuncias es importante como medida de colaboración para mantener el sistema tal como es.

Información

Esta pestaña, contiene toda la información personal que haya incluido sobre usted a lo largo del proceso de registro y de la edición de su perfil (véase Figura 4.38).

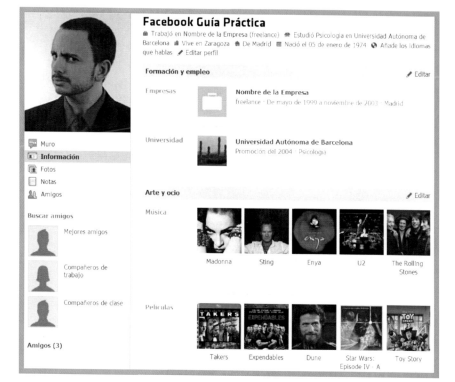

Figura 4.38. Información

De nada sirve disponer de un perfil si no contiene ningún dato real del propietario. En cualquier caso, esto no significa que deba cumplimentar y compartir todos sus datos personales a la ligera.

No hay por qué alarmarse, una minuciosa configuración de la privacidad de la información que comparte bastará para mantener a buen recaudo cualquier detalle que no desee mostrar.

> ¡Ojo! Por defecto todos los usuarios de Facebook podrán acceder a la información básica de su cuenta.

Fotos

Dentro de la pestaña *Fotos* encontrará todas las imágenes y clips de vídeo que haya añadido a su cuenta de Facebook, incluidas las que publique en su muro y aquellas en las que haya sido etiquetado (véase Figura 4.39).

Figura 4.39. Pestaña Fotos

Además, en la esquina superior derecha dispondrá de las opciones que ya conoce. Para iniciar el proceso de carga de fotos y vídeos, use los botones *Cargar fotos* y *Cargar vídeo*, respectivamente.

Puesto que ya se habrá familiarizado con todo el proceso a lo largo del capítulo tres, concretamente en el título referido a la categoría *Fotos*, remítase a él si tiene cualquier duda.

Notas

Aquí aparecerán todas sus notas publicadas por orden de antigüedad. También podrá comenzar a escribir una nota nueva de la misma manera que en la categoría *Notas*, pulsando sobre **Escribir una nota** (véase Figura 4.40).

Figura 4.40. Pestaña Notas

Como podrá apreciar, tanto el modo de visualización en su perfil como las opciones a la hora de escribir nuevas notas, reúnen todas las condiciones necesarias para convertir esta sección en su blog personal.

Un lugar donde compartir sus opiniones, inquietudes, o simplemente aquello que le suceda en su día a día.

Amigos

Todas sus amistades se encuentran reunidas bajo esta pestaña. Pulsando sobre cualquiera de ellas accederá directamente a su perfil público (véase Figura 4.41).

Figura 4.41. Pestaña Fotos

En la esquina superior derecha encontrará el botón **Editar amigos**. Al pulsar sobre él se abrirá la ventana de edición de amigos, conteniendo un listado completo de los mismos y varias opciones para su organización, que vio en detalle en el capítulo tres de este manual.

Si solo tiene algunas decenas de contactos, su organización no le revestirá mayor complicación, sin embargo, conforme la cifra aumente, puede hacerse más y más farragoso localizar un amigo en concreto.

Aparte del campo de búsqueda situado en la barra de navegación superior, que siempre le servirá para localizar a cualquier usuario de Facebook, la pestaña *Amigos* presenta su propia barra de herramientas, con algunas opciones para la búsqueda y organización de sus amistades (véase Figura 4.42).

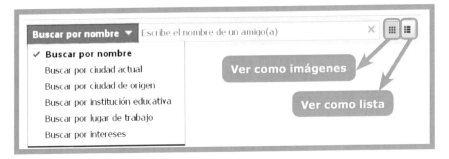

Figura 4.42. Opciones de búsqueda y visualización

Como puede ver en la imagen anterior, dispone de un campo de búsqueda específico y la posibilidad de filtrar los resultados en función de distintos criterios.

Aparte, pulsando sobre el icono correspondiente puede escoger la forma en la que prefiere visualizar sus amistades, entre dos posibilidades: *Ver como imágenes* y *Ver como lista*.

La primera le muestra las imágenes de perfil de sus amistades junto con el nombre, ordenándolas en función de su actividad en el sistema.

La segunda igualmente ofrece las imágenes de perfil junto al nombre, pero listadas por orden alfabético.

Perfil de usuario

Vamos a llamar *Perfil de usuario* a la forma en que cualquier usuario de Facebook ve nuestro perfil público o cualquier otro.

Dependiendo de las limitaciones que hayamos impuesto mediante la configuración de la privacidad, será visible una cantidad mayor o menor de información y opciones.

Igualmente, dependiendo de su relación personal con nosotros, tendrá más o menos posibilidades de interacción con nuestro perfil.

En este caso, puesto que no se ha aplicado aún configuración de privacidad alguna, un usuario que no sea nuestro amigo vería nuestro perfil de la siguiente manera (véase Figura 4.43).

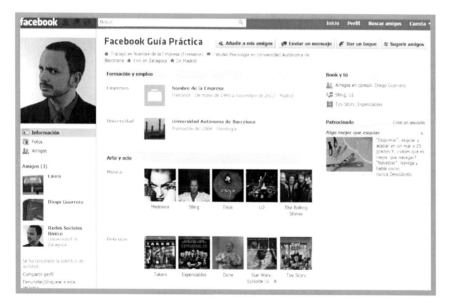

Figura 4.43. Perfil de usuario

Opciones disponibles

La única diferencia apreciable respecto a la vista previa de su propio perfil público, se refiere a los botones de acción disponibles en la parte superior del perfil. Veamos algunos ejemplos de las distintas alternativas posibles.

En este caso, al tratarse de un usuario que no es su amigo, las opciones serían únicamente: *Agregar a mis amigos* y *Enviar mensaje* (véase Figura 4.44).

Figura 4.44. Acciones disponibles en usuarios que no son amigos

Si entra en el perfil de usuario de alguien que a su vez es amigo de alguno de sus amigos, las opciones aumentan: *Agregar a mis amigos*, *Enviar mensaje* y *Dar un toque* (véase Figura 4.45).

Figura 4.45. Acciones disponibles en amigos de amigos

Si se trata de un usuario que pertenece a su lista de amigos, las opciones disponibles serían: *Enviar mensaje*, *Dar un toque* y *Sugerir amigos* (véase Figura 4.46).

Figura 4.46. Acciones disponibles en usuarios que son amigos

El botón *Sugerir amigos* solo aparecerá en aquellas cuentas de usuario que tengan pocas amistades confirmadas.

En los perfiles de sus amigos, aparte de las opciones descritas, podrá publicar y comentar contenidos mediante el menú *Compartir*, conocido como *Editor*, prácticamente igual que el que tiene disponible en su propio perfil. En el próximo capítulo veremos su uso y posibilidades en profundidad (véase Figura 4.46).

> **Nota**: Tenga en cuenta que en función de la configuración de la privacidad que tengan los distintos usuarios, las opciones y la información mostrada pueden variar.
>
> Los ejemplos que acabamos de ver tienen la configuración de privacidad sin personalizar, con las opciones por defecto.

Agregar a mis amigos

Como ha visto, esta opción solo es visible si está visitando el perfil público de un usuario que no se encuentra entre sus amistades.

Al pulsar sobre el botón **Agregar a mis amigos**, el sistema le mostrará una ventana desde la que podrá enviar una solicitud de amistad e incluso añadir un mensaje personal (véase Figura 4.47).

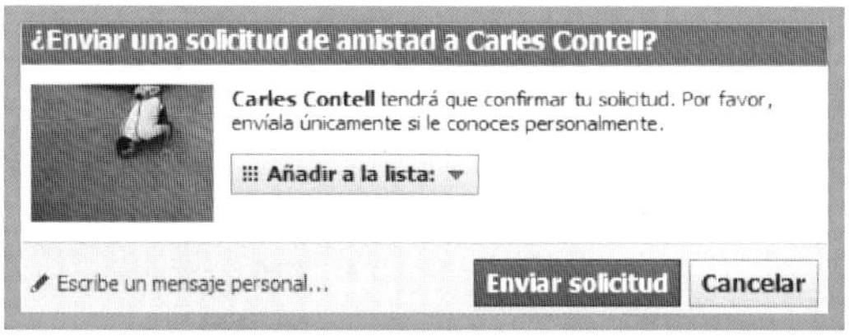

Figura 4.47. Enviar solicitud de amistad

En el caso de que tenga listas de amigos, haciendo clic sobre el botón **Añadir a la lista**, y escogiendo la que le interese, en caso de que acepte nuestra amistad, sería agregado directamente a la lista elegida.

Si desea adjuntar un mensaje personal, pulse sobre el texto **Escribe un mensaje personal...** Aparecerá un campo vacío donde podrá añadir su mensaje.

Una vez que lo tenga todo, para enviar la solicitud pulse sobre el botón **Enviar solicitud**.

> **Recuerde**: Es una buena idea añadir un breve mensaje personal en sus solicitudes de amistad, de este modo, podrá indicarle al destinatario por qué quiere ser su amigo o de qué se conocen.

Sugerir amigos

En los perfiles públicos de sus amistades que tengan pocos amigos confirmados aparecerá en la esquina superior derecha el botón *Sugerir amigos*.

Mediante esta opción, podrá recomendar a este amigo a algunas de sus propias amistades que crea que pueden interesarle.

Para comenzar el proceso, pulse sobre el botón **Sugerir amigos**. Ahora, aparecerá un cuadro desde el que podrá elegir los amigos que desea sugerir (véase Figura 4.48).

Figura 4.48. Elección de amigos a sugerir

Para escoger los amigos que desea recomendar haga clic sobre ellos y verá como aparecen marcados sobre fondo azul.

Cuando termine, pulse sobre el botón **Enviar sugerencias**. Facebook enviará una notificación con las solicitudes enviadas, que aparecerá en la página de inicio (véase Figura 4.49). Tenga en cuenta que tanto unos como otros recibirán una sugerencia de amistad.

Como ve en la imagen, en la parte superior de la página de inicio, también recibirá aviso de las nuevas sugerencias recibidas.

Figura 4.49. Notificación de sugerencias de amistad

Si pulsa sobre el vínculo **Ver todas** o **Sugerencias de amigos**, este último, precedido del número de sugerencias pendientes, podrá ver las mismas y elegir entre **Añadir a mis amigos** o **Ignorar**, en función de lo que desee pulsando el botón correspondiente (véase Figura 4.50).

Figura 4.50. Sugerencias pendientes

Tenga en cuenta que, aunque elija añadirlos como amigos, para que efectivamente se conviertan en amigos, la solicitud de amistad enviada tendrá que ser aceptada por ellos.

Enviar un mensaje

Aunque un usuario no sea su amigo, es posible enviarle un mensaje privado. Para hacerlo pulse sobre el botón **Enviar mensaje** que encontrará en la parte superior derecha del perfil público de cualquier usuario.

A continuación, verá la ventana habitual para enviar un nuevo mensaje. Incluya el contenido que prefiera y, cuando lo haya completado, para remitirlo, pulse sobre el botón **Enviar**. En unos segundos el destinatario recibirá una notificación informándole de que tiene un mensaje nuevo.

Facebook le permite añadir contenido multimedia a sus mensajes, fotos, vídeos o enlaces web, del mismo modo que puede publicarlos en su muro. Lo veremos en el próximo capítulo.

Dar un Toque

Un toque es una manera de interactuar con otros usuarios. En realidad no tiene una función específica y, aunque parezca extraño, ésta es realmente su utilidad.

Puede usar los toques para saludar a un amigo o simplemente para recordarle que está ahí, tal como se viene haciendo con las llamadas perdidas en telefonía móvil.

Puede dar toques también a los amigos de sus amigos y a los miembros de una red a la que pertenezca. De este modo les permitirá de forma temporal el acceso a la información básica de su perfil.

Sirve para usarlo con intención de iniciar una conversación o valorar el interés de otro usuario en usted; un intercambio de varios toques podría ser el comienzo.

Del mismo modo, dar un toque puede ser una forma de llamar la atención sobre algún contenido que haya publicado en su perfil, pues es muy probable que genere visitas de las personas a las que se lo haya enviado.

Perfil público

Para dar un toque a otro usuario, pulse sobre el botón **Dar un toque** que se encuentra en esquina superior derecha del perfil de la persona a la que desea saludar. El sistema le mostrará una ventana para confirmar la acción (véase Figura 4.51).

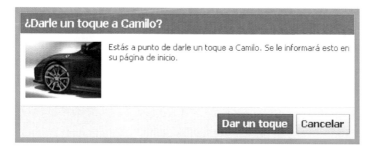

Figura 4.51. Dar un toque, ventana de confirmación

Como en cualquier acción u opción de Facebook, si quisiera cancelar el proceso y volver donde estaba, pulse sobre el botón **Cancelar**.

Una vez que envíe el toque a un usuario, éste recibirá una notificación en su página de inicio, de manera similar al caso de *Sugerir amigos* (véase figura 4.52).

Figura 4.52. Opciones de Toque

El usuario que recibe el toque dispone de tres opciones: puede *ocultar el toque*, *devolver el toque* o *visitar su perfil*, mediante el acceso directo con el nombre del remitente que contiene la notificación.

Visitar perfil

Si desea visitar el perfil público de la persona que le ha enviado el toque puede hacerlo de forma sencilla. La notificación de toque contiene el nombre del remitente, haga clic sobre él y el sistema le mostrará su perfil público.

Devolver el toque

Puede que quiera contestarlo. La forma más fácil de hacerlo consiste en pulsar sobre el vínculo **Devolver el Toque** que aparece en la misma notificación.

El sistema le mostrará una ventana de confirmación. Para enviarlo, pulse sobre el botón **Dar un Toque**.

Ocultar el toque

Si no está interesado, puede eliminar el toque simplemente pulsando sobre el icono con forma de aspa que verá en la parte derecha de la notificación de toque. Ver Figura 4.52.

Una vez eliminado un toque, éste no puede ser recuperado. No se apure, salvo que especifique lo contrario en la configuración de privacidad, el mismo usuario podrá seguir enviándole toques.

Por otro lado, esto significa que mientras tenga el toque de una persona pendiente, no podrá enviarle nuevos toques.

Recuerde: Cuando le da un toque a un amigo de un amigo o a un miembro de una red a la que pertenezca, le está dando autorización de forma temporal para que vea su perfil público y parte de su información básica, aunque de forma muy limitada.

Algunas personas, pueden usar los toques para incordiar a otros usuarios. Es posible, mediante la configuración de privacidad, bloquear a cualquier usuario que le moleste.

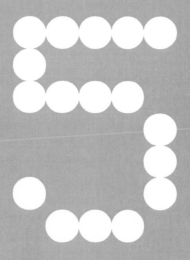

Compartir en Facebook

La interacción entre los usuarios de Facebook es la clave que sostiene el fin de la red social. Sin las relaciones que se establecen entre sus miembros no sería posible, convirtiendo el sistema en justamente lo contrario de lo que pretende ser.

Sin lugar a dudas, la principal baza para incitar a la participación es la posibilidad de compartir de forma sencilla y dinámica cualquier clase de contenido con sus amigos y conocidos: textos, imágenes, vídeos, etc., y que estos a su vez puedan reaccionar a su publicación, añadiendo comentarios, expresando su acuerdo o compartiéndolo a continuación con sus amistades, difundiendo así el mensaje.

De este modo se crea una sucesión de acciones y reacciones que conectan a la comunidad, convirtiéndola en un ente con vida propia y por tanto en la herramienta de comunicación por excelencia del siglo veintiuno.

Facebook, consciente de su importancia, proporciona una herramienta integrada a la que llama Editor, pensada para facilitarle la tarea (véase Figura 5.1).

Figura 5.1. Editor

Podrá encontrarlo en la parte superior de la página de inicio y en su perfil y, además, se halla presente, aunque con ligeras variaciones, en el perfil de sus amigos y en las páginas y grupos en los que tenga permiso para publicar contenidos.

Escribir en el muro

Tal vez sea la opción más básica y, sin embargo, es la más importante. Puede escribir lo que sea: un saludo, un pensamiento, una idea o cualquier información que le parezca interesante y publicarla a continuación en el muro.

Lograrlo es tan rápido y sencillo como hacer clic con el ratón sobre el campo que contiene la leyenda "¿Qué estás pensando?" (véase Figura 5.1), teclear lo que desee y pulsar sobre el botón **Compartir** (véase Figura 5.2).

Figura 5.2. Escribiendo en el muro

El resultado que obtendrá será algo similar a esto (véase Figura 5.3):

Figura 5.3. Resultado de publicar en el muro

Opcionalmente podrá indicarle a Facebook quién o quiénes podrán ver el contenido publicado. Para ello, antes de compartirlo pulse sobre el icono con forma de candado y escoja alguna de las opciones sugeridas.

Por defecto puede escribir en su propio muro y en el de sus amistades, también podrá hacerlo en el de los grupos a los que pertenezca y páginas que le gusten, siempre que tenga permisos para ello. Para conseguirlo sitúese en el muro donde desee escribir y siga los pasos que ya conoce.

Compartir en Facebook

Compartir una foto o vídeo

En el capítulo tres, vio en detalle cómo trabajar con imágenes y vídeos en Facebook. Ahora, solamente mencionaremos la manera de publicarlos en su muro.

Recuerde que al hacerlo, las imágenes se añadirán automáticamente al álbum *Fotos del muro*.

Si pulsa en el menú *Editor* sobre el vínculo **Foto**, obtendrá tres posibilidades de publicar sus imágenes (véase Figura 5.4).

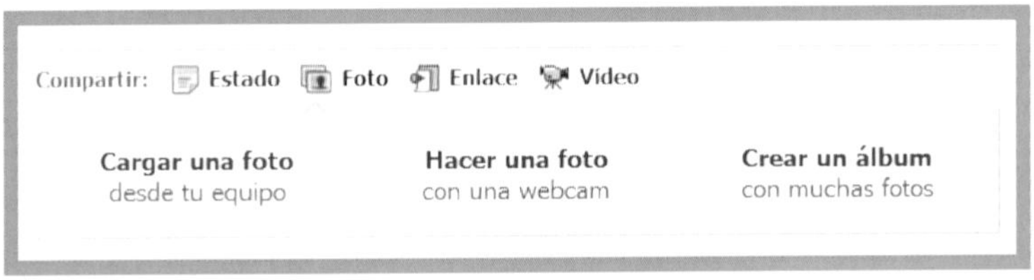

Figura 5.4. Opciones para publicar imágenes

Cargar una foto

Esta opción le permitirá subir una foto que se encuentre en su ordenador. Pulse sobre ella para iniciar el proceso y dispondrá de un campo de texto donde añadir un comentario que aparecerá junto a la imagen una vez publicada.

Hacer una foto

Si su ordenador cuenta con webcam podrá tomar una foto en el momento y compartirla en el muro. El procedimiento es idéntico al que se vio para subir una foto de perfil en el capítulo cuatro.

Crear un álbum

Al seleccionar esta posibilidad iniciará el proceso para crear un nuevo álbum de fotos.

En el caso de los clips de vídeo, las opciones solamente serán: *Grabar un vídeo* y *Cargar un vídeo*. El funcionamiento es idéntico al de las imágenes (véase Figura 5.5).

Compartir: 📝 Estado 🖼 Foto 🔗 Enlace 🎥 Vídeo

Grabar un vídeo	**Cargar un vídeo**
con una webcam	desde tu equipo

Figura 5.5. Opciones para publicar clips de vídeo

> ❝❝ **Truco**: Al final de la página en la que aparece cualquier imagen o vídeo a pantalla completa, encontrará un enlace que le servirá para compartirlo con cualquier persona que no disponga de un perfil en Facebook.

Publicar un enlace en el muro

Compartir la dirección de un sitio web o un enlace a cualquier contenido interesante es una práctica muy habitual en Facebook.

Conseguirlo es realmente simple, haga clic sobre el vínculo **Enlace** del editor e introduzca la dirección en el campo que aparece. Para finalizar el proceso, pulse sobre el botón **Adjuntar** (véase Figura 5.6).

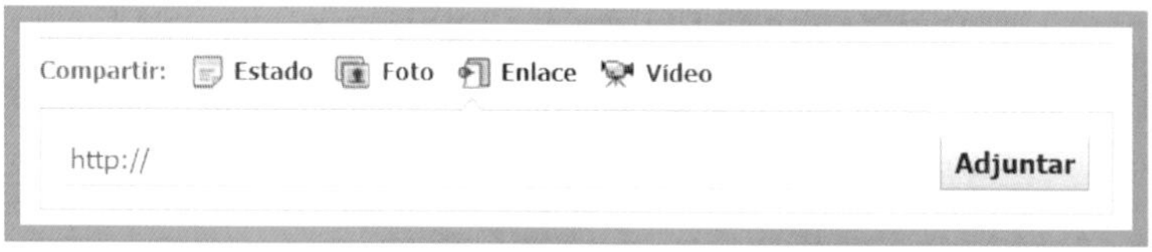

Compartir: 📝 Estado 🖼 Foto 🔗 Enlace 🎥 Vídeo

http:// _____ **Adjuntar**

Figura 5.6. Compartir un enlace web

Obtendrá idéntico resultado, si lo hace en el campo correspondiente a **Estado** y pulsa sobre **Compartir**. De hecho ésta es la opción más práctica y por tanto la recomendable.

> ❝❝ **Truco**: A la hora de introducir un enlace no es necesario que teclee *http://*, el sistema lo hará por usted.

Me gusta-comentar-compartir

Una vez que aparece una entrada en el muro, los usuarios con quienes la haya compartido podrán dejar a su vez comentarios relacionados pulsando sobre el vínculo **Comentar**; manifestar su agrado, haciendo clic sobre **Me gusta**, o bien, enviarlo mediante un mensaje e incluso publicarlo a su vez en su propio muro, pulsando sobre **Compartir** (véase Figura 5.7).

Figura 5.7. Me gusta, Comentar, Compartir

Cuando pulse sobre **Me gusta**, no solo indicará su conformidad o preferencia sobre una determinada publicación, de hecho, implica que se publicará automáticamente una entrada en su muro, conteniendo un enlace y una foto descriptiva, que, además, podrá acompañar de un comentario, de forma similar a como lo haría usando **Compartir**.

La utilidad de la función **Me gusta** y **Compartir**, va muchos más allá de una mera muestra de satisfacción hacía cualquier contenido.

Al pulsar sobre el vínculo **Me gusta/Compartir** está promocionando y señalando a sus amistades que una determinada publicación le agrada o interesa especialmente.

Esta acción genera un mayor interés en cadena sobre la misma, aumentando exponencialmente las visitas.

Se habrá dado cuenta de las ventajas que podría suponer este tipo de reacción, denominada viralidad, para la promoción de su empresa, un producto en particular, o un acontecimiento sobre el que desee atraer la atención.

Encontrará estas opciones en todas las publicaciones dentro de Facebook. **Me gusta**, además, se haya en las páginas al lado del nombre, donde aparte, cumple una función de asociación con la misma (véase Figura 5.8).

Figura 5.8. Pagina Fraudeenred

Publicar, editar y etiquetar comentarios

Publicar un comentario es una de las acciones más comunes que llevará a cabo en Facebook, veamos algunas de sus particularidades y funciones en detalle.

Publicar un comentario

1. Haga clic sobre el vínculo **Comentar**, que encontrará en la parte inferior de cualquier publicación, enlace, nota, foto o vídeo (véase Figura 5.7).

2. Aparecerá un campo activo donde escribir su comentario, cuando termine, pulse sobre la tecla **retorno/enter** de su teclado y aparecerá publicado.

> **Nota**: En un primer momento, puede resultarle engorrosa esta particularidad, si quisiera cambiar de línea dentro del comentario, deberá pulsar la combinación **Mayúsculas+Enter**.

Editar un comentario

1. Pase el cursor del ratón sobre el comentario que desee editar, observará como aparece en su esquina superior derecha un símbolo con forma de aspa **X**.

2. Haga clic sobre ella y podrá editar el comentario publicado. Cuando termine, pulse sobre la tecla **retorno/enter** de su teclado.

> **Nota**: Solo es posible editar un comentario dentro del primer minuto transcurrido desde su publicación. Pasado ese tiempo, pulsando sobre el aspa, únicamente podrá eliminarlo.
>
> Si en la edición de un comentario deja este en blanco, obtendrá el mismo resultado que si lo suprimiera.

Etiquetar un comentario

Al igual que ocurre con las fotos, vídeos y notas, es posible etiquetar a uno o varios amigos en cualquier comentario, para ello, dentro del mismo, antes del texto, teclee @ seguido del nombre que desea etiquetar.

Esto le será muy útil para llamar la atención sobre la conversación ya que la persona etiquetada recibirá una notificación al respecto. (véase figura 5.9) Así mismo, si edita su comentario, se les enviará una nueva.

Figura 5.9 Notificación de etiquetado en un comentario

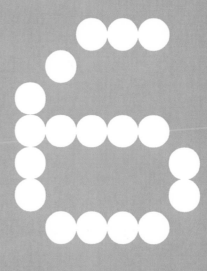

Configuración de la cuenta

Este es el menú que controla la totalidad de su cuenta en Facebook. Desde él podrá modificar cualquier dato relevante que afecte a su perfil.

Al pulsar sobre el texto **Configuración de la cuenta**, verá una ventana de información con, al menos, siete pestañas diferentes que facilitan la navegación, dividiéndola por categorías.

Como sabe, *Configuración de la cuenta* se encuentra dentro del menú *Cuenta*, de la barra de navegación superior, presente en todas las páginas de Facebook.

En la ventana *Mi cuenta* verá por defecto las pestañas: *Configuración*, *Redes*, *Notificaciones*, *Móvil*, *Pagos* y, por último, *Anuncios de Facebook*. Vamos a pasar a ver en detalle cada una de ellas y las distintas opciones que contienen (véase Figura 6.1).

Figura 6.1. Ventana Mi cuenta

Configuración

La pestaña *Configuración* muestra varias categorías, referidas a la información básica de su cuenta.

Desde este menú es posible modificar algunos de los parámetros que se usaron en la configuración inicial de la cuenta.

Cambiar nombre

Como se puede ver, a la derecha de cada categoría se encuentra la opción disponible y justo debajo la información actual (véase Figura 6.1).

Si pulsa sobre el texto **Cambiar**, verá un formulario (véase Figura 6.2) desde el que es posible modificar su nombre real. Recuerde que puede ser diferente de su nombre de usuario.

Si realmente desea cambiar el nombre al que figura su cuenta de Facebook únicamente es necesario cumplimentar los campos sustituyendo la información que presentan por los nuevos datos. Recuerde que para activar los distintos campos, es preciso hacer clic sobre ellos.

Una vez que haya introducido las modificaciones deseadas, para confirmarlas y remitirlas para su revisión, haga clic sobre el botón **Cambiar nombre** o **Cambiar nombre alternativo**, según corresponda.

Como comprobará en la imagen, existe la posibilidad de utilizar un nombre alternativo y que éste aparezca en su perfil y en los resultados de búsqueda.

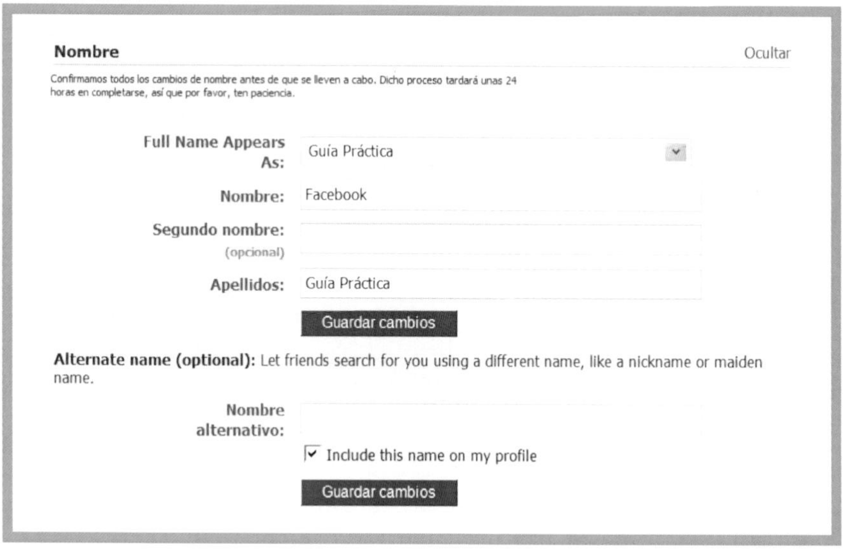

Figura 6.2. Formulario cambio de nombre

Resulta especialmente útil, ayudará a las personas que le conocen por otro nombre a localizarle con mayor facilidad. También se mostrará en las solicitudes de amistad que envíe.

El cambio de nombre requiere que tenga en cuenta algunas particularidades y el cumplimiento de varias condiciones:

- Formato: Nombre + Apellidos, aunque puede sustituir el nombre si lo desea por un apodo o diminutivo.

- Puede mostrar en su cuenta un único apellido e incluso cambiar el orden en que se muestran.

- No es posible incluir títulos, ya sean religiosos, personales o profesionales.

- Las cuentas deben corresponder a una persona física real, si su intención es crear una cuenta para un personaje famoso o una empresa, debe crear una Página de Facebook.

Facebook revisa todas las peticiones de cambio de nombre que se producen antes de autorizarlas, el proceso no suele alargarse más de 24/48 horas.

En el caso de que se incumplan uno o varios de los requisitos o condiciones, se denegará el cambio de nombre.

Crear y modificar nombre de usuario

La pestaña configuración, en la segunda categoría disponible, da la oportunidad de cambiar su nombre de usuario por otro, o bien definir uno, en el caso de que no lo tuviera.

Al igual que anteriormente, si pulsa sobre el texto **Cambiar** podrá elegir un nuevo nombre (véase Figura 6.3).

Dedique unos minutos a pensar el más apropiado. Una buena elección hará que sus amigos y conocidos le encuentren con más facilidad.

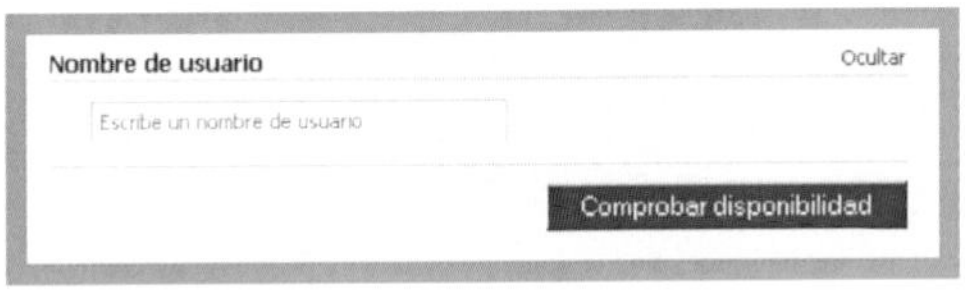

Figura 6.3. Formulario Nombre de usuario

Escriba el alias elegido en el campo y pulse sobre el botón **Comprobar disponibilidad**. El sistema verificará si se encuentra o no disponible.

En el caso más que probable de que ya esté en uso deberá elegir distintos seudónimos hasta dar con uno que se encuentre libre. Cuando lo encuentre aparecerá una ventana, donde podrá confirmar su elección, pulsando sobre **Confirmar**.

Desde el momento en que efectúe la modificación del nombre de usuario, será posible acceder a su perfil público mediante una dirección más sencilla, lo que facilitará su posicionamiento e inclusión en los resultados de los motores de búsquedas más conocidos como Google o Yahoo!.

Su dirección cambiará desde una similar a *http://www.facebook.com/ ?ref=logo#!/profile.php?id=1814982467* a otra como *http://www. facebook.com/facebookguiapractica*, donde *facebookguiapractica* es el nombre que hemos elegido. Como ve, resulta mucho más funcional y cómoda de recordar.

> **Recuerde**: Facebook solo le permitirá cambiar su nombre de usuario en una única ocasión. Tampoco podrá, en el caso de cerrar su cuenta o abrir otra nueva, cambiar a ésta su nombre de usuario anterior.

En algunas ocasiones, es posible que el sistema le pida verificar su cuenta, generalmente mediante un mensaje de texto a móvil, esto es así como medida de seguridad y sirve para verificar que las personas a las que se refiere la cuenta son reales.

A día de hoy, Facebook no le cobrará por los mensajes de texto que reciba, sin embargo, debe tener en cuenta las tarifas de su proveedor de servicio telefónico.

Configuración de la cuenta

Gestionar direcciones de correo electrónico

Dirección de correo electrónico

En este apartado se muestra su dirección de correo de registro. Si lo desea, puede añadir otras direcciones de correo e incluso cambiar su correo electrónico de contacto por otro.

La dirección de correo denominada como *correo electrónico de contacto* será la que Facebook empleará para enviarle notificaciones y cualquier eventualidad que afecte a su cuenta.

Añadir o modificar su correo electrónico de contacto es una operación muy simple; lo primero, como ya supondrá, es pulsar sobre el vínculo **Cambiar**, esto hará que se le muestre una ventana desde la que podrá agregar o eliminar direcciones de correo (véase Figura 6.4).

Si desea añadir una nueva dirección de correo basta con que la introduzca en el campo situado junto a *Nuevo correo electrónico de Contacto* y pulse sobre **Agregar otra dirección de correo electrónico**.

El sistema le enviará a esta dirección un mensaje de confirmación, conteniendo un enlace que deberá pulsar para validar la nueva dirección.

En el menú principal de edición (véase Figura 6.4), concretamente en su parte superior derecha, se encuentra un acceso directo a la configuración de privacidad, *Visibilidad de tu información de contacto*. Lo verá en detalle más adelante.

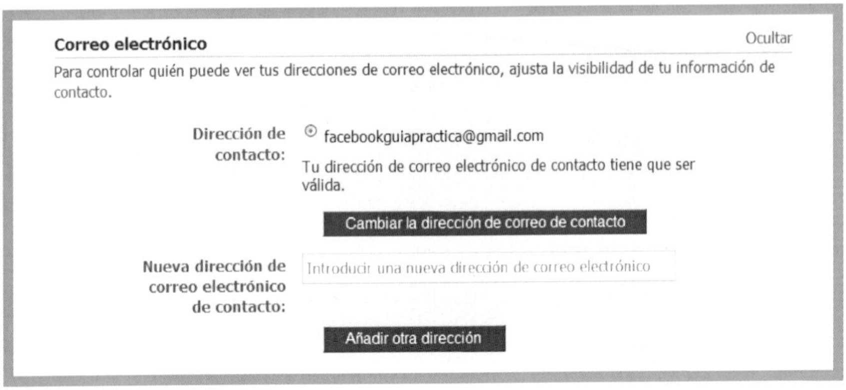

Figura 6.4. Modificación dirección de correo electrónico

Una vez que haya incluido una o varias direcciones de correo electrónico nuevas, podrá elegir cuál de ellas desea que sea la dirección principal de contacto.

Para hacerlo marque la casilla situada delante de la dirección de correo elegida y pulse sobre el botón **Cambiar correo electrónico de contacto**.

También es posible eliminar cualquier correo electrónico que no sea el principal, simplemente haciendo clic sobre el texto **Eliminar**, situado a la derecha de la dirección de correo y confirmando después la acción pulsando sobre el botón **Confirmar** de la ventana emergente.

Cambiar su contraseña de acceso

Contraseña

Mediante esta opción podrá cambiar la contraseña de inicio de sesión por otra nueva. Haga clic de nuevo sobre el botón **Cambiar** para ver las opciones disponibles.

En primer lugar, tendrá que introducir su contraseña actual. En los siguientes campos deberá poner la nueva contraseña elegida, esto es así para evitar un error involuntario de escritura.

Una vez cumplimentados los campos, para aplicar la nueva contraseña, pulse sobre **Cambiar contraseña**.

Facebook le mostrará algunas sugerencias sobre contraseñas, su uso, condiciones y cómo aumentar la seguridad de las mismas.

> ❝ **¡OJO!** La elección de una contraseña apropiada es muy importante para preservar la seguridad de su cuenta. Dedique unos minutos a seleccionar una adecuada.
>
> Evite utilizar como contraseña información personal como fechas de nacimiento, nombres de mascotas, ciudades o pueblos de origen, etc.; lo ideal es una combinación alfanumérica de al menos 8 caracteres.

Vincular cuentas con Facebook

Cuentas vinculadas es una característica poco conocida, aunque muy interesante. Con ella podrá asociar su perfil público de Facebook con otras redes y servicios web.

De este modo, cuando inicie sesión en cualquiera de ellos, también lo hará en Facebook. Aparte, como característica más destacada, también podrá ver y compartir las actualizaciones propias y de sus contactos en ambas redes.

Veamos un ejemplo

Vamos a vincular una cuenta de **Yahoo!** con nuestro perfil en Facebook.

Paso 1

En primer lugar haremos clic sobre el menú **Cuenta** de la barra de navegación superior y en el desplegable resultante pulsaremos sobre **Configuración de la cuenta**.

Paso 2

Ahora, en la pestaña *Configuración*, buscaremos la categoría *Cuentas Vinculadas* y pulsaremos sobre el texto **Cambiar**, que aparece en la parte derecha.

Paso 3

En este momento podremos ver un menú con distintas opciones; para continuar haremos clic sobre el desplegable y de entre las opciones disponibles seleccionaremos *Yahoo!* (véase Figura 6.5).

Figura 6.5. Vincular cuenta de Yahoo!

Paso 4

A continuación, haremos clic sobre el botón **Vincular otra cuenta**.

Facebook mostrará una ventana de confirmación donde será necesario introducir la contraseña. Esto es así para confirmar con seguridad la operación de vinculación de cuentas. Teclearemos nuestra contraseña de Facebook y pulsaremos el botón **Confirmar**.

Una vez hecho, veremos la ventana *Vincular una cuenta nueva*, donde pulsaremos sobre **Continuar**.

Paso 5

En este momento se abrirá ante nosotros una ventana del navegador con el formulario de acceso a nuestra cuenta de Yahoo!. Para continuar con el proceso es necesario introducir el nombre y contraseña de la cuenta de Yahoo! que queremos vincular.

Una vez que nos identifiquemos pulsando sobre el botón **Acceder** o **Sign In**, en unos segundos concluirá la vinculación y veremos nuestra cuenta de Yahoo!.

A partir de este momento, cada vez que entremos en nuestra cuenta de Yahoo!, automáticamente quedaremos identificados en Facebook.

Pregunta de seguridad

El sistema usa esta posibilidad en el caso de que tenga usted algún problema con su cuenta y precise contactar con Facebook o recuperar su contraseña.

En cualquier momento, mediante esta opción podrá crear la pregunta de seguridad o su respuesta, para lo que en todos los casos se le pedirá confirmación.

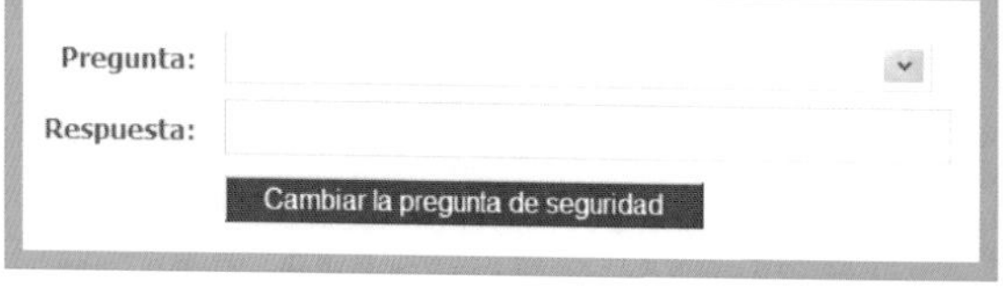

Figura 6.6. Pregunta de seguridad

> **Truco**: Una buena solución consiste en elegir como respuesta una combinación de números, letras y símbolos. Esto dificultará enormemente que terceras personas malintencionadas puedan hacerse con el control de su cuenta.
>
> Siga las mismas recomendaciones que a la hora de elegir una contraseña y no olvide conservarla en un lugar seguro.

Siga el procedimiento que ya conoce, seleccione la pregunta elegida de entre las sugeridas en el menú desplegable y pulse para confirmar sobre el botón **Cambiar la pregunta de seguridad** (véase Figura 6.6).

Facebook, con la finalidad de aumentar el nivel de seguridad de su cuenta, no le permitirá modificar la pregunta y respuesta de seguridad que elija.

Privacidad

En este caso se trata de un acceso directo a la *Configuración de Privacidad* que verá en el apéndice siguiente, desde donde podrá controlar la información que comparte.

Si pulsa sobre el texto **Administrar**, accederá al menú principal de la configuración de privacidad de su cuenta en Facebook.

No olvide la necesidad de personalizar con detalle la configuración de privacidad y visibilidad de su cuenta.

En el caso de menores de edad resulta recomendable que dicha configuración sea supervisada por padres o tutores.

Seguridad de la cuenta

Esta característica, también poco conocida, tiene un enorme potencial y supone un punto importante en las posibilidades de aumentar la seguridad de su cuenta.

Haciendo clic sobre el texto **Cambiar** desplegará las opciones disponibles (véase Figura 6.7). Tendrá la posibilidad de indicarle al sistema que desea recibir una notificación en su móvil o correo electrónico si un ordenador o dispositivo nuevo accede a su perfil; también podrá ver todas las sesiones de su cuenta que se encuentran activas, ordenadas cronológicamente.

Como puede ver, dispone de tres alternativas: *Navegación segura*, *Notificaciones de inicio de sesión* y *Actividad de la cuenta*.

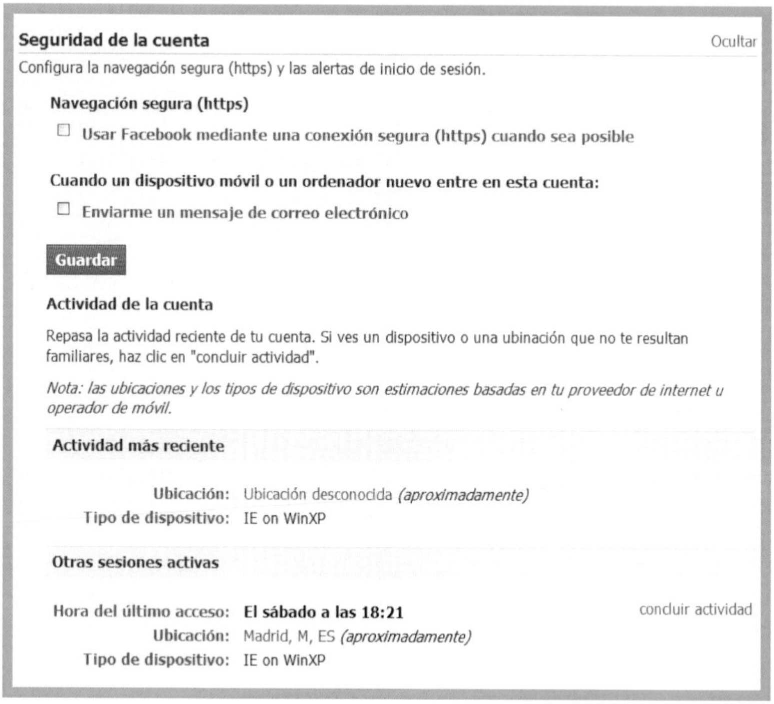

Figura 6.7. Opciones de seguridad de la cuenta

Activar navegación segura

Marque la casilla, si desea conectarse a Facebook mediante una conexión segura del tipo *https://*. Es altamente recomendable utilizar esta característica, que servirá entre otras cosas para evitar que usuarios malintencionados se hagan con sus datos de acceso. Una vez hecho, pulse sobre el botón **Guardar**.

Notificaciones de inicio de sesión

Si quiere que Facebook le avise mediante un mensaje de correo electrónico o un mensaje de texto a móvil cuando un dispositivo desconocido entre en su cuenta, marque la casilla **Activar** y pulse sobre el botón **Guardar**.

Actividad de la cuenta

Le muestra la actividad más reciente de su cuenta en Facebook y, en caso necesario, le da la oportunidad de cerrar cualquier sesión activa de forma remota, salvo la actual, mediante el texto **Concluir actividad**.

Pero, tal vez se pregunte, ¿qué importancia puede tener ver las sesiones activas? Muy sencillo, suponga que accede a su cuenta desde un ordenador público situado en una biblioteca y que más tarde se da cuenta de que olvidó cerrar su sesión antes de marcharse.

Puede constituir un grave problema, ya que cualquier usuario que intente entrar en Facebook mientras la sesión está aún activa lo hará con su cuenta, accediendo a toda su información personal si así lo quiere, imágenes, vídeos, mensajes privados, medios de pago...

Para cerrar una sesión activa, elíjala del listado y pulse sobre el texto **Concluir actividad** (véase Figura 6.7).

La unión de estas características y su uso, convierte en mucho más segura su experiencia en Facebook.

Copia de seguridad

Descargar tu información: Gracias a esta opción le será posible hacer una copia se seguridad de todo el contenido de su cuenta en Facebook.

Concretamente esta utilidad efectuará un duplicado como respaldo de:

- Publicaciones y comentarios en su muro, suyas o de amigos.
- Fotos y vídeos que haya publicado.
- Amigos, listas de amigos y mensajes privados.
- Datos personales y notas publicadas.

Cómo funciona

Vamos a ver paso a paso como crear una copia de seguridad de nuestra cuenta.

Paso 1

En primer lugar haremos clic sobre el menú desplegable **Cuenta** de la barra de navegación superior y en el menú que aparece, pulsaremos sobre **Configuración de la cuenta**.

Paso 2

Ahora, en la pestaña *Configuración*, buscaremos la categoría *Descargar tu información* y pulsaremos sobre el texto *Más información* que aparece en la parte derecha.

Paso 3

Podemos ver una ventana que nos proporcionará información detallada sobre la *Copia de Seguridad*. Si pulsamos sobre el botón **Descargar** comenzaremos el proceso (véase Figura 6.8).

Paso 4

Facebook nos pedirá que confirmemos que efectivamente queremos hacer una copia de seguridad; para hacerlo pulse sobre el botón **Descargar**.

Cuando concluya la creación del archivo con la copia de seguridad, el sistema nos enviará un correo electrónico de confirmación a nuestra dirección de contacto principal y una comprobación de identidad, habitualmente consistente en introducir nuevamente nuestra clave de acceso.

Una vez hecho, el sistema nos facilitará un archivo que contiene la copia de seguridad completa.

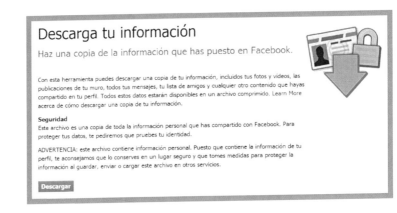

Figura 6.8. Ventana de información e inicio del proceso

> " **Recuerde**: No olvide guardar su copia de seguridad en un lugar seguro, pues como sabe contiene información personal sensible. Tome las precauciones apropiadas.

Desactivar la cuenta

Esta opción le permitirá eliminar su perfil de Facebook. Además, con la desactivación se suprimirá también cualquier contenido asociado a su cuenta.

Si realmente quiere dejar de usar Facebook, haga clic sobre el texto **Desactivar**.

A continuación, verá una ventana de confirmación donde para concluir el proceso y deberá obligatoriamente escoger un motivo por el que quiere abandonar el sistema.

Una vez rellenados los campos, para ratificar su decisión deberá pulsar sobre el botón **Confirmar**.

Si más adelante quisiera volver a Facebook, solamente tiene que identificarse con los datos de acceso de su cuenta anterior, recuperando así su perfil completo y todos los contenidos que hubiera en él.

Redes

Las redes son una de las bases de comunicación en Facebook. De hecho, todos los usuarios del sistema pertenecemos a la red principal de Facebook, aunque no exista como tal.

Una red no es más que un grupo de personas con un nexo común. En este caso, puede ser porque pertenezcan a una misma empresa, estudien en la misma universidad o lo hayan hecho en el pasado.

Cuando crea una cuenta en Facebook por defecto no pertenece a ninguna red, sin embargo, le será de gran ayuda para contactar con sus amigos y conocidos, ingresar en alguna con la que se sienta identificado.

De este modo, podrá localizar con mayor facilidad a personas con intereses comunes, colegas de trabajo, antiguos compañeros de estudios o posibles colaboradores especializados en su mismo campo.

Usted puede unirse a un máximo de cinco redes, siendo una la principal, aunque seguramente no precise más que dos o tres.

> **Nota**: Al unirse a una red tendrá acceso a los perfiles públicos de todos sus miembros, igualmente ellos tendrán acceso al suyo, aunque no los tenga como amigos.
>
> Recuerde personalizar adecuadamente su configuración de privacidad para controlar la información que comparte.

En principio puede unirse a cualquier red de su interés, aunque con algunas restricciones. Por ejemplo, para unirse a la red de una empresa como empleado o exempleado, deberá contar con un correo electrónico oficial de la empresa, de no ser así no podrá ingresar en su red.

Lo primero, para ver las redes a las que pertenece y en su caso, poder unirse a una, es seleccionar la pestaña **Redes** del menú de configuración de su cuenta. Cuando lo haga verá su ficha *Redes* (véase Figura 6.9).

Como podrá comprobar se encuentra vacía, y así debe ser puesto que aún no pertenece a ninguna red.

Configuración de la cuenta

Figura 6.9. A qué redes pertenece

Unirse a una red

Supongamos que usted estudió en la Universidad de Zaragoza, en la promoción de 2001 y le gustaría contactar con antiguos compañeros de facultad.

Muy sencillo, en primer lugar deberá activar el campo disponible bajo el título *Nombre de la red*, haciendo clic sobre él (véase Figura 6.9).

A continuación, introduzca el nombre de la universidad, en este caso **Universidad de Zaragoza** (véase Figura 6.10).

Figura 6.10. Formulario de búsqueda de redes

Conforme vaya escribiendo, como puede ver en la anterior imagen, Facebook le mostrará un listado con los resultados más probables.

> **Truco**: Habitualmente resulta mucho más sencillo locali-
> zar la red que busca comenzando a escribir en primer lugar el
> nombre de la ciudad donde se encuentra.

Una vez que vea la red que está buscando, pulse sobre ella para
seleccionarla. Seguidamente escoja su situación académica del menú
desplegable y seleccione el año de su promoción. Toda esta información
facilitará a otros usuarios localizarle con más facilidad.

Cuando lo haya hecho, pulse sobre el botón **Unirse a esta red**, para
confirmar su elección y unirse.

En este caso, no es preciso contar con un correo de la Universidad, pero
como hemos mencionado, para acceder a muchas redes, a modo de
filtro de seguridad y para garantizar la identidad de sus miembros, se le
exigirá una dirección de correo electrónico oficial.

Por ejemplo, si quisiera unirse a la red de la empresa IBM, tendría que
contar con un correo del tipo *nombre@ibm.es* y aparecería un campo
extra en la ficha **Únete a una red**, donde incluirlo. En caso de no
hacerlo, el sistema no le permitiría unirse a dicha red.

Como ya sabe, Facebook le permite tener varias direcciones de correo
electrónico asociadas a su perfil, por lo que, en caso necesario, puede
añadir las que precise para unirse a redes con este tipo de condición.

Bien, una vez confirmada la red de la Universidad de Zaragoza, su ficha
Redes le mostrará la información asociada, así como el número de
miembros (véase Figura 6.11).

Figura 6.11. Pestaña Redes

Para modificar la información referente a su situación académica o al año, deberá hacer clic sobre el texto **Editar Información**. Una vez finalizada la edición, pulse sobre **Guardar configuración** para aplicar los cambios.

Al pulsar sobre la cifra de miembros de la red accederá al listado de afiliados donde, eligiendo el que le interese con un clic del ratón sobre el nombre, podrá ver su perfil público y también podrá enviarle una solicitud de amistad.

Una vez en el listado de miembros es posible afinar la búsqueda de compañeros de estudios. Bien por año, introduciéndolo y pulsando sobre el botón **Filtro** o usando el campo de búsqueda, situado en la parte superior (véase Figura 6.12).

Figura 6.12. Listado de miembros de la red

Si asocia su perfil a otra red, deberá elegir una como principal. Por defecto, aparecerá como principal la primera red a la que se una.

En cualquier momento puede modificar cuál de sus redes es la principal, haciendo clic sobre el texto **Convertir en Principal** (véase Figura 6.13).

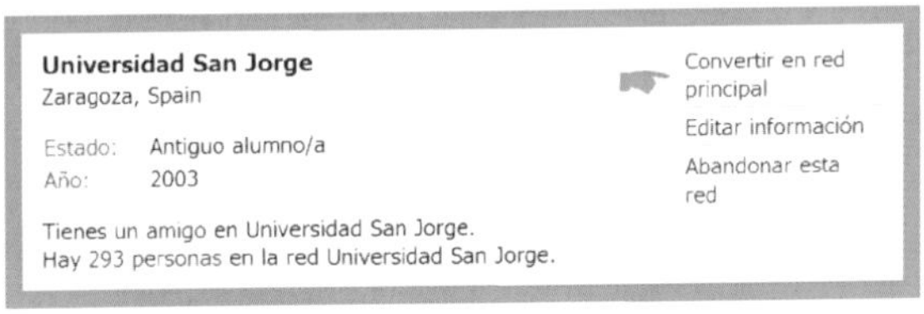

Figura 6.13. Convertir una red en principal

Abandonar una red

Por distintos motivos, es plausible que en un momento dado desee dejar de pertenecer a una red. Lograrlo es muy sencillo:

1. Vaya a la pestaña *Redes*, dentro de la configuración de su cuenta.

2. Seleccione la red a la que desea dejar de pertenecer.

3. Pulse sobre el vínculo **Abandonar esta red** que verá en la parte derecha (véase Figura 6.13).

A continuación, el sistema le mostrará una ventana emergente, en la que deberá confirmar su elección.

Sugerir una red

Cabe la posibilidad de que no exista la red que busca, si es su caso y quiere, Facebook le permite sugerir una nueva red fácilmente.

Para ello, el sistema le proporciona distintos formularios en función de si se trata de una red para empresas, universidades o institutos.

En cada caso, deberá rellenar todos los campos vacíos con los datos necesarios y pulsar sobre el botón **Aceptar**. Tenga presente que su solicitud puede tardar en ser procesada o incluso puede ser denegada, sea paciente.

Sugerir una nueva red empresarial

Introduzca en la barra de direcciones de su navegador la dirección:

http://www.facebook.com/help/contact.php?show_form=add_work

Esta acción le mostrará la solicitud que debe cumplimentar con su sugerencia para la creación de una nueva red de empresa. Cuando lo haya hecho, pulse sobre el botón **Aceptar**.

Sugerir una nueva red para instituto

Introduzca en la barra de direcciones de su navegador la dirección:

http://www.facebook.com/help/contact.php?show_form=hs_add

Esta acción le mostrará la solicitud cuyos datos es necesario cumplimentar para tramitar su sugerencia para la creación de una nueva red para su Instituto de Educación Secundaria. Cuando termine, haga clic sobre **Aceptar** para enviar su petición.

Sugerir una nueva red universitaria

Introduzca en la barra de direcciones de su navegador la dirección:

http://www.facebook.com/help/contact.php?show_form=add_college

Al hacerlo, aparecerá la solicitud que debe completar con los datos oportunos, para que su sugerencia para la creación de una nueva red para su Facultad o Universidad sea tenida en cuenta. No olvide pulsar sobre **Aceptar** para remitirla.

Tenga en cuenta que, a partir del momento en que se una a una red, las opciones de configuración de visibilidad disponibles que vio en el capítulo cuatro, aumentarán con una nueva, **Amigos y redes** (véase Figura 6.14).

Figura 6.14. Opciones de configuración de visibilidad

Si escoge *Amigos y redes*, únicamente los usuarios que tenga como amigos y los miembros de las redes a las que esté asociado podrán visualizar el contenido al que afecte esta directiva de seguridad.

Notificaciones

En este apartado puede elegir qué notificaciones recibe por parte de Facebook en su correo electrónico o teléfono móvil.

Es decir, puede indicarle al sistema que cuando se produzca un evento determinado le remita un correo electrónico o un mensaje de texto a móvil informándole de ello.

Su manejo es bastante sencillo: marque las casillas de los eventos sobre los que desea recibir notificación o, en caso contrario, desmárquelas. Una vez hecho, pulse sobre el botón **Guardar Cambios** que encontrará en la parte inferior de la página (véase Figura 6.15).

En la parte derecha de la pantalla verá un menú que le permitirá acceder más rápidamente a la característica de Facebook cuyas notificaciones desea personalizar.

Para que el sistema de notificaciones pueda enviarle un mensaje de texto a su teléfono móvil deberá, en primer lugar, darlo de alta en su cuenta. Esta posibilidad se tratará en detalle en el punto siguiente, referido a la pestaña *Móvil*.

> **Recuerde**: La personalización de este apartado también afectará a las notificaciones que reciba en el icono *Notificaciones* de la barra de navegación superior.

Figura 6.15. Pestaña Notificaciones

Móvil

Este apartado gestiona el uso de su teléfono móvil con Facebook, ya sea para recibir notificaciones como acabamos de ver o para enviar contenidos directamente a su cuenta, mediante su terminal.

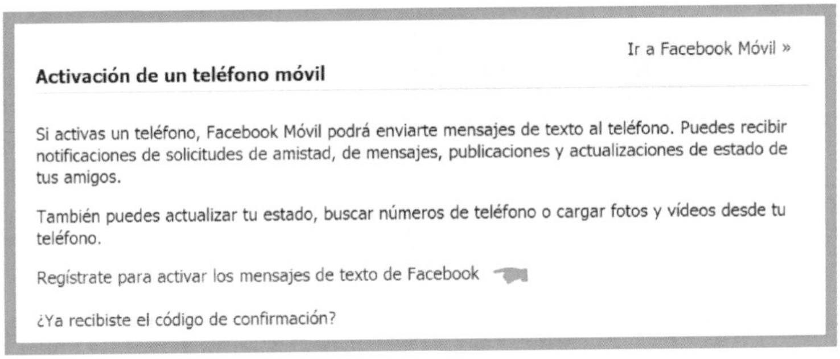

Figura 6.16. Activación de un teléfono móvil

Sí aún no tiene ningún teléfono dado de alta en Facebook móvil, verá una ventana con información y los vínculos necesarios para añadir su teléfono (véase Figura 6.16).

Si su operador de telefonía móvil no es compatible con el servicio de mensaje de texto de Facebook no podrá recibir notificaciones vía SMS.

El procedimiento para asociar un teléfono móvil a su cuenta de Facebook comienza pulsando sobre el texto **Regístrate para activar los mensajes de texto en Facebook** (véase Figura 6.16).

Asociar un teléfono móvil a su cuenta

Como seguramente aún no habrá dado de alta ningún teléfono móvil en Facebook, el sistema le pedirá que active Facebook móvil en dos sencillos pasos.

Paso 1

En primer lugar, tras pulsar sobre **Regístrate para activar los mensajes de texto en Facebook**, deberá elegir en los campos desplegables, su país de residencia y operadora de telefonía móvil (véase Figura 6.17).

Figura 6.17. Activación de mensajes de texto en Facebook Paso 1

Después, pulse sobre el botón **Siguiente** para confirmar su selección y pasar al próximo paso.

Si su país u operador de telefonía móvil no aparece en los listados desplegables es que este servicio no está soportado. Si aún así le resulta imprescindible, póngase en contacto con su operador y solicite que se dé de alta.

Paso 2

Ahora Facebook le pedirá que envíe un mensaje con un código a un determinado número. Tenga en cuenta que este mensaje le supone un pequeño coste, de acuerdo con las tarifas de su operadora.

Una vez enviado, en unos minutos recibirá mediante un mensaje a móvil un código de confirmación, introdúzcalo en el segundo campo y, a continuación, pulse sobre el botón **Siguiente** para finalizar (véase Figura 6.18).

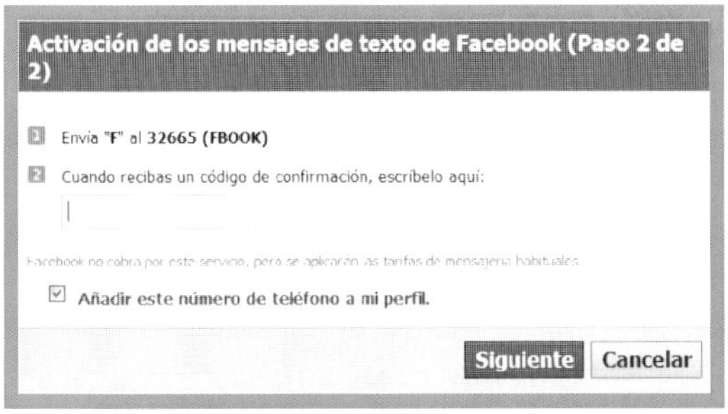

Figura 6.18. Activación de mensajes de texto en Facebook Paso 2

Si en la imagen anterior desmarca la casilla **Añadir este número de teléfono a mi perfil** el servicio se activará igualmente, pero no se añadirá su número de teléfono a la información de contacto de su perfil público.

A partir de este momento, recibirá en su teléfono móvil las notificaciones de los eventos que ha seleccionado. En el caso de que su actividad sea muy intensa, la cantidad de notificaciones recibidas puede ser una verdadera molestia.

Por lo tanto, escoja únicamente las notificaciones que realmente considere importantes. En cualquier caso, puede personalizar nuevamente sus notificaciones cuando desee, añadiendo o quitando según sus necesidades.

Salvo casos puntuales, resulta mucho más eficaz y cómodo recibir las notificaciones en su correo electrónico. Aparte, como ya sabe, es recomendable limitar la información personal que ponga a disposición de terceros.

No olvide modificar la configuración de privacidad para restringir el acceso a sus datos de contacto, si lo cree necesario.

Publicar contenido desde el móvil

Puede utilizar la función **Cargas con el móvil** para subir fotos, vídeos o notas a su perfil. Todo el contenido referido a imagen, que suba de este modo, aparecerá en el álbum titulado **Cargas móviles**.

Para ello, necesita una dirección de correo electrónico personalizada de Facebook, a la que deberá enviar el material a publicar.

Para obtenerla haga clic sobre el vínculo **Ir a Facebook Móvil**, que está en la parte superior derecha de la pestaña *Móvil*. Al hacerlo, verá este resultado (véase Figura 6.19).

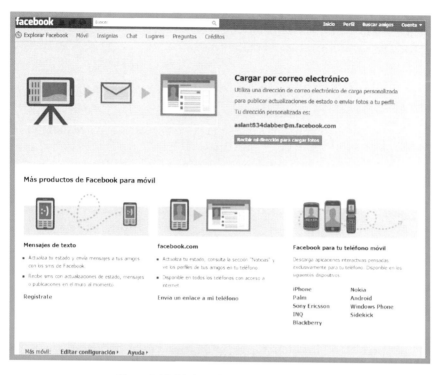

Figura 6.19. Página principal Facebook Móvil

En la mitad superior de la ventana Facebook móvil, bajo el título *Cargar por correo electrónico*, encontrará la dirección de correo electrónico personalizada a la que debe enviar cualquier contenido que desee publicar (véase Figura 6.20).

Figura 6.20. Solicitar correo electrónico para cargas móviles

Estas son las reglas básicas

El título del mensaje de correo (campo *asunto*) se usará como título de la foto o vídeo que adjunte en el mensaje.

Si su mensaje no contiene ningún archivo de medios adjuntos, el contenido del campo *asunto* se usará como texto para actualización de estado de su muro.

> **¡OJO!** Por defecto, los contenidos que incorpore a su cuenta mediante este método son accesibles para todo el mundo.
>
> No olvide cuando entre a su cuenta desde un ordenador, ir a la pestaña *Fotos* o *Vídeos*, según corresponda, y modificar la configuración de visibilidad del álbum *Cargas móviles*.

Idioma

Esta sección le dará la posibilidad de elegir el idioma en el que desee utilizar Facebook. Por defecto, el sistema escogerá por usted el idioma en función de su ubicación de registro.

En cualquier momento puede modificarlo. Resulta un método interesante para practicar cualquier idioma de los más de cien disponibles (véase Figura 6.21).

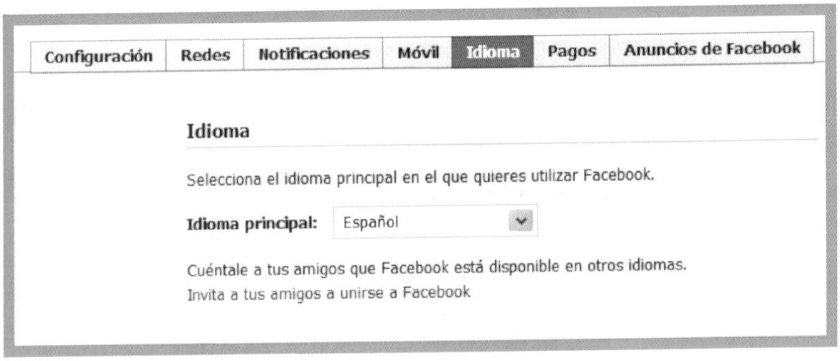

Figura 6.21. Selección de idioma

Para cambiar el idioma pulse sobre el desplegable y escoja el que prefiera. Una vez hecho, en pocos segundos se efectuará el cambio. Puede modificarlo tantas veces como quiera.

Además, desde la ventana principal de *Idioma*, es posible enviar invitaciones para unirse a Facebook a sus amigos y conocidos. De hecho podrá seleccionar el idioma en que se enviarán.

Para conseguirlo, haga clic sobre el vínculo **Invita a tus amigos a unirse a Facebook** que verá en la parte inferior de la imagen anterior. Aparecerá una nueva ventana, similar a la de cualquier correo electrónico tradicional, donde podrá agregar los destinatarios y un mensaje personal. Una vez que haya terminado, para cursarlas pulse sobre el botón **Invitar**.

> **Nota**: Si tiene curiosidad y quiere saber qué usuarios de Facebook se han unido al sistema gracias a usted, pulse sobre el vínculo **Ver todas las invitaciones** que hallará en la ventana de envío de invitaciones.

Pagos

Facebook cuenta con su propia moneda, a la que denomina *Créditos*. Podrá utilizarlos como medio de pago dentro del sistema.

Su uso más habitual suele ser la retribución de ventajas u objetos para juegos, como Farmville. También pueden usarse para adquirir distintos artículos premium en las aplicaciones del sistema, como por ejemplo los anuncios de Facebook.

Actualmente, es posible adquirir créditos por medio una gran variedad de formas de pago. Se tratará más adelante en detalle, en el apartado *Comprar créditos* de Facebook.

Bajo la pestaña *Pagos* se centraliza toda la información de carácter económico que guarda relación con Facebook, ya sea la compra de créditos para juegos o el pago de anuncios (véase Figura 6.22).

Figura 6.22. Opciones y medios de pago

Créditos disponibles

Esta ficha le mostrará el saldo de créditos disponibles para operar en Facebook, así como la posibilidad de comprar más (véase Figura 6.22).

Tenga en cuenta que la relación de divisas para los créditos actualmente es: 1 Crédito equivale a 0,10 Dólares estadounidenses.

Si pulsa sobre el vínculo **Jugar**, accederá a la aplicación *Juegos*, presente en el menú lateral de su página de inicio.

Historial de compra de créditos

Esta categoría le permitirá ver todas las compras de créditos que haya realizado a Facebook mediante su cuenta. Pulse sobre el vínculo **Ver** para solicitar y visualizar el informe.

Si hace clic sobre el texto **Créditos de Facebook** verá información detallada sobre el funcionamiento del sistema de créditos (véase Figura 6.22).

Métodos de pago aceptados

Desde aquí podrá administrar los métodos de pago que tenga asociados a Facebook.

Al pulsar sobre el vínculo **Administrar** accederá a la información de pago vinculada a su cuenta, donde podrá modificar, añadir o eliminar sus medios de pago asociados (véase Figura 6.22).

Si hace clic sobre el texto **Créditos de Facebook** o **Anuncios de Facebook** verá información complementaria sobre estas funciones.

Divisa de preferencia

Por último, en este renglón podrá ver cuál es su divisa escogida por defecto y, por tanto, en la que Facebook le mostrará los precios.

Al pulsar sobre el vínculo **Cambiar** podrá modificarla y optar por otra distinta, de entre las disponibles en el menú desplegable (véase Figura 6.22).

Esta operación es posible realizarla tantas veces como considere oportuno, en función de su conveniencia.

Comprar créditos en Facebook

Si pulsa sobre el vínculo **Comprar más**, visible en la categoría *Créditos disponibles*, iniciará el proceso de compra. Cuando lo haga, se abrirá una ventana con los medios de pago aceptados por Facebook (véase Figura 6.23).

Figura 6.23. Medios de pago en Facebook

A continuación, marque la casilla del medio de pago escogido y pulse sobre el botón **Continuar**.

El sistema mostrará otra ventana donde podrá elegir la cantidad de créditos que desea comprar marcando la casilla que prefiera. Una vez hecho, pulse nuevamente sobre el botón **Continuar** (véase Figura 6.24).

Si quiere cambiar de forma de pago haga clic sobre el vínculo **Cambiar**, situado en la parte inferior izquierda de la imagen.

Puede cambiar la divisa en la que adquirir los créditos. Para ello, pulse sobre el desplegable situado en la parte central a la derecha de la ventana y escoja la que prefiera.

Figura 6.24. Cantidad de créditos a comprar

> **Consejo**: En función del mercado, puede resultarle más beneficioso comprar créditos en una u otra divisa, sobre todo teniendo en cuenta la relación de fortaleza de la divisa de compra con el dólar estadounidense.

En este momento, dependiendo de la forma de pago que haya elegido, se abrirá una nueva ventana donde introducir sus datos de pago.

Si se trata de Paypal o Google Checkout será la ventana de inicio de sesión donde deberá identificarse y, a continuación, confirmar el pago.

Si va a pagar mediante tarjeta de crédito verá una ventana donde introducir los datos necesarios

Gestionar medios de pago vinculados

Es posible que haya registrado como forma de pago una o más tarjetas de crédito. En cualquier momento puede gestionarlas, bien sea para modificar y añadir datos o para darlas de baja en el sistema.

Pulse sobre el vínculo **Administrar**, situado en la categoría **Medios de pago**, para acceder a la información de pago vinculada a su cuenta (véase Figura 6.22).

Como medida de seguridad adicional el sistema le mostrará una ventana donde deberá introducir su clave de acceso a Facebook. Cuando lo haya hecho pulse sobre **Continuar**.

Esto es así para evitar que, en el caso de que por descuido dejara su sesión abierta en un ordenador público, no fuera posible conseguir sus datos bancarios.

Configuración de la cuenta

> **Recuerde**: Puede cerrar su sesión de forma remota mediante la opción *Seguridad de la cuenta*, que se encuentra dentro de la pestaña *Configuración*, en el menú *Configuración de la cuenta*.

A continuación, verá una pantalla donde en función de si tiene o no tarjetas vinculadas, dispondrá de distintas posibilidades que vamos a pasar a tratar.

Añadir tarjeta de crédito

Si hasta ahora no ha realizado ninguna compra en Facebook únicamente mostrará la opción de añadir una tarjeta bancaria (véase Figura 6.25).

Figura 6.25. Agregar una nueva tarjeta

Para agregar una nueva tarjeta complete todos los campos disponibles y, cuando haya terminado, pulse sobre el botón **Guardar** que encontrará al final del formulario.

Configuración de la cuenta

Seguidamente podrá ver los datos de su nueva tarjeta, ya incluida como medio de pago en Facebook.

Las opciones de edición son similares a las de otros capítulos y de idéntico funcionamiento: *Agregar una nueva tarjeta*, *Eliminar*, *Editar* y, por último, *Convertir en principal*, solo presente si tiene dos o más tarjetas registradas.

> **Nota**: Utilizar nuestros datos personales y bancarios por Internet siempre supone un riesgo. Actualmente, como seguro ya sabrá, la problemática al respecto es muy elevada.
>
> Debe extremar las precauciones, sobre todo a la hora de realizar cualquier tipo de pago, o proporcionar información personal comprometedora.
>
> Resulta una gran idea disponer de una tarjeta bancaria de débito no asociada a su cuenta principal. Mejor aún, solicitar a su banco habitual una tarjeta electrónica recargable. Ésta le permitirá realizar todo tipo de operaciones con absoluta seguridad y en las mismas condiciones en que lo haría con su tarjeta tradicional.
>
> Igualmente, de un tiempo a esta parte han aparecido distintos medios de pago altamente fiables con los que en ningún caso se revela la información bancaria del comprador o del vendedor.
>
> Paypal o Google Checkout serían los ejemplos más característicos y extendidos. Aparte de la seguridad que aportan, permiten que, para enviar o recibir pagos, solo sea precisa una dirección de correo electrónico válida.

Anuncios de facebook

Esta configuración regula la posibilidad de que aparezcan sus acciones sociales y cierta información básica en determinados anuncios publicitarios, vinculándole con ellos por alguna acción relacionada que haya tomado.

De autorizarlo, solo se aplicaría a anuncios publicados en perfiles de sus amistades confirmadas. Debe saber que en ningún caso vulneran su intimidad, de hecho deben cumplir ciertas exigencias.

Configuración de la cuenta

- Solo aparecerá su información en anuncios publicados en los perfiles de sus amistades confirmadas.

- En caso de utilizarse alguna foto, únicamente se usará la de su perfil público.

- Habitualmente, la información personal añadida al anuncio se limitará a expresar que le gusta o es fan de determinada aplicación o servicio.

Aún así podrá elegir que el sistema no tenga acceso a su información personal o acciones sociales y no las utilice para sus anuncios sociales (véase Figura 6.26).

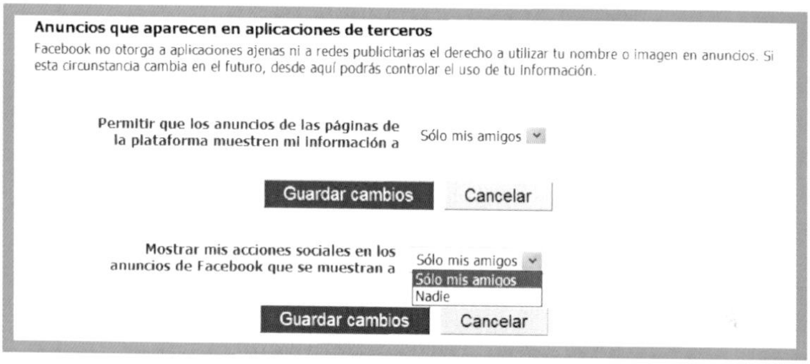

Figura 6.26. Permisos para uso de información personal y social

Para ello, deberá seleccionar en el menú desplegable entre las dos opciones disponibles, **Solo mis amigos** o **Nadie**. Cuando lo haya hecho, pulse sobre el botón de acción **Guardar cambios** para aplicarlo.

Tenga en cuenta que, por defecto, aparecerá seleccionado en ambos casos la opción **Solo mis amigos**.

> **"** **Importante**: Facebook, actualmente, de ninguna manera compartirá su información personal con terceros.
>
> Sin embargo, tenga en cuenta que Facebook no controla los anuncios de terceros ni el uso que algunas aplicaciones en las que cuales esté inscrito hagan de sus datos.
>
> Para ejercer control sobre el uso que las aplicaciones de terceros hacen de su información personal, deberá personalizar adecuadamente la configuración de privacidad.

Configuración de la cuenta

En el próximo capítulo veremos en profundidad las distintas opciones de protección de su intimidad que el sistema pone a su alcance. Una correcta personalización de las mismas supondrá una buena inversión, evitando posibles disgustos.

No olvidemos el hecho de que no todo el mundo alberga buenas intenciones y el supuesto anonimato que concede el uso de Internet puede facilitar, en algunos casos, que personas con malas intenciones accedan a su perfil y hagan un mal uso de la información que contenga.

Configuración de la cuenta

Configuración de la privacidad

A estas alturas, a nadie se le escapa la cantidad de información que puede contener cualquier perfil de Facebook en un momento dado: fotos, vídeos, direcciones, teléfonos, información sobre gustos, adscripción política, religión, orientación sexual, etc.

Con toda seguridad, en el mundo real no comparte esta información más que con sus familiares o amistades más cercanas, entonces, ¿por qué gran parte de los usuarios de Facebook no hacen lo mismo con la información que publican en su perfil?

Tal vez sea a causa de un exceso de confianza. Probablemente fruto de que, de manera habitual, nuestra relación con el sistema se produce desde un entorno conocido, donde inconscientemente bajamos la guardia, sintiéndonos equivocadamente seguros.

La protección de la intimidad es el caballo de batalla que debe preocuparle en su uso de las redes sociales. Facebook, por un lado, consciente de que su éxito se debe a las relaciones entre sus usuarios, promociona que se comparta la mayor cantidad posible de información y por otro, debe garantizar y proporcionar los medios que le permitan una adecuada protección de la misma.

No debe alarmarse, simplemente aplicando el sentido común y dedicando unos pocos minutos a la lectura de este capítulo y a la personalización de su privacidad obtendrá un nivel de seguridad más que suficiente para desenvolverse con confianza.

Configuración de la visibilidad

El nivel de seguridad de Facebook de forma predeterminada es bastante laxo, es decir, permite, salvo que el usuario modifique la configuración, que cualquiera pueda examinar gran parte su información básica.

Recuerde que, aún así, el usuario es el único responsable de restringir quién o quiénes pueden acceder a la información que contiene su perfil. De la misma manera, aunque parezca una obviedad, otros no podrán ver ni hacerse con lo que no haya publicado en su cuenta. Piénselo bien, ¿de verdad cree necesario compartir la dirección de su domicilio o su número de teléfono...?

En primer lugar, vamos a ver cómo controlar la información básica de su perfil que permitirá a otros localizarle y ponerse en contacto con usted.

Configuración de la privacidad

Paso 1

Pulse sobre el vínculo **Cuenta**, presente en la barra de navegación superior y, en el desplegable, escoja la opción **Configuración de la privacidad** para ver el menú principal (véase Figura 7.1).

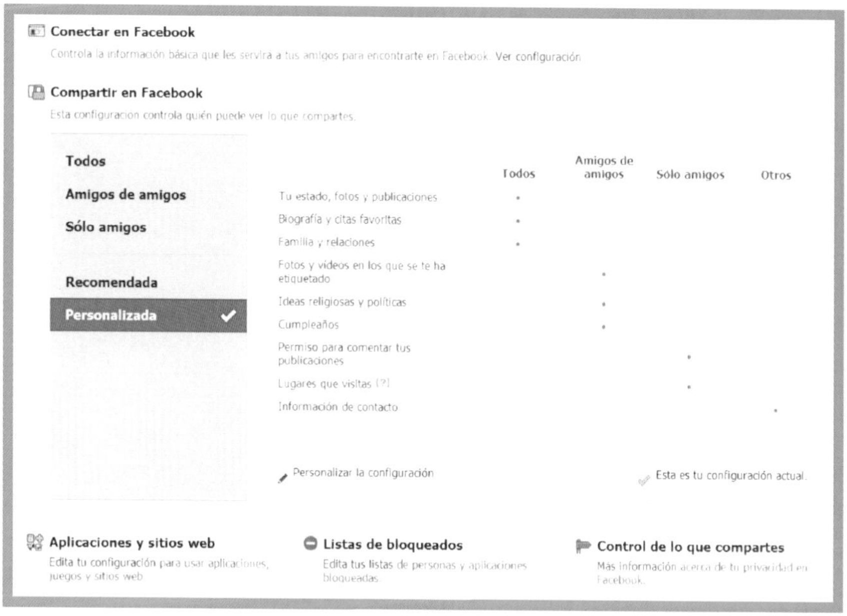

Figura 7.1. Configuración de la privacidad

El menú principal contiene todas las herramientas y posibilidades relacionadas con la protección de su privacidad, agrupadas bajo cinco categorías: *Conectar en Facebook*, *Compartir en Facebook*, *Aplicaciones y sitios web*, *Lista de bloqueados* y *Control de lo que compartes*.

Paso 2

A continuación, bajo la categoría **Conectar en Facebook**, haga clic sobre el vínculo **Ver configuración**. Esta acción hará que el sistema le muestre una pantalla con distintas opciones a las que atribuir un nivel de seguridad de entre los disponibles: *Todos*, *Amigos de amigos* y *Solo amigos* (véase Figura 7.2).

Figura 7.2. Configuración de visibilidad

Por defecto viene configurado con la opción **Todos** para todos los apartados. Esto es así, como ya sabe, para facilitar a sus amigos y conocidos encontrarle en Facebook. No obstante, es posible que no desee que se muestre determinada información básica sobre usted.

Paso 3

Escoja el apartado al que desee modificar la configuración. Seguidamente, pulse sobre el botón situado a la derecha con un candado para ver las opciones disponibles y, por último, elija la que prefiera haciendo clic sobre ella.

Buscarte en Facebook

Como puede leer, esta característica permite a sus amigos encontrarle en Facebook, configurada por defecto como las demás, con la opción **Todos**. Esto significa que cualquier usuario de Facebook puede intentar buscarle por su nombre o correo electrónico y el sistema le mostrará la información.

Si varía dicha configuración, marcando **Amigos de amigos** solo aquellos usuarios que sean amigos de otros usuarios que usted tenga agregados como amigos, podrán encontrarle.

Por último, si selecciona la opción **Sólo amigos**, únicamente aquellos usuarios a los que usted tenga como amigos en su perfil podrán localizarle en las búsquedas. Si está asociado a alguna red también dispondrá de la opción **Amigos y redes**.

> **Recuerde**: Puede parecer innecesario, pero es de vital importancia escoger adecuadamente el nivel de privacidad deseado. No olvidemos que no todo el mundo en la red tiene buenas intenciones y, tal vez, por distintos motivos no le interese revelar más información de la necesaria en su perfil básico o simplemente no desea ser encontrado ni que su nombre aparezca en las búsquedas ni en los resultados de los buscadores.

Envío solicitudes de amistad

Controla, como su propio nombre indica, que otros usuarios puedan remitirle solicitudes de amistad.

Envío de mensajes

Le permitirá restringir quiénes pueden enviarle mensajes privados.

Ver tu lista de amigos

Permite que terceras personas vean quiénes son sus amigos. Es una forma rápida de localizar amistades a través de amigos en común.

Sin embargo, revela en muchos casos una cantidad de información innecesaria, algunas aplicaciones hacen uso de esta lista, aunque para ello se le pedirá en primer lugar autorización. En este caso sería recomendable escoger la opción *Solo amigos* o *Amigos de amigos*.

Ver tu formación y empleo

Mostrar dicha información a todos los usuarios permitirá a aquellas personas que lo busquen acotar los resultados y localizarle con más facilidad.

Ver tu ciudad actual y de origen

Es útil para el sistema de búsquedas, como en el caso anterior, permitiendo de igual modo filtrar los resultados o confirmarlos.

Ver tus gustos actividades y otras conexiones

Concede autorización para que el sistema le sugiera como amigos a personas con intereses afines.

Esta información es utilizada por Facebook para seleccionar los anuncios que se mostrarán en su perfil, además de con fines de marketing y estadísticos.

Como puede ver, las opciones son muchas y las posibles combinaciones también. En función de que desee o no compartir más o menos parte de su información básica, deberá personalizar este menú. En cualquier momento, puede ver una vista previa de cómo quedará su perfil público con las opciones seleccionadas, haciendo clic sobre el botón **Vista previa de mi perfil**, situado en la parte superior derecha de las ventanas de privacidad.

Controla lo que compartes

Compartir en Facebook le permite supervisar quién puede ver la información que comparta y en la que se encuentre referido, más allá de la información básica que ha visto anteriormente (véase Figura 7.1).

Dentro de *Compartir en Facebook*, pulse sobre el vínculo **Personalizar la configuración**, que se haya en la parte inferior (véase Figura 7.1) y verá la pantalla *Personaliza tu configuración*.

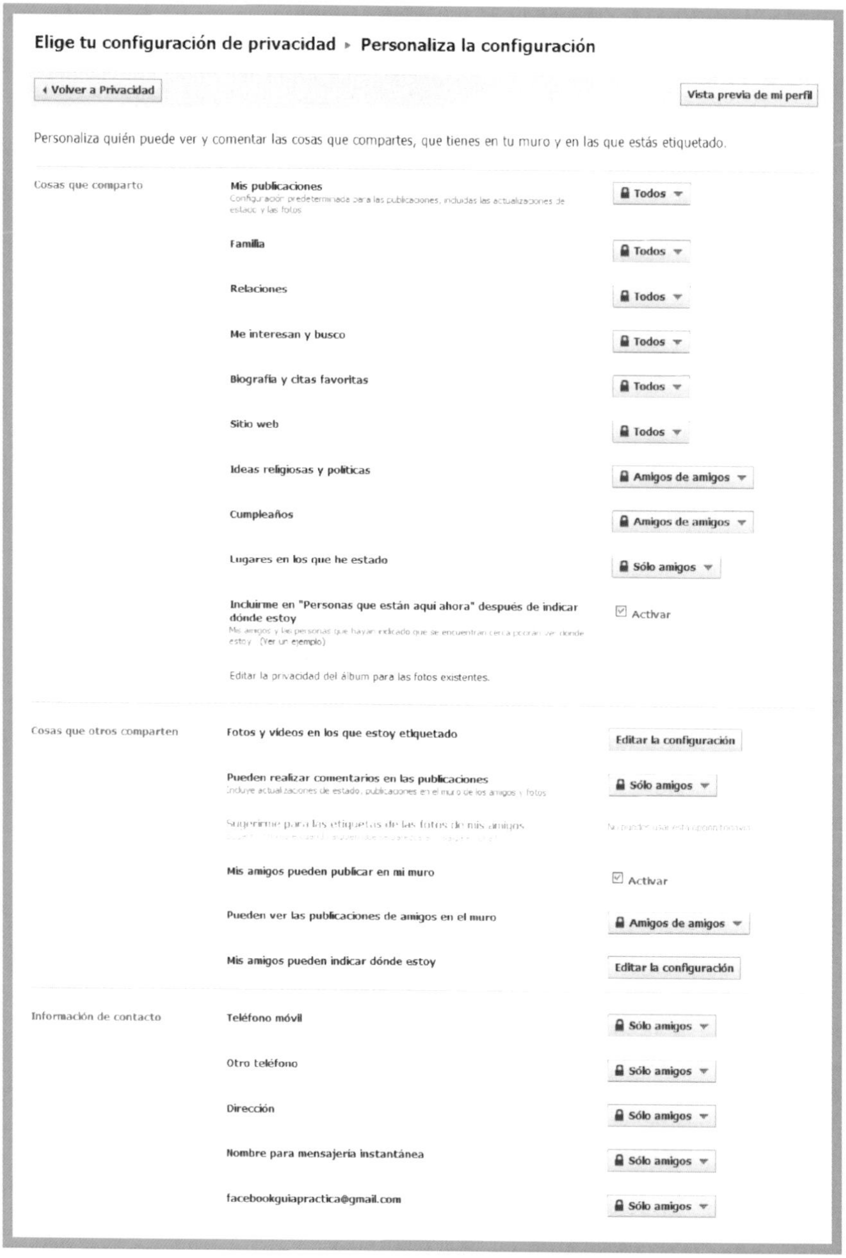

Figura 7.3. Personaliza la configuración de la información que compartes

En ella encontrará gran cantidad de opciones posibles agrupadas bajo tres categorías: *Cosas que comparto*, *Cosas que otros comparten* e *Información de contacto* (véase Figura 7.3).

Dedique unos minutos a repasar y configurar todos los ajustes disponibles. Como podrá comprobar, las opciones son las mismas que ya conoce aunque en este caso, se añaden *Personalizar*, *Personas concretas...* y *Solo yo*.

Personalizar

Si escoge esta alternativa verá una ventana desde la que podrá definir en detalle quién o quiénes tendrán acceso, incluso puede excluir a alguna de sus amistades o redes en concreto (véase Figura 7.4).

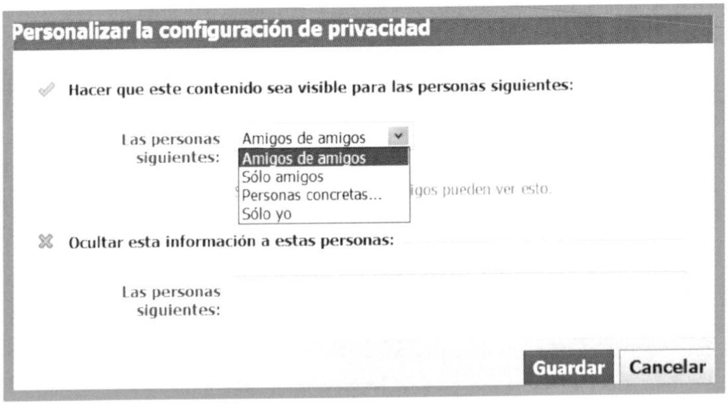

Figura 7.4. Personalizar

Solo yo

Como ya habrá adivinado, cualquier dato o información publicada con esta condición solo estará disponible para usted. Puede resultarle muy útil, por ejemplo, para llevar un diario personal en la aplicación *Notas* o una bitácora en *Facebook Places*.

> **Truco**: La combinación de la opción *Personalizar* con las listas de amigos, le permitirá limitar el acceso de forma rápida y sencilla a determinadas secciones de su perfil, por ejemplo: puede crear una lista que contenga a todos sus compañeros de trabajo y especificar que dicha lista no tenga acceso a sus álbumes de fotos.

Aplicaciones y sitios web

Si pulsa sobre el vínculo **Edita tu configuración**, presente en la categoría *Aplicaciones y sitios web* (véase Figura 7.1), podrá definir a qué información de su perfil pueden acceder sus aplicaciones, las de sus amigos y los sitios web asociados a Facebook (véase Figura 7.5).

Recuerde que tanto las aplicaciones como los sitios web podrán acceder a cualquier dato de su perfil que sea público o, lo que es lo mismo, disponible para todos.

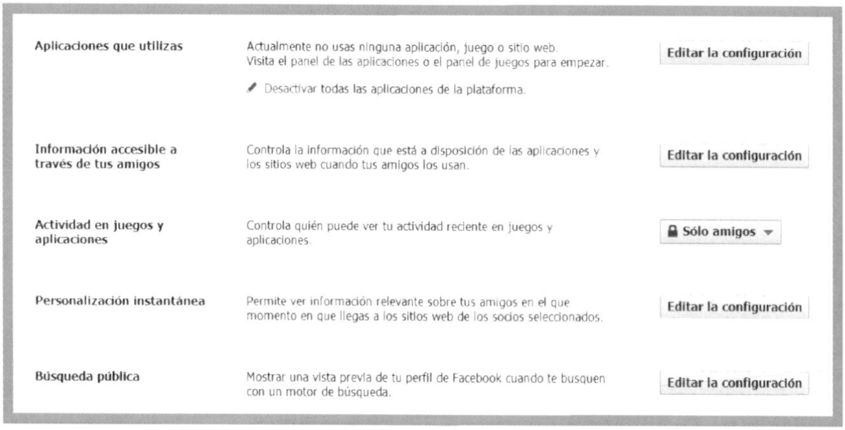

Figura 7.5. Aplicaciones y sitios web

Aplicaciones que utilizas

En esta categoría aparecen todas las aplicaciones que utiliza. Desde aquí, editando la configuración, podrá controlar la información a la que acceden e incluso eliminarlas, cuando deje de utilizarlas.

Información accesible a través de amigos

Pulsando sobre **Editar la configuración** verá una ventana emergente donde podrá escoger a qué datos concretos de su información personal pueden acceder las aplicaciones de sus amistades.

Actividades en juegos y aplicaciones

Le permitirá elegir qué usuarios pueden ver a qué juegos está jugando o qué aplicaciones utiliza.

Configuración de la privacidad

277

Personalización instantánea

Determinadas páginas web asociadas a Facebook, si así lo tiene defini-do, le mostrarán información personalizada, en función de su actividad, gustos e intereses y la de sus amistades. Recuerde el caso de Trip Advisor.

Búsqueda pública

Marcando o no la casilla presente en la configuración, podrá escoger si desea aparecer en los resultados de búsquedas de los principales buscadores como Google o Yahoo!.

> **Nota**: Lo más recomendable es desmarcar esta caracte-rística, la mayoría de los accesos no autorizados o de los proble-mas de invasión de intimidad comienzan con una inocente búsque-da por nombre y apellidos en los principales buscadores.

Controle la información a la que acceden sus aplicaciones

Anteriormente, ya se ha tratado el riesgo que supone para su intimi-dad el uso indiscriminado de aplicaciones. Como sabe, para utilizarlas debe concederles ciertos privilegios para que accedan a determinada información de su perfil y, como acaba de ver, también al de sus amista-des.

Por lo tanto, se impone un control preciso de la información a su disposi-ción y de su actividad en nuestra cuenta. Todo ello es posible desde la edición de la configuración, dentro de *Aplicaciones y sitios web*, referida a **Aplicaciones que utilizas**.

Hacerlo es realmente sencillo. Una vez dentro de la configuración verá un listado con las aplicaciones a las que está suscrito (véase Figura 7.6).

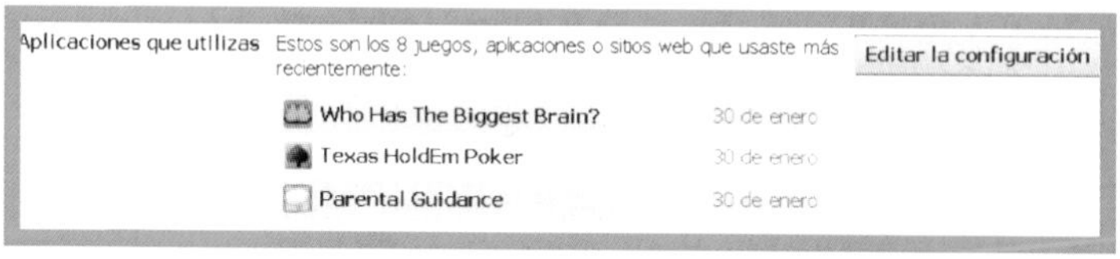

Aplicaciones que utilizas   Estos son los 8 juegos, aplicaciones o sitios web que usaste más
recientemente: Editar la configuración

Who Has The Biggest Brain?   30 de enero

Texas HoldEm Poker   30 de enero

Parental Guidance   30 de enero

Figura 7.6. Aplicaciones que utilizas

A continuación, haga clic sobre la aplicación que desea supervisar para ver a qué información accede y su actividad reciente en su perfil (véase Figura 7.7).

Figura 7.7. Administración de aplicación GogoStat

La información arrojada se encuentra dividida en dos secciones: *Esta aplicación puede* y *Último acceso a los datos*.

Esta aplicación puede

Muestra los datos a los que le está permitido acceder a la aplicación. Como ve, algunos son de carácter obligatorio, sin embargo, en otros tendrá la opción de impedir el acceso pulsando sobre el vínculo **Eliminar**.

Último acceso a datos

Si pulsa sobre **Ver detalles**, aparecerá una ventana emergente donde el sistema le informará de los datos a los que ha accedido la aplicación y la fecha en que lo hizo.

Por último, aunque se vio en el capítulo tres, en el apartado referido a *Aplicaciones y juegos*, si pulsa sobre el vínculo **Eliminar aplicación**, previa confirmación la suprimirá de su cuenta.

Aplicaciones y personas bloqueadas

En algunos casos, en función de la cantidad de amistades que tenga y de su actividad en el sistema, su muro puede verse inundado de invitaciones a juegos, comentarios o publicaciones varias, que impidan que vea lo que realmente le interesa.

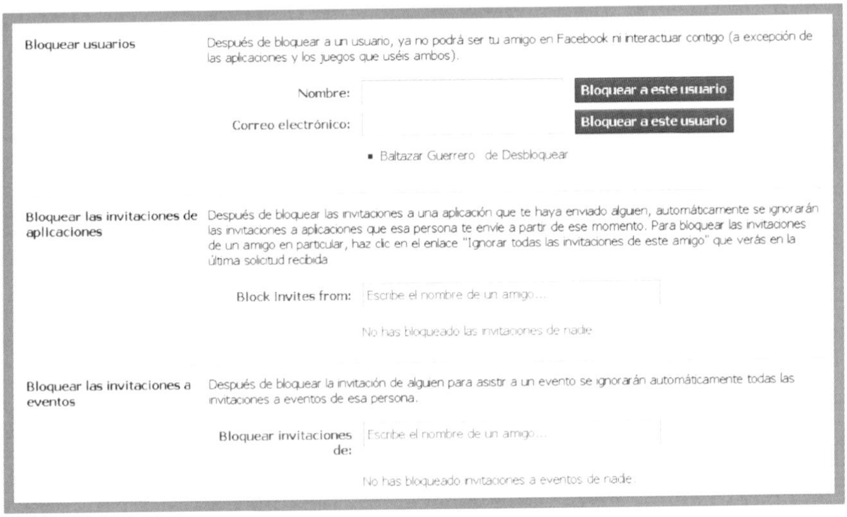

Figura 7.8. Aplicaciones y personas bloqueadas

Ya conoce cómo bloquear una aplicación: tan sencillo como pulsar sobre el vínculo **Bloquear aplicación**, situado en la parte inferior del menú lateral izquierdo.

Bloquear a un usuario es igualmente sencillo: vaya al perfil público del usuario que desee bloquear y pulse sobre el vínculo **Denunciar/ Bloquear a esta persona**, situado en la parte inferior del menú lateral izquierdo.

Ambas acciones los incluirán en su lista de bloqueados, que se encuentra bajo la categoría del mismo nombre en su configuración de privacidad. Pulse sobre **Edita tus listas** para ver la pantalla de gestión donde, aparte de figurar todas sus aplicaciones y personas bloqueadas, podrá bloquear de forma sencilla usuarios e invitaciones a eventos y aplicaciones (véase Figura 7.8).

Simplemente, introduzca el nombre/correo electrónico de la persona o aplicación que desee bloquear en el campo apropiado y pulse sobre la tecla **retorno** de su teclado.

En cualquier momento puede desbloquear un usuario o aplicación. Para ello, haga clic sobre el vínculo **Desbloquear**, situado a la derecha del nombre.

Protección del menor en Facebook

Dos terceras partes de los menores de edad que navegan de forma habitual por Internet disponen de, al menos, un perfil en alguna de las redes sociales más conocidas y lo usan con frecuencia.

De hecho, una mayoría representativa de los mismos hacen un uso intensivo de las redes sociales y son usuarios avanzados, invirtiendo una parte importante de su tiempo libre, en detrimento de los medios tradicionales de ocio.

Curiosamente, las relaciones sociales con su entorno más inmediato no solo no se resienten, sino que en muchos casos se afianzan, sobre todo a causa de la posibilidad de un contacto permanente e independiente del tiempo y lugar.

La facilidad actual con que en la mayoría de los hogares se dispone de conexión de alta velocidad y el impacto de las redes sociales, plenamente integradas en la vida de los menores de hoy en día, han hecho el resto. Sin lugar a dudas, este fenómeno es toda una revolución, en algunos casos difícil de digerir, sobre todo por aquellos que por naturaleza se encuentran más desprotegidos.

No se trata de controlar todo lo que sus hijos hagan, sino de crear un clima de confianza y diálogo que permita una comunicación fluida y, en caso de necesidad, siente las bases para que el menor acuda a usted si tiene algún problema.

La función de los padres o tutores debería ser la de formar y aconsejar de forma adecuada a los menores, sobre cómo deben desenvolverse y qué conductas evitar, sobre todo en cuanto a compartir información personal, imágenes o vídeos.

Consejos de seguridad para padres e hijos

- Lo más recomendable es que el ordenador se encuentre en una zona común de la vivienda, en ningún caso en la habitación de los menores.

- Administre el tiempo que sus hijos pasan conectados, procure compatibilizarlo con otras actividades, preferiblemente al aire libre.

- Anime a que sus hijos se interesen por redes sociales adaptadas a su edad, tenga en cuenta la edad mínima exigida, habitualmente 14 años. Aunque no hay problema si cuenta con su autorización.

- Explíqueles en qué consiste la configuración de privacidad y ayúdeles para escoger las opciones que más se adapten a sus necesidades. Lo más recomendable es que su perfil sea privado, solo accesible por sus amistades confirmadas.

- Ponga especial énfasis en darle la importancia apropiada al hecho de compartir determinados datos personales identificativos, así como fotos y vídeos.

- Preste especial atención a los servicios de geolocalización incorporados en Facebook o en Facebook móvil, en este caso Facebook Places[26].

- No abra ni descargue el contenido de correos electrónicos de remitente desconocido, ni por supuesto acepte como amigos a personas que no conoce.

- Nunca, jamás, en ningún caso, permita que se hijo acuda a ninguna reunión concertada por Internet si no conoce con absoluta seguridad quiénes van a acudir.

- Un menor de edad, no debería hacer ver que lo es, por lo tanto, no muestre su fecha de nacimiento, ni información que pueda delatarlo.

---

26 Facebook Places es un sistema de geolocalización presente en la versión móvil de Facebook. Le permitirá, por ejemplo, saber quiénes de entre sus amistades se encuentran cerca de usted en un momento dado.

- El Ciberbulling, versión digital del acoso, es algo muy desagradable y que también ha experimentado un auge en Internet, más aún, dentro de las redes sociales. Si recibe mensajes con un contenido incómodo o por cualquier motivo no se siente a gusto conversando con una persona, recuerde que puede bloquearla. Si no sabe qué hacer, acuda a un adulto de su confianza y pida consejo.

- Sea cuidadoso a la hora de publicar comentarios o fotos de terceras personas. Tal vez esté provocando un daño sin quererlo realmente. Procure que sea consciente del efecto que puede causar.

- Conocer el funcionamiento general y las opciones para la protección de la privacidad, le ayudarán a proteger a su hijo con mayor eficacia.

Control parental

Un filtro o control parental no es más que un sencillo programa que le permitirá supervisar el uso que se hace del ordenador en el que se encuentre instalado.

Hay gran variedad de ellos, algunos simplemente mediante un sistema de palabras previamente definidas impiden acceder a determinadas páginas web que contengan las palabras prohibidas, otros registran toda la actividad del ordenador y permiten una posterior revisión.

Aunque lo más recomendable es tratar de fomentar el diálogo y una relación confianza, resulta más que interesante conocer y utilizar en caso necesario los filtros y programas de control parental disponibles.

Los sistemas operativos Windows Vista y Siete cuentan con un sistema de control parental integrado desde el que podrá administrar la forma en que los menores de edad usan el ordenador donde se encuentre activado, limitando el tiempo de uso de Internet, o el acceso a determinados programas y sitios web.

Si quiere probar un sistema orientado a su uso e integración con Facebook, puede probar con GogoStat o con el programa externo Facebook Spy Monitor.

La preocupación por la protección de la intimidad de los menores y la formación de padres y tutores para enfrentarse a los retos que suponen las nuevas tecnologías, han causado una reacción por parte de las distintas administraciones públicas, que han respondido con campañas

Configuración de la privacidad

de concienciación y proporcionando soluciones de software adaptadas a la nueva situación.

Mencionar como ejemplo destacado la aportación de la Generalitat Valenciana con su programa **ProtegITs** *http://www.protegits.gva.es/lang/es/kit1.php* (véase Figura 7.9).

Figura 7.9. Programa ProtegITs

Debe ver la implantación de un programa de control parental como un complemento, no como una solución. En ningún caso debe convertirse en una herramienta de "control", sino en un apoyo a su labor formativa.

Denunciar contenido

Como hemos visto a lo largo de este manual es posible informar a Facebook sobre cualquier usuario malintencionado, así como de contenidos abusivos u ofensivos. Es tan sencillo como pulsar sobre el vínculo **Denunciar** que encontrará disponible en todos los perfiles, páginas y ventanas con contenido: fotos, vídeos, etc.

Facebook, consciente de la problemática y especial vulnerabilidad de los menores de edad frente al uso incorrecto o al abuso dentro de las redes sociales, proporciona algunas herramientas a los padres y tutores para solicitar el cierre de un perfil o la eliminación de cualquier contenido imagen o vídeo, en el que aparezcan menores de 13 ó 14 años, en función de la legislación del país de residencia.

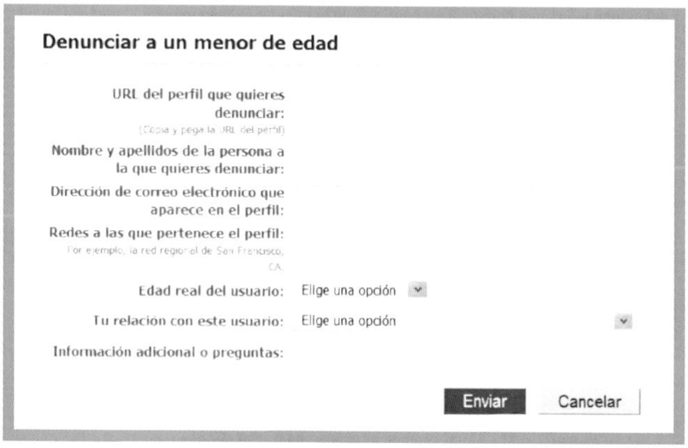

Figura 7.10. Denunciar perfil de un menor de edad

Denunciar perfil de un menor de 13/14 años (véase Figura 7.10):
http://www.facebook.com/help/contact.php?show_form=underage

Denunciar contenido inapropiado:
http://www.facebook.com/help/contact.php?show_form=unauthorized_ content_underage

Denunciar una foto no autorizada:
http://www.facebook.com/help/contact.php?show_form=unauthorized_ photo_underage

> **Nota:** Del mismo modo puede denunciar contenido ofensivo no autorizado o vulneración de derechos de la propiedad intelectual remitiendo un correo electrónico, preferentemente en inglés a: *abuse@facebook.com* o *privacy@facebook.com*.

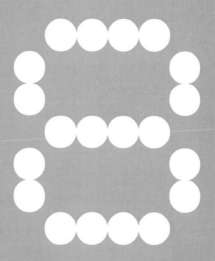

Facebook para dispositivos móviles

Facebook para dispositivos móviles

La tecnología móvil lleva años completamente integrada en nuestra vida, de hecho muchos tal vez se pregunten cómo funcionaban las cosas antes de su existencia. ¿Cómo quedaba la gente?, ¿cómo podían vivir sin las llamadas perdidas y los SMS?

Día a día estos *gadgets* tecnológicos, han pasado de ser "simples" teléfonos a auténticos ordenadores en miniatura, con todas las funcionalidades que uno pueda desear: radio, cámara de fotos y vídeo, GPS, grabadora, juegos, aplicaciones, Internet, etc.

Actualmente, sobre todo gracias a la nueva generación de teléfonos con grandes pantallas y sencillo manejo, se ha popularizado el acceso a Internet, en parte, gracias a las tarifas planas ofertadas por las compañías a precio razonable.

Esto permite una conectividad total, independientemente del lugar en el que se encuentre. Por lo tanto, no es de extrañar que las distintas redes sociales se hayan beneficiado de esta circunstancia.

De hecho, podríamos decir que la popularización del acceso a Internet móvil y la mejora de los terminales y aplicaciones han contribuido decisivamente al éxito y difusión de las redes sociales.

Basta mencionar que un porcentaje muy elevado de los usuarios de Facebook visitan y actualizan diariamente su perfil desde toda clase de dispositivos móviles.

Qué puedo hacer desde mi móvil

Facebook ofrece soporte para la gran mayoría de ellos, desde los más simples, pasando por los más avanzados *smartphones* basados en Windows Mobile, Android, Blackberry, Palm, hasta los omnipresentes Iphone e Ipad.

Las posibilidades varían en gran medida en función del terminal que utilice, aunque, podemos establecer una diferencia entre el acceso mediante Facebook Móvil y el que se realiza a través de programas específicos como Facebook para Iphone.

Servicio de mensajería SMS

Ésta quizás sea la forma más básica de acceso, al menos para algunos. Sin embargo se encuentra en clara desventaja respecto a otras opciones, principalmente porque supone un coste adicional. Aunque Facebook no le cobrará por el servicio, su compañía telefónica sí lo hará por cada mensaje que envíe.

Para poder emplear esta característica, es preciso que asocie un número de teléfono con su cuenta. Puede hacerlo desde la pestaña **Móvil** dentro del menú de configuración de su cuenta. Consulte el procedimiento en detalle dentro del capítulo seis.

Una vez activado el servicio podrá, enviando un sencillo mensaje de texto, actualizar su estado, enviar un mensaje, publicar en su muro, buscar amigos y conocidos, añadir nuevos amigos, dar un toque o recibir notificaciones, siempre que esté suscrito a ellas.

Puede consultar las combinaciones para lograrlo en la página *Mensajes de Texto*, cuya dirección es: *http://www.facebook.com/mobile/?texts* (véase Figura 8.1).

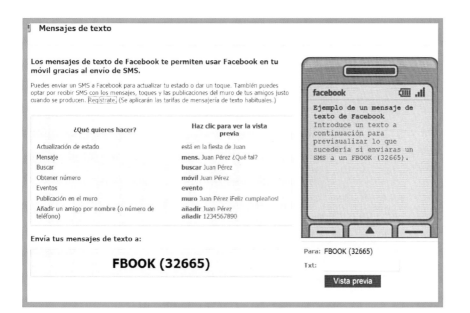

Figura 8.1. Facebook mediante SMS

Facebook para dispositivos móviles

Sitio web de Facebook Móvil

Facebook dispone de una versión especialmente adaptada tanto al tamaño de la pantalla como a las posibilidades de los navegadores móviles de los actuales terminales de telefonía.

Podrá acceder a ella desde cualquier teléfono con conexión a Internet y navegador móvil en: *http://m.facebook.com* y *http://touch.facebook. com* (véase Figura 8.2).

Figura 8.2. Facebook para navegadores móviles

Una vez que inicie sesión identificándose correctamente, verá la pantalla principal con las últimas noticias, como muestra la imagen anterior. La navegación, aunque sencilla, requiere un período de adaptación.

Gracias a este servicio es posible disfrutar de la mayoría de las funcionalidades habituales de la versión completa. Sin embargo, no podrá acceder a las siguientes características: *Servicio de chat*, *búsqueda de grupos*, *bloquear personas y aplicaciones*, *creación de eventos*, *añadir aplicaciones*, *trabajo con redes*, etc., por citar alguna de las más importantes.

Del mismo modo, muchas aplicaciones de terceros no funcionarán correctamente en Facebook móvil al no estar adaptadas. Aún así, cumple sobradamente su objetivo, proporcionándole una conexión permanente y horas de diversión.

Aplicaciones dedicadas

Por último, la joya de la corona: existen aplicaciones especialmente diseñadas para aprovechar las características de los teléfonos de última generación. Hablamos de Iphone, Blackberry, Palm o sistemas basados en Windows Mobile y Android (véase Figura 8.3).

Tanto su funcionamiento como posibilidades son sobresalientes, con ellas podrá acceder a la mayoría de las funciones de forma rápida, intuitiva y tremendamente eficaz.

Por ejemplo, imagine que va andando por la calle camino del trabajo y se encuentra con algo que llame su atención; nada más sencillo que tomar una foto y publicarla con un pequeño comentario en tres sencillos pasos:

1. Pulse sobre el vínculo **Foto**, que habitualmente encontrará en la parte superior de la ventana *Últimas noticias* de la aplicación Facebook para Iphone, a continuación haga clic sobre **Hacer una foto** o **grabar un vídeo**.

2. Tome la foto como lo haría normalmente y en la vista previa que aparecerá automáticamente, pulse sobre **Usar**.

3. Podrá añadir un pie de foto haciendo clic sobre **Añadir pie de foto...** Cuando termine pulse sobre **Cargar** para publicarla en su muro.

Figura 8.3. Facebook para Iphone

Escribir en su muro o en el de sus amistades, chatear con ellas, enviar y recibir mensajes, consultar las páginas que le gustan, gestionar eventos, son solo algunas de las tareas que podrá llevar a cabo (véase Figura 8.4).

Figura 8.4. Opciones de Facebook para Iphone

> **Nota**: Dadas las características multitarea de los terminales Iphone, le será posible tener su sesión de Facebook abierta en segundo plano y así, recibir avisos y notificaciones mediante alertas sonoras, sin que esto interfiera con el uso normal del teléfono.

Otras posibilidades

Aún existe otra forma de publicar contenidos en su muro, recuerde que puede cargar imágenes, vídeos o actualizaciones de estado enviándolas a su dirección de correo personalizada. Consulte la sección *Móvil* del capítulo seis para ver cómo obtenerla.

La mecánica es bastante simple; si quiere publicar una actualización de estado, simplemente envíe un correo electrónico a su dirección personal escribiendo en el campo *Asunto el texto* que desea publicar.

Si se trata de un vídeo o una imagen, envíela como archivo adjunto. Para añadir un pie de foto, inclúyalo dentro del campo *Asunto*.

> ❝ **¡Ojo!** Puesto que no puede escoger la configuración de privacidad usando el sistema de publicación por SMS o correo electrónico, tenga presente que aquello que envíe será accesible para todo el mundo.

Facebook Places

Habrá podido darse cuenta de la importancia de la telefonía móvil en el auge de las redes sociales. La portabilidad, unida a la sencillez de uso es su principal baza. De hecho actualmente la relación Facebook-Móvil es imprescindible.

Por eso, Facebook, en constante evolución y búsqueda de mejoras para el usuario que le permitan seguir en la cúspide, se precia de proporcionar continuamente nuevas funcionalidades que asombren y a la vez refuercen su carácter social.

La geolocalización[27] no es algo nuevo. cualquiera conoce e incluso dispone de algún dispositivo GPS. Facebook ha trasladado esta característica a sus aplicaciones para móviles bajo la denominación Facebook Places (véase Figura 8.4).

---

27 Consiste en situar de forma precisa la ubicación de un elemento sobre un mapa.

Facebook para dispositivos móviles

¿Para qué sirve?

Facebook Places, aunque como servicio de geolocalización, nace con una función eminentemente social, por lo tanto le permitirá:

- Compartir con sus amistades dónde se encuentra y lo que está haciendo.
- Descubrir amigos que se encuentren cerca de usted.
- Localizar sitios de interés a su alrededor.
- Marcar los lugares que visita a modo de bitácora de viaje o diario.
- Etiquetar a sus amigos en un lugar concreto.
- Añadir una imagen representativa y asociarla a un lugar.

Para poder disfrutar de esta característica necesitará un teléfono móvil con GPS integrado y acceder desde una aplicación dedicada como Facebook para Iphone o desde *touch.facebook.com*. La mayoría de los terminales de última generación soportan esta función (véase Figuras 8.5 y 8.6).

Figura 8.5. Dónde me encuentro

Figura 8.6. Publicación en el muro

Compartir o no compartir su localización

El equilibrio entre la protección de la privacidad y el funcionamiento de Facebook Places es delicado, sin embargo, es el propio usuario quien decide qué, cómo y cuándo desea compartir la información.

No es posible desactivar esta función pero sí puede restringir quién puede etiquetarle en un lugar, quién puede ver dónde se encuentra o los lugares donde estuvo.

Para ello, acuda a la su configuración de privacidad y personalice las opciones: *Lugares en los que estuve*, *Personas que están aquí ahora* y *Mis amigos* pueden indicar donde estoy, que se encuentran dentro de la categoría *Compartir* en Facebook.

Si ha sido etiquetado en algún lugar, puede eliminar dicha etiqueta de la misma manera que lo haría si se tratara del caso de una imagen o una nota.

El sistema es particularmente protector con los menores de edad, estos no podrán compartir dónde se encuentran o dónde han estado con sus amigos. Aunque intenten modificar la configuración de privacidad, no lograrán hacerlo.

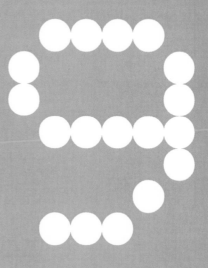

Qué puede hacer
Facebook por su empresa

- Marketing viral
- SEO
- Imagen corporativa
- Su proyecto paso a paso
- Anúnciese en facebook

Con la llegada de la web 2.0, vinculada a un enfoque eminentemente social de Internet, basado en la aparición de toda clase de funcionalidades y servicios orientados a la comunicación permanente de los usuarios, como: redes sociales, blogs, bitácoras, wikis, etc., se plantea la necesidad de un nuevo punto de vista empresarial, sobre la presencia y orientación de sus actividades en Internet, capaz de sacar partido a la nueva situación.

La red hace mucho tiempo que dejó de ser un lugar donde las actividades corporativas y de organizaciones se limitaban por lo común a una mera presencia estática, donde era el consumidor el que tenía que acudir en busca de información y soporte.

Actualmente, la interacción con los usuarios es la clave y cualquier estrategia de marketing debe basarse en este concepto si quiere obtener el impacto y efecto deseado.

Naturalmente, esta interacción está ligada de forma indisoluble a la calidad del contenido. Éste debe ser conciso, capaz de generar interés y con un *target*[28] adecuado a sus fines.

En cierta manera, las cosas no han cambiado tanto respecto a las técnicas de publicidad tradicionales usadas fuera del entorno de las nuevas tecnologías. Los elementos básicos siguen siendo los mismos: producto, oferta, interés, *target*.

Por lo tanto, la función de los profesionales dedicados a las tareas de marketing solo requiere una "pequeña" adaptación para integrarse en el nuevo modelo.

Facebook, con más de 640 millones de usuarios, supone una oportunidad que debe aprovechar para ampliar su presencia en Internet. Las posibilidades son enormes y merecen la pena, tal vez no como plataforma de ventas directa, pero sí, y ésta es su mayor virtud, como un lugar donde dar a conocer un producto determinado, su imagen de marca o los servicios que ofrece: acciones que se reflejarán en su facturación.

Si es hábil a la hora de relacionarse con el sistema, aprovechar sus virtudes y las herramientas que proporciona, obtendrá réditos en un corto plazo de tiempo.

---

28 En el ámbito del marketing, se denomina *target* al público objetivo al que se dirige una campaña publicitaria.

Marketing viral

Comencemos por definir qué se conoce como *Marketing Viral*: Se trata del concepto de la *publicidad que se propaga a sí misma*, pero, ¿es esto posible? No solo eso, sino que además supone poco o ningún coste económico. Seguramente no termine de creérselo, pero así es.

Bien, vamos a verlo de otra manera: El marketing viral comprende toda clase de técnicas pensadas para que una idea o concepto se difunda de forma similar a como lo haría un virus informático a través de la red.

En este caso particular, depende totalmente del interés que sea capaz de generar sobre aquello que quiere promocionar. Habitualmente es una suerte de marketing indirecto que aprovecha otras plataformas para sus propios fines.

Aunque en este manual nos referimos al aprovechamiento de Facebook en el ámbito corporativo, no podemos dejar de mencionar que la posibilidad de viralidad está presente bajo otras muchas formas aparte de las redes sociales, por ejemplo, generando contenidos en blogs, vídeos patrocinados, imágenes o juegos, que atraigan la atención aunque sea de manera encubierta sobre el producto o servicio que quiera promover.

Estas tácticas destierran el fantasma del *spam* y el bombardeo tradicional al que se somete al usuario durante su navegación, que no producen más que un efecto negativo sobre la imagen del producto o empresa.

De hecho, es tal el acoso al navegante, que éste se ha vuelto insensible ante cualquier clase de estímulo recibido por los canales habituales, volviendo cualquier esfuerzo en este sentido absolutamente inútil.

A por todas

El marketing viral pretende que sea el usuario el que se involucre, convirtiéndose en vehículo y emisor del mensaje. Así no solo le otorga más importancia, sino que consigue que tenga un eco en su red de amistades, logrando en muchos casos una mayor penetración que cualquier campaña publicitaria al uso.

El reto consiste en lograr generar el interés suficiente para iniciar la cadena, boca a oreja. Una vez conseguido un primer resultado positivo, depende de su trabajo mantener la predisposición favorable de sus visitantes.

Facebook permite a sus usuarios mostrar su agrado respecto a cualquier tipo de publicación a través del vínculo **Me gusta**. Piense que cada vez que un usuario pulsa sobre *Me gusta*, todas sus amistades saben que un determinado contenido ha llamado su atención, lo que genera un interés inmediato sobre éste.

Imagine por un momento: Si a Antonio Pérez le gusta un evento patrocinado por su empresa, automáticamente lo sabrá toda su lista de contactos y, si a su vez, a alguno de ellos también le gusta, volverá a suceder lo mismo y así sucesivamente, de tal modo que en pocas horas, si tiene el impacto suficiente, habrá atraído miles de visitantes y clientes en potencia que de otro modo no conseguiría.

Habrá observado que como en muchos sitios web de noticias o blogs, al lado de cualquier artículo encuentra botones que le permiten compartirlo directamente en las distintas redes sociales.

Cada vez que se produce esta acción, no solo se está compartiendo el contenido del artículo o noticia, sino que indirectamente se está fijando la identidad del soporte y dándole una promoción positiva difícil de lograr por otro medio.

Veámoslo con un ejemplo: Suponga que usted es el responsable de una agencia de viajes y desea atraer la atención sobre sus productos y servicios.

Una buena idea sería crear una página de Facebook a modo de imagen corporativa e incluir en ella sus ofertas mensuales.

Sin embargo, de esta manera no obtendrá un gran resultado, más allá de contar con una presencia en la red, pero, ¿qué ocurriría si empieza a publicar reportajes completos con imágenes y opiniones de primera mano sobre los destinos turísticos más demandados? Le llamaría la atención lo que no se puede perder, dónde comer, impresiones de clientes, anécdotas...

Este tipo de contenido es susceptible de poseer una gran viralidad, suscitando interés sobre él. De este modo, aunque no está vendiendo nada directamente, sí está creando una imagen de marca favorable, aparte de aumentar sensiblemente el número de clics.

Pero ojo, no son unos visitantes cualquiera, tenga presente la calidad de los mismos. En este caso, generaría interés entre personas a las que les gusta viajar, por lo tanto la posibilidad de venta aumentaría notablemente.

El contenido lo es todo

Comentábamos que la interacción y la calidad del contenido son las claves para triunfar tanto en Facebook como en cualquier otra plataforma.

Su objetivo es que sea el propio usuario el que recomiende, cite, comparta o enlace el contenido que le interesa.

Pero, ¿cómo crear material suficientemente atrayente y que sea susceptible de transmitirse de forma rápida, sencilla y con el mensaje apropiado?

En principio bastaría con seguir algunas reglas básicas:

- Vaya al grano, sea conciso y añada una imagen/vídeo representativo.
- Utilice un título llamativo.
- Haga reír, la risa es un perfecto vehículo emocional.
- Debe poderse compartir con facilidad.

Obviamente no es tan sencillo, pero seguro que ya se hace una idea. No es objetivo de este manual tratar en profundidad todas las posibilidades de marketing y sus teorías de aplicación; sí lo es descubrirle algunas nociones y las herramientas que proporciona Facebook para su aprovechamiento.

SEO

Abreviatura de *Search Engine Optimization*, puede que esta denominación no le diga nada, pero es una actividad en auge en el momento actual.

Su función, si hacemos caso de la definición literal, es mejorar la posición de la página web de su organización en los resultados de los principales buscadores, para que ésta aparezca entre las primeras opciones, aumentando así el número de visitantes.

Sin embargo, ésta sería más bien la consecuencia lógica si está realizando correctamente su función, que no es otra que la de generar tráfico de calidad hacía/desde su página web.

En la práctica, el trabajo de un especialista SEO es modelar su sitio web y su imagen corporativa digital para obtener el mayor rendimiento posible. No es un programador ni un diseñador, un SEO debe ser un experto comunicador, capaz de sugerir el diseño general y los contenidos más apropiados para lograrlo.

Aplicado al entorno de Facebook, el contenido, los enlaces y la acción *Me gusta*, son las claves que debe perseguir.

No debemos confundir un SEO con un *Community Manager*, que sería algo más cercano a un relaciones públicas tradicional. Sin embargo, ambas especialidades guardan ciertas semejanzas aparte de un fin común: *posicionar* y *promover*.

Estrategias

Son el conjunto de acciones que debe llevar a cabo para lograr su objetivo, que no es otro que contar con una mayor presencia en la web que sus competidores y una imagen de marca más sólida y confiable.

Para abordar la situación con garantías de éxito es necesario tener claros algunos parámetros básicos sobre los que empezar a trabajar:

- Objetivos.
- Público objetivo (*target*).
- Definir el enfoque.
- Entorno amigable (usabilidad).
- Contenidos adaptados.

Objetivos

Piense por un momento cuál es el objetivo al que quiere dirigir su atención e invierta sus esfuerzos en ese sentido. Puede tratarse de un evento puntual, una oferta determinada, el lanzamiento de un nuevo producto o una campaña para dar a conocer sus servicios e imagen de marca.

Público objetivo

Tan importante como el producto en sí, es tener claro cuál es el *target* del que deseamos lograr su atención, en base al binomio producto/ *target* deberá trazar su línea de trabajo.

Definición del enfoque

Una vez que cuenta con un objetivo y un *target* medio definido, debe considerar cuál es la mejor manera de tratarlo, en función de perfiles que el SEO debe saber identificar en base a su experiencia.

No olvidemos que un SEO debe ser alguien con la capacidad de tomarle el pulso a la red en un momento dado y por tanto conocedor de la mejor forma de atraerse la atención de su *target*.

Entorno amigable

Una página de Facebook o sitio web claro, de diseño fluido y sencillo manejo, es la clave para mantener el máximo tiempo posible al visitante conectado.

No es preciso un diseño especialmente elaborado para lograrlo. La usabilidad es su principal objetivo, sin olvidarse de encaminar al usuario hacía aquello que desea que vea.

Contenidos adaptados

No nos cansaremos de repetirlo, el contenido lo es todo, y es en este apartado donde el profesional debe ser especialmente exigente. Huelga mencionar que tiene que estar en consonancia con el resto de paráme-tros.

Posicionamiento en buscadores

El posicionamiento en buscadores, principalmente en Google, es la mejor forma de obtener miles de visitas para su página, pero, ¿cómo conseguir escalar posiciones?

1. Bien, lo primero en el caso de Facebook es contar con una dirección personalizada que identifique su organización, todos los perfiles y

páginas disponen de una dirección del tipo: *http://www.facebook.com/profile.php?id=10300249748360*, que, como ya supondrá, no es la más apropiada para nuestro objetivo.

Para ello, es necesario que escoja un **Sobrenombre**. Podrá hacerlo desde la configuración de su página que verá más adelante. Así obtendrá una nueva dirección como *http://www.facebook.com/asturviajes* mucho más sencilla de recordar y reconocible para los motores de búsqueda.

2. Es fundamental escoger un nombre apropiado, sencillo de recordar y en el que se refleje la actividad de la empresa. Cuantas más veces aparezca su nombre en la red, mejor.

Todas las páginas de Facebook son indexadas automáticamente por los principales buscadores, así que no necesita darla de alta manualmente.

> **Nota**: Tenga en cuenta que los buscadores indexarán su página en función del contenido de la pestaña que aparezca por defecto al visualizarla, por lo tanto es allí donde debe utilizar las palabras clave y contenidos apropiados.

No olvide que la mayor parte de su tráfico indirecto proviene de Google, por lo tanto debe hacer lo posible para aumentarlo.

3. Seleccione algunas palabras clave que definan o se relacionen con el modelo de negocio o el tipo de respuesta que desea y genere contenido entorno a ellas, así atraerá la atención sobre su página.

4. Compartir contenido es importante, utilice los foros, las notas, o las ventanas de información sobre su página para llevarlo a cabo.

5. Sin lugar a dudas, la forma más eficaz de escalar posiciones se corresponde con la cantidad de enlaces relacionados que ofrece en su página y, sobre todo, con la cantidad de sitios que enlacen con ella.

6. Asociar su página a la categoría adecuada dentro de Facebook y fomentar los contactos con redes y páginas de temática afín le ayudará a promocionarse.

Tácticas SEO en Facebook

Las tácticas para la promoción de su espacio en Facebook no difieren sustancialmente de las que emplearía en el caso del posicionamiento web, sin embargo el sistema aporta algunas herramientas de análisis y características extra que le facilitarán la tarea.

Estadísticas Facebook

Todas las páginas y anuncios cuentan con un servicio de estadísticas gratuito, herramienta imprescindible para visualizar si sus esfuerzos obtienen el resultado deseado. Tal vez no sea tan completo como el conocido Google Analytics, pero cumple su función dignamente (véase Figura 9.1).

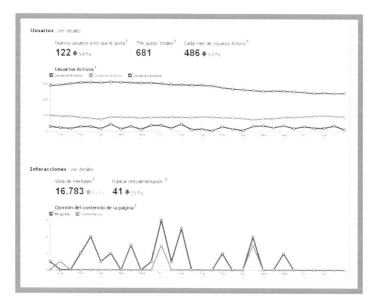

Figura 9.1. Estadísticas de Facebook

Aparte de las cifras totales, podrá ver una clasificación detallada en función de la edad, sexo, origen e información pormenorizada sobre las secciones más visitadas.

Este material resulta fundamental para valorar si la campaña está bien planteada y el *target* es adecuado. Así mismo, dado que cuenta con información precisa sobre las partes de su página más frecuentadas, puede realizar los cambios que considere oportunos si el resultado no es satisfactorio.

Puede acceder a las estadísticas desde la portada de su página de Facebook, pulsando sobre el vínculo **Ver Estadísticas** que encontrará en el menú situado en la parte superior derecha (véase Figura 9.2).

Figura 9.2. Ver estadísticas

Imagen corporativa

La imagen corporativa se refiere a la forma en que se percibe su empresa por el público en general, para cualquier organización es de vital importancia crear una identidad corporativa acorde con su filosofía de trabajo y que la diferencie de la competencia.

No se trata de un simple logotipo, sino de un cúmulo de acciones, formas de hacer las cosas, llámelo cultura de empresa que, en conjunto, crearán su imagen global de marca. Contrariamente a lo que puede creer, este campo no solo es importante para las grandes corporaciones, nada más lejos de la realidad.

Un buen trabajo en este sentido convertirá su negocio, grande o pequeño, en más atractivo, logrando que los clientes potenciales se interesen más por sus productos en detrimento de otras opciones.

Su objetivo es promover toda clase de reacciones positivas hacía su organización, independientemente de si se trata de un negocio, un partido político o una ONG.

Facebook le ofrece tres formas de presencia dentro del sistema: *perfiles*, *grupos* y *páginas*.

Perfiles

Los perfiles de Facebook no son la opción recomendable para ninguna empresa u organización, de hecho, las normas del sistema especifican que solo deben usarse por personas físicas reales.

Además, como herramienta empresarial tiene muchas carencias, que limita en gran medida cualquier estrategia de marketing. Por mencionar algunas:

- Las herramientas de promoción son limitadas.
- No dispone del servicio de estadísticas.
- No permite a sus visitantes convertirse en fans (Me gusta).
- Puede considerarse como *spam* o táctica invasiva.

Por otra parte, la única manera de relacionarse con un perfil de una empresa, salvo que su configuración de privacidad sea muy débil, consiste en convertirse en amigo, como lo haría con cualquier persona real.

Esto supone un riesgo para cualquier usuario, pues de este modo, la empresa podrá acceder como si de cualquiera de sus otros amigos se tratara a una gran cantidad de información personal que no tiene porqué conocer.

En la mayoría de los casos las empresas y organizaciones, han creado perfiles en lugar de páginas por desconocimiento, sin embargo, no hay que descartar la intencionalidad. Algo que va totalmente en contra de la imagen positiva que se pretende conseguir y del buen uso del sistema.

Sin embargo, un perfil personal puede ser una excelente forma de promoción, de sus virtudes y capacidades. De hecho, su función como currículum digital está fuera de toda duda.

Grupos

Como ya sabe, la finalidad para la que se crearon los grupos de Facebook es la de reunir personas entorno a un interés común. Dentro del sistema, encontrará miles de ellos sobre los más variados temas.

Esto logra una segmentación natural en función de los gustos e intereses de sus usuarios a la que puede sacar un provecho viral.

Por otra parte, crear un grupo sobre determinado producto o servicio puede servirle para obtener *feedback*[29], que de otra forma difícilmente conseguiría.

En el ámbito corporativo, esta herramienta es susceptible de tomar una gran importancia, sobre todo referida a la productividad de sus colaboradores.

La configuración de los mismos y las opciones disponibles de comunicación entre sus miembros lo convierten en la plataforma ideal para crear grupos de trabajo participativos en los que intercambiar ideas, impresiones o archivos de forma privada, si es necesario.

Sin embargo, como herramienta de presencia tiene algunas desventajas evidentes:

- No permite el uso de aplicaciones.
- No dispone de servicio de estadísticas.
- Aunque puede enviar mensajes a sus miembros, solo podrá hacerlo con 5000 de ellos cada vez, limitando así su uso promocional:
- Inferior nivel de interacción respecto a las páginas.
- Las actualizaciones no se reflejan en los perfiles de los miembros.
- Son solo visibles para los miembros de Facebook.
- Los usuarios están menos familiarizados con su funcionamiento.

Páginas

A estas alturas, seguramente ya cuenta con una visión general de lo que Facebook puede hacer por su organización y, tal vez, incluso cuál es la forma de lograrlo más indicada. Hasta es posible que ya tenga algunas ideas sobre su desarrollo.

La mejor manera de "estar" en Facebook para una empresa es mediante una página desde la que podrá darse a conocer a la comunidad tanto a sí misma, como a sus productos y servicios, o si se trata de otro tipo de organización, sus fines e intereses.

Tal vez se pregunte, ¿qué le ofrece una página de Facebook?

Veamos algunas de las principales ventajas:

---

29 En el ámbito del marketing, se denomina *"feedback"* a la respuesta de los usuarios ante un determinado producto o servicio.

Presencia en la red

Contar con una página, le proporciona un espacio propio en Internet, desde el que podrá interactuar con sus clientes y promocionar sus intereses.

Disponer de una página en la red social debe verse como un complemento de su sitio web habitual, así mismo, debe tratar de que exista una relación entre ambos, de tal modo que genere un tráfico extra.

Tenga en cuenta que sus publicaciones serán visibles para todos los internautas, aunque no sean miembros del sistema los principales buscadores incorporan estas páginas a sus resultados.

Gratuidad

La creación y el mantenimiento no le costará ningún desembolso económico, únicamente el tiempo empleado en su actualización que, sin duda, será tiempo bien invertido.

Sencillez

Crear una nueva página y dotarla de contenidos es un proceso muy sencillo, no precisa de ningún conocimiento especial para ello.

Herramientas de gestión y marketing

Dispondrá de un completo servicio de estadísticas con el que podrá valorar la evolución de su sitio y la segmentación de su público. De este modo le será posible introducir las modificaciones necesarias para mejorar su presencia e impacto en la red.

Aplicaciones

Facebook pone a su disposición miles de programas que podrá usar para aumentar las funcionalidades y servicios de su página.

Efecto fan

Los usuarios que le visiten pueden hacerse seguidores de su página pulsando el botón *Me gusta*. Esta acción genera un importante componente de viralidad y un sentimiento de comunidad.

Qué puede hacer Facebook por su empresa

Cuando un usuario decide seguirle o indica que le gusta alguno de sus contenidos, está generando una reacción en cadena, al estilo del boca a boca tradicional, muy beneficioso para sus intereses.

Además, la posibilidad de añadir comentarios a sus publicaciones crea un sentimiento de pertenencia, haciendo sentirse implicados a los fans con su proyecto.

> **Nota:** No hay limitación alguna en el número de fans que puede tener una página.

Interacción

Una gran mayoría de los usuarios de la red social se conectan de forma frecuente o diariamente. Puede aprovechar esta circunstancia para que la comunicación con sus fans sea dinámica y, además, tendrá la seguridad de que sus publicaciones siempre llegan al destinatario.

Un punto a tratar, es la calidad y cantidad del material que publique. Si genera una cantidad de "ruido" excesiva o de baja calidad, provocará que algunos usuarios dejen de seguirle o no le recomienden.

Debe prestar especial atención a este aspecto, es de vital importancia para el éxito de su página.

Promoción

Cualquier contenido que comparta aparecerá inmediatamente en las últimas noticias de todos los usuarios que le siguen.

Esta acción tiene un enorme valor añadido debido a que estos usuarios son especialmente permeables a sus propuestas, puesto que ya han manifestado su afinidad para con su proyecto.

Su proyecto paso a paso

Ahora que ya tiene claras las virtudes y posibilidades de las páginas de Facebook llega el momento de ponerse manos a la obra.

A lo largo de esta sección trataremos paso a paso como crear una nueva página, administrarla y dotarla de contenidos. Así mismo, descubrirá las herramientas de promoción de las que le provee el sistema y cómo sacarles partido.

Para que la experiencia sea lo más didáctica y práctica posible, podrá ver cómo crear un proyecto desde cero. En este caso se usará como ejemplo una agencia de viajes ficticia a la que vamos a llamar "Astur Viajes".

Crear una página

Paso 1

Pese a que existen distintas maneras de comenzar el proceso, tal vez la más sencilla y práctica consista en teclear en la barra de direcciones de su navegador la dirección: *http://www.facebook.com/pages/create.php*.

Al hacerlo aparecerá la ventana **Crear una página**, donde deberá elegir de entre las categorías principales disponibles, la que más se ajuste a sus intereses: lugar o negocio local, empresa, organización o institución, marca o producto, artista, grupo de música o personaje público, entretenimiento y causa o temática (véase Figura 9.3).

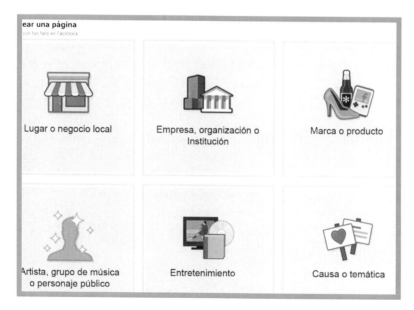

Figura 9.3. Crear una página

Qué puede hacer Facebook por su empresa

Aunque en un momento dado cambiara la ubicación de la aplicación *Páginas*, siempre podría llegar a ella usando el buscador presente en la barra de navegación superior (véase Figura 9.4).

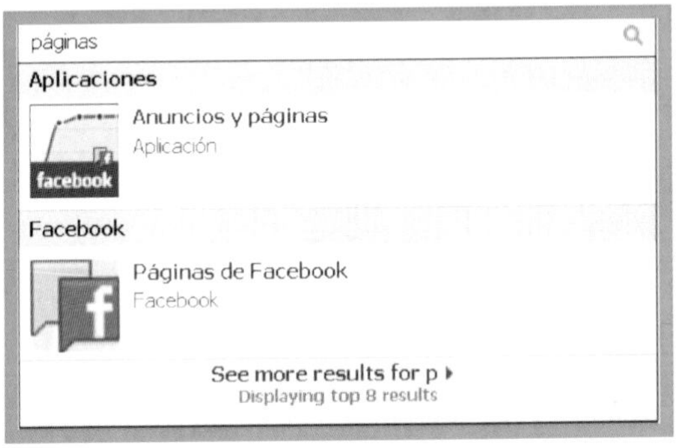

Figura 9.4. Resultados de búsqueda Anuncios y páginas

Anuncios y páginas

Le mostrará información adicional sobre las posibilidades de los anuncios y las páginas de Facebook para llegar a la ventana *Crear página*. Pulse sobre el vínculo **Página de Facebook** y, en la siguiente ventana, haga clic sobre **Crea una página**, situado en la esquina superior derecha.

Páginas de Facebook

Contiene un directorio con todas las páginas existentes, clasificadas por categorías. Del mismo modo que en el caso anterior pulse sobre el botón **Crear una página**, presente en la esquina superior derecha.

Paso 2

Parece que para nuestro ejemplo, **Astur Viajes**, la categoría más apropiada sería *Lugar* o *negocio local*; pulse sobre ella, aparecerá un formulario que deberá cumplimentar. Cuando termine marque la casilla de aceptación de condiciones y haga clic sobre el botón **Comenzar** (véase Figura 9.5).

Lugar o negocio local
Únete a tus fans en Facebook.

Negocio Local

Astur Viajes

Avd. La Albufera 34 Local

Oviedo, Spain

33659

985123456   **Comenzar**

☑ Acepto las Condiciones de las páginas
de Facebook

Figura 9.5. Información básica

En unos segundos, aparecerá su nueva página de Facebook, aún pendiente de personalizar como **Astur Viajes**. Como ve, guarda muchas similitudes con cualquier perfil personal, por lo que le resultará mucho más sencillo hacerse con ella (véase Figura 9.6).

Figura 9.6. Página de Astur Viajes

> **Nota:** Tenga en cuenta que para iniciar el proceso no es imprescindible contar con una cuenta. Si no la tuviera, el sistema le mostrará un paso intermedio donde deberá registrarse creando así una cuenta comercial. Sin embargo, no está obligado a crear un perfil asociado.
>
> Así mismo, si no ha iniciado sesión el sistema le pedirá que lo haga introduciendo sus datos de registro.

Primeros pasos

Lo primero que debería hacer con su nueva página es dotarla de vida y contenido para hacerla más atractiva. Una vez terminada, invite a sus amigos o clientes para que la visiten. Como puede ver en la imagen anterior el sistema le propone algunos pasos iniciales para ayudarle en la tarea.

Añadir una imagen como foto de perfil

Ya conoce la importancia de la imagen que proyecte su empresa entre sus visitantes. Sin lugar a dudas, un buen logotipo o imagen de marca es fundamental para empezar por buen camino.

Al igual que en un perfil personal, puede comenzar el proceso de carga situando el cursor del ratón sobre la imagen por defecto y pulsando sobre el vínculo **Cambiar foto**, que aparecerá en la esquina superior derecha.

Sin embargo, la forma más sencilla en este momento consiste en pulsar sobre el vínculo **Carga una imagen** y seguir el procedimiento habitual (véase Figura 9.7).

Figura 9.7. Carga una imagen

Invite a sus amigos

Si ya cuenta con un perfil personal seguramente tenga algunos amigos en él. En este paso podrá enviarles una invitación a que conozcan la página de su negocio. Para lograrlo, pulse sobre **Sugerir esta página a mis amigos** (véase Figura 9.8).

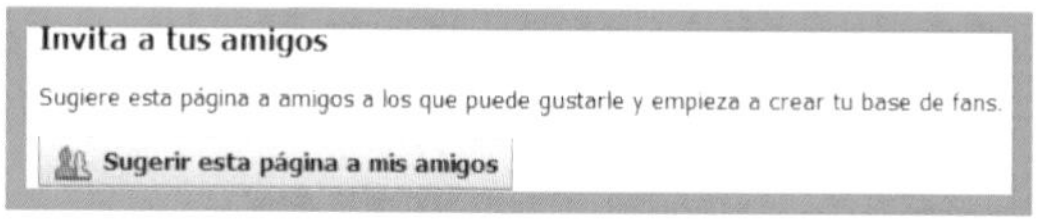

Figura 9.8. Invita a tus amigos

Al hacerlo se mostrará una nueva ventana donde podrá escoger los amigos a los que desea enviar una invitación simplemente haciendo clic sobre ellos. Cuando haya terminado pulse sobre **Enviar Invitaciones**.

Informe a sus clientes

Si ya cuenta con una cartera de clientes podrá enviarles una circular informándoles de su presencia en Facebook.

El sistema le proporciona la posibilidad de introducir un listado de contactos importándolo de Outlook o cualquier otro gestor de correo, o bien, buscar entre los contactos de su correo electrónico del mismo modo que lo hizo a la hora de crear su perfil personal.

> **Nota**: Esta acción está limitada a un máximo de 5000 contactos simultáneamente.

Pulse sobre **Importar contactos** para comenzar (véase Figura 9.9).

Figura 9.9. Informe a sus clientes

Qué puede hacer Facebook por su empresa

Publicar contenido

Lo primero que debe hacer, antes incluso de enviar invitaciones o publicitar su nueva presencia, es dotarla de contenido que pueda resultar interesante para sus visitantes. De este modo logrará resultados desde el minuto cero.

Las similitudes entre un perfil personal y una página de Facebook son muchas, la mecánica es idéntica, por lo que, si dispone de material para publicar, puede hacerlo pulsando directamente sobre la pestaña muro y usando el *Editor*. Otra opción es haciendo clic en este momento en el botón **Publicar una actualización** (véase Figura 9.10).

Publicar actualizaciones de estado

Comparte tus últimas noticias.

    💬 **Publicar una actualización**

Figura 9.10. Publicar una actualización

Empezar a promocionar su página

La mejor manera de empezar a dar a conocer su página es incluir un enlace a la misma en la portada de su página web. Facebook le proporcionará un módulo multimedia que podrá colocar sin dificultad. Haga clic sobre **Añadir un recuadro "Me gusta"** para ver cómo lograrlo (véase Figura 9.11).

Figura 9.11. Crear un módulo promocional

Éste y otros medios de promoción se tratarán en detalle más adelante, en la sección *Promocionar una página*.

Una vez que haya terminado este primer contacto, su página seguramente tenga un aspecto similar a éste (véase Figura 9.12).

Figura 9.12. Página de Facebook de Astur Viajes

Desde el momento en que administre una página o un anuncio, se convierte en usuario de la aplicación *Anuncios y páginas* y dispondrá de una nueva categoría en el menú de su página de inicio desde la que acceder a sus proyectos (véase Figura 9.13).

Figura 9.13. Aplicación Anuncios y páginas

Opciones de edición

Desde el menú de edición podrá controlar todos los parámetros que afecten a su página. Su funcionamiento y opciones son semejantes a los de su perfil personal, por lo que no le costará habituarse a él.

La forma más rápida de acceder a la edición es pulsando sobre el botón **Editar la página** que encontrará en la esquina superior derecha de la misma (véase Figura 9.12).

Al hacerlo verá la ventana principal de edición de su página, que contiene distintas categorías (véase Figura 9.14).

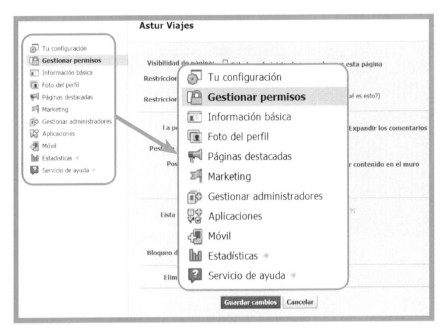

Figura 9.14. Edición de página y categorías disponibles

Tu configuración

En esta categoría podrá escoger si desea publicar en la página bajo el nombre de "Astur Viajes" o con el de su perfil personal.

En cualquier momento puede empezar a navegar y firmar en Facebook como Astur Viajes sin necesidad de modificar esta opción. Para ello, pulse sobre el vínculo **Usar Facebook como página**, que está disponible en el desplegable del menú *Cuenta*, situado en la barra de navegación superior.

Para volver al modo de navegación normal usando su perfil personal haga clic sobre la opción **Volver a + Nombre de usuario**, dentro del menú *Cuenta*.

También le será posible escoger si desea recibir una notificación por correo electrónico, cada vez que alguien publique en el muro de su página.

Gestionar permisos

Esta ventana contiene todo lo referente al control de privacidad. Podrá elegir si sus visitantes pueden escribir en su muro, publicar fotos o vídeos, restringir la visibilidad en función de la edad o la nacionalidad o escoger que pestaña desea que se muestre por defecto.

Las páginas de Facebook le permiten un filtro de contenidos del tipo diccionario, es decir, podrá crear un listado de términos prohibidos, impidiendo de esta manera que se puedan usar en su página.

> **" Nota**: Esta categoría contiene la opción que le permitirá eliminar su proyecto. Si desea suprimirlo pulse sobre **Borrar permanentemente esta página**.

Información básica

Aquí encontrará los datos: categoría, dirección, teléfono que incluyó a la hora de crear la página, etc. Aparte de modificarlos, podrá añadir información adicional como horarios o precios y, además, dispone de dos campos para hablar de su empresa y filosofía. No olvide escoger una descripción acertada que pueda beneficiarle en los motores de búsqueda.

Esta categoría contiene la opción que le permitirá, tal y como comentamos anteriormente, solicitar un nombre de usuario para poder disponer de una dirección más sencilla de recordar y por lo tanto más efectiva. Pulse sobre el vínculo **Crear nombre de usuario** para escoger uno.

La mecánica es exactamente igual a la que vio a la hora de crear un nombre de usuario para su perfil personal. Recuerde que para solicitar un nombre para su página, ésta debe contar con al menos veinticinco seguidores.

Foto de Perfil

Como su propio nombre indica contiene las opciones de gestión de su foto de perfil, además del control del programa Photostream, encargado como sabe de las fotos que aparecen en la cabecera.

Páginas destacadas

Del mismo modo que en su perfil personal podía destacar determinadas listas de amigos o amistades concretas, aquí puede hacerlo con páginas amigas o con los propietarios de las mismas. Para ello, en primer lugar debe navegar como página y hacerse seguidor de la que le interese.

Una vez hecho, pulse sobre los vínculos Agregar *"Me gusta"* destacados o *Agregar propietarios de páginas destacadas*, según corresponda.

Esta es una buena manera de intercambiar promoción con páginas afines, que le generará seguidores y un aumento de tráfico, lo que significa un extra de clientes en potencia.

Marketing

Esta categoría contiene las posibilidades de promoción que le sugiere Facebook de forma predeterminada, las verá en detalle un poco más adelante.

Gestionar administradores

Tal como ocurría en los grupos, podrá nombrar y eliminar administradores para su página con unos pocos clics. Si permite que sus seguidores publiquen, debe realizar un seguimiento exhaustivo de los contenidos para atajar cualquier problema de forma inmediata.

Aplicaciones

Las páginas permiten el uso de aplicaciones para añadir funcionalidades. En este renglón, el sistema le sugiere algunas de las más habituales y útiles.

Móvil

Bajo esta denominación encontrará información adicional sobre cómo publicar contenidos mediante su teléfono móvil o enviando correos electrónicos, así como la manera de llegar a su página desde Facebook móvil o aplicaciones dedicadas, como Facebook para Iphone.

Estadísticas

Si pulsa sobre ella accederá a las estadísticas de su página, recuerde que también puede hacerlo pulsando sobre el vínculo **Ver estadísticas** situado en la parte superior derecha de la portada.

En la esquina superior derecha de la ventana de la aplicación estadísticas, encontrará el botón **Crear un anuncio**. Al pulsar sobre él iniciará el proceso para lograrlo.

Ayuda

Al hacer clic sobre este renglón será redirigido al servicio de ayuda, concretamente a la sección referente al servicio de páginas, en el puede consultar cualquier duda o buscar lo que le interese fácilmente.

Promocione su página

A lo largo de este capítulo se han tratado distintos conceptos relacionados con el marketing y la publicidad, cuya aplicación le será muy útil a la hora de conseguir seguidores para su página.

Una vez que tenga su nuevo proyecto en marcha y con suficientes contenidos como para darse a conocer, es el momento de tomar acciones para lograr que su página tenga el máximo de visitantes.

Facebook le facilita algunas herramientas básicas y otras más completas como los anuncios sociales para promocionar su negocio.

Crear una insignia

Tiene la posibilidad de crear una *insignia* de su página que podrá ubicar en cualquier sitio web externo, generando tráfico en ambas direcciones.

Una insignia no es más que un pequeño anuncio que suele contener una imagen descriptiva e información básica. Al pulsar sobre él, será redirigido a la página de Facebook que representa.

Crear una insignia es totalmente gratuito y puede hacerlo tanto de un perfil personal como de una página, en función de sus necesidades.

Continuando con el ejemplo de nuestra agencia de viajes de cabecera, vamos a mostrarle como lograrlo en pocos pasos.

Paso 1

Vaya a la categoría *Marketing*, dentro del menú de edición de su página, haga clic sobre ella y pulse sobre el vínculo **Consigue una insignia**.

> **Nota**: Obtendrá el mismo resultado si introduce en la barra de direcciones de su navegador la dirección *http://www.facebook.com/badges/* y, de entre las opciones mostradas, escoge **Insignia de página**.
>
> Desde esta pantalla podrá crear todos los tipos disponibles: *Insignia de perfil*, *Insignia "Me gusta"*, *Insignia con foto* y, por último, *Insignia de página*.

Paso 2

A continuación, verá la página de gestión de insignias, donde encontrará una propuesta para su página, junto a un cajón de texto conteniendo el código fuente que deberá copiar y posteriormente pegar en su sitio web para que su nueva insignia sea visible (véase Figura 9.15).

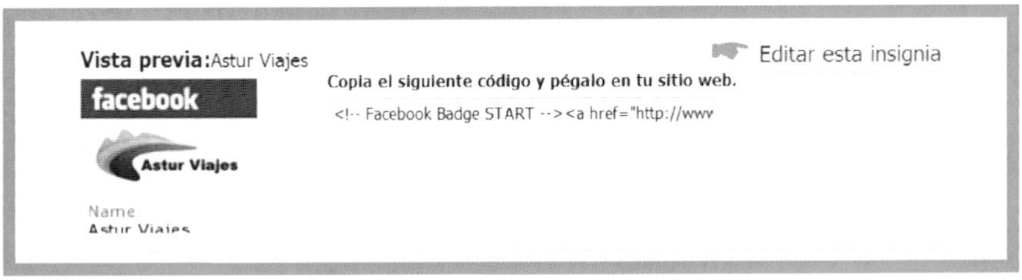

Figura 9.15. Vista previa de Insignia

Al pulsar sobre la vista previa de su nuevo anuncio verá el resultado propuesto. Si no está conforme puede modificarlo de forma sencilla. Pulse sobre el vínculo de la imagen superior, **Editar esta insignia** (véase Figura 9.16).

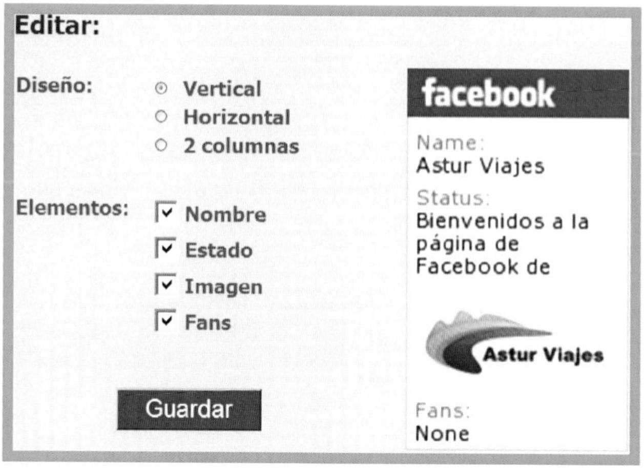

Figura 9.16. Edición de insignia

Como ve en la imagen anterior, puede elegir tanto el formato como el contenido que más se ajuste a su sitio web. Para ello, marque o desmarque las casillas de verificación. Conforme vaya realizando ajustes, la vista previa de su insignia los irá reflejando en tiempo real. Cuando haya terminado, pulse sobre **Guardar**.

Paso 3

Para finalizar, copie el código fuente que le proporciona el sistema y añádalo en su página web en el lugar que le parezca más oportuno.

Una vez que lo haga, el servicio comenzará a funcionar de manera inmediata. Cada vez que uno de sus visitantes pulse sobre su nueva insignia, será redirigido a su página de Facebook.

Agregar el botón "Me gusta" a su sitio web

Si lo desea, puede añadir un módulo más completo que permite ver las últimas publicaciones de su página sin necesidad de salir de su sitio web e incluye el botón "Me gusta", dándole a sus visitantes la posibilidad de seguirle directamente.

1. Vaya a la categoría *Marketing*, dentro del menú de edición de su página, haga clic sobre ella y pulse sobre el vínculo **Agrega el botón "Me gusta" en tu sitio web**.

2. A continuación, verá una ventana de configuración en la que podrá modificar distintos parámetros referentes a su anuncio (véase Figura 9.17).

Introduzca la dirección de su página de Facebook y pruebe los distintos ajustes para modificar el tamaño y la información mostrada, hasta dar con la combinación que le satisfaga.

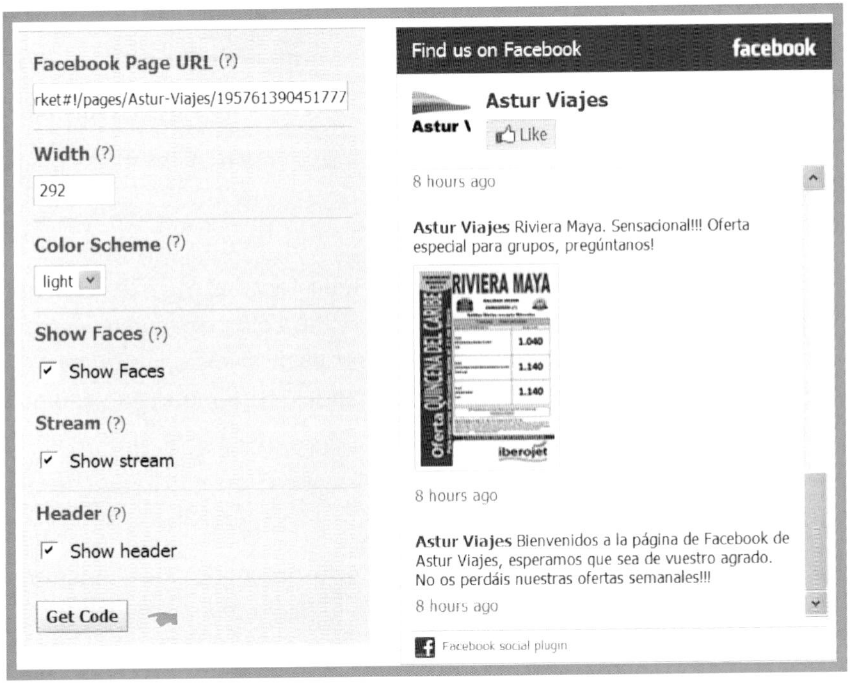

Figura 9.17. Configuración de módulo Me Gusta

3. Cuando obtenga el resultado deseado, pulse sobre el botón **Get Code/Obtener código** y, al igual que en el caso anterior, copie el código y péguelo en su sitio web.

Anúnciese en facebook

Facebook cuenta con un potente sistema de anuncios que le permitirá crear uno a su medida, escoger el público objetivo y la cantidad de dinero que desea invertir en la campaña, de forma rápida y sencilla.

Los anuncios se muestran en las diferentes páginas del sistema, así como en los perfiles de los usuarios, en relación con sus gustos e intereses.

Su función es la de promocionar páginas de Facebook o sitios web externos de cualquier tipo, por lo tanto, con ellos podría crear una campaña publicitaria a gran escala para su empresa u organización, el lanzamiento de un producto, o un evento determinado.

El potencial de esta herramienta es enorme, su uso dentro una estrategia de marketing inteligente, garantiza un aumento de tráfico exponencial hacía el objeto de la campaña.

A la hora de crear un anuncio debe tener en cuenta distintos aspectos clave para la efectividad del mismo. Puede tomar como muestra los que vio referidos a las estrategias y adaptarlos al concepto de anuncios: *objetivos de la campaña/enfoque*, *target*, c*ontenidos* y *entorno amigable/usabilidad*.

De nuevo, el contenido se perfila como la característica más relevante de cualquier anuncio. En este caso deberá, en pocas palabras y ayudado por una imagen descriptiva, ser lo suficientemente claro, directo y atractivo, para provocar la acción deseada, que no es otra que *el clic del usuario*.

Anuncios sociales e Historias patrocinadas

Los anuncios sociales y las historias patrocinadas representan un plus sobre los anuncios tradicionales, que aumenta considerablemente su eficacia, implicando a los usuarios del sistema en la propia campaña.

Mark Zuckerberg, creador de Facebook, en la presentación de este modelo de promoción afirmo *"Las personas influyen sobre otras personas"*, *"Nada influye más sobre alguien que la recomendación de un amigo de confianza"*. Y tiene toda la razón.

La idea es sencilla, a la par que innovadora. Los usuarios verán en sus perfiles anuncios relacionados con las actividades de sus amigos, dentro y fuera de Facebook. Este nuevo formato aprovecha las características virales del botón *"Me Gusta"* o de los *"Check-in"*[30] de Facebook Places como herramienta de promoción.

---

30 Un Check-in en Places es la acción de compartir con el resto de usuarios el lugar en el que se encuentra.

Por ejemplo, si Juan se convierte en seguidor de la agencia de viajes **Astur Viajes** y ésta tiene en marcha una campaña, en los perfiles de sus amistades aparecerá el anuncio promocional de la agencia, con un añadido donde indicará que a Juan le gusta.

Las historias patrocinadas por su parte, suponen un paso adelante sobre el mismo concepto, asociando el nombre de un usuario con cualquier anunciante o aplicación con la que haya tenido alguna interacción, aunque sea de forma indirecta.

Volvamos con nuestro amigo Juan. Suponga que tras leer una de las crónicas de viajes publicadas por **Astur Viajes** decide escribir un comentario sobre ella en la página de la agencia.

Pues bien, al hacerlo, el sistema de anuncios mostrará en las últimas noticias de los perfiles de sus amistades este comentario asociado a la imagen de marca, de tal manera que convierte esta acción habitual en una recomendación personal.

Figura 9.18. Historia patrocinada aplicación Shazam + Itunes

En la imagen anterior, vemos como una acción del usuario Eduardo en la aplicación Shazam, que permite encontrar y adquirir música, da como resultado una publicación en las últimas noticias de sus amistades (véase Figura 9.18).

Sin lugar a dudas podemos aventurar que la publicidad personaliza-da simboliza el futuro del marketing en la red y fuera de ella como verá cuando mencionemos las posibilidades de Facebook Places como herramienta promocional.

El sistema le garantiza que no se cederá ningún dato personal que no sea público a las empresas anunciantes, por lo tanto, es el propio usuario el que decide qué información comparte.

Recuerde que puede escoger si desea o no que su información sea usada en los anuncios sociales, dentro de la configuración de su cuenta, en el apartado *Anuncios de Facebook*. Puede verlo en detalle en el capítulo seis.

Creación de anuncios y campañas

Llegados a este punto, seguramente ya esté convencido de las ventajas que puede suponer para su negocio la creación de una campaña de publicidad en Facebook.

Por ello, utilizando el ejemplo de **Astur viajes** vamos a ver cómo crear un anuncio promocional de su página de Facebook.

Paso 1

En primer lugar haga clic sobre el vínculo **Promocionar con un anuncio** que encontrará en la portada de su página, en el menú situado en la parte superior derecha (véase Figura 9.19).

Figura 9.19. Promocionar con un anuncio

> **Nota**: Si desea crear un anuncio para un sitio web externo pulse sobre el vínculo **Publicidad** que encontrará en la parte inferior de todas las páginas de Facebook y, en la ventana resultante, haga clic sobre el botón **Crear anuncio**.
>
> La mecánica es semejante al ejemplo propuesto, la única diferencia consiste en que en el formulario inicial, deberá introducir la dirección del sitio web al que desea que apunte su anuncio.

Paso 2

Una vez hecho, aparecerá un formulario dividido en tres apartados que deberá completar: *Diseña el anuncio*, *Público objetivo* y *Campañas, precio* y *programación*.

Diseña el anuncio

En este apartado se contemplan todos los datos referentes al contenido visual de su anuncio. Recuerde la importancia capital que tiene elegir un título, imagen y texto adecuado (véase Figura 9.20).

- *Destino*: En el menú desplegable podrá escoger, si dispone de varias páginas, aquella que quiera promocionar o bien introducir un dirección de una página externa.

- *Tipo*: Las opciones disponibles son *Anuncios de Facebook* o *Historias patrocinadas*, escoja en función del tipo de anuncio que desee.

- *Pestaña de destino*: Aquí podrá elegir en qué pestaña prefiere que se muestre su anuncio, lo más recomendable es marcar "Por defecto" (*default*).

- *Título*: En el caso de una página se corresponderá con el nombre de la misma, si fuera un sitio externo podría modificarlo hasta un máximo de 25 caracteres.

- *Texto*: Escriba en este campo el texto que acompañará a su anuncio, hasta un máximo de 100 caracteres.

- *Imagen*: Si no le gusta la propuesta, puede cambiarla por la que prefiera, siguiendo el procedimiento y con las limitaciones habituales.

- *Vista previa*: Por último verá una vista previa conforme a su elección.

Figura 9.20. Apartado Diseña el anuncio

Público objetivo

En este apartado deberá definir cuál es el *target* al que destina su anuncio (véase Figura 9.21).

Qué puede hacer Facebook por su empresa

Ubicación

País: España ×

                 ⊙ En todas las ubicaciones
                 ○ Por ciudad [?]

Datos demográficos

Edad: 18   ▾ - Cualquier edad ▾

                 ☐ Requerir coincidencia por edad exacta

Sexo: ⊙ Todos   ○ Hombres   ○ Mujeres

Gustos e intereses

                 Introduce un interés de tu público objetivo

Conexiones en Facebook

Conexiones: ○ Cualquiera
                 ⊙ Solo personas que no sean fans de **Astur Viajes**.
                 ○ Solo personas que sean fans de **Astur Viajes**.
                 ○ Segmentación avanzada

Amigos de los usuarios
conectados con el   ☐ Mostrar mi anuncio solo a amigos de los fans de **Astur Viajes**.
objeto del anuncio:

Datos demográficos avanzados

Fecha de nacimiento: ☐ Mostrar el anuncio el día del cumpleaños del usuario

Inclinación sexual: ⊙ Todos   ○ Hombres   ○ Mujeres

Relación: ☑ Todos   ☐ Soltero(a)   ☐ Comprometido(a)
                                    ☐ Tiene una relación   ☐ Casado(a)

Idiomas: Escribe un idioma

Formación y empleo

Formación académica: ⊙ Todos
                       los niveles
                       de   ○ Con estudios universitarios
                       formación

                                   ○ En la universidad

                                   ○ En la escuela secundaria

Lugares de trabajo: Introduce una empresa, organización u otro lugar de trabajo

Figura 9.21. Apartado Público objetivo

- *Ubicación*: El sistema le permite acotar a qué países va destinada su campaña, en el caso del ejemplo, sería únicamente España.

- *Datos demográficos*: Como puede ver, podrá discriminar entre sexo y rango de edades, la segmentación es una herramienta fundamental a la hora de definir el público objetivo.

- *Gustos e intereses*: Introduzca gustos e intereses que identifiquen el perfil de cliente que busca, por ejemplo "viajar".

- *Conexiones en Facebook*: Esta característica le permitirá acotar más si cabe el destinatario medio de su anuncio.

- *Datos demográficos avanzados*: Del mismo modo, podrá escoger características particulares. Suponga que desea realizar ofertas especiales para "*Singles*", marcando la casilla *Soltero/a* filtraría el público, concretamente dirigiéndolo a las personas que manifiestan encontrarse en dicha situación.

- *Formación y empleo*: Como ve, puede discriminar en función del nivel de estudios o la pertenencia a una empresa o lugar de trabajo determinado.

Conforme vaya modificando los distintos ajustes referentes al público objetivo, el sistema le mostrará un módulo informativo, conteniendo la cifra aproximada de los usuarios que coincidan con los criterios de su campaña (véase Figura 9.22).

Figura 9.22. Estimación orientativa del público objetivo

Campañas, precio y programación

Es el momento de escoger un nombre para su campaña que le servirá para identificarla en el caso de que tenga varias en marcha, así como definir tanto la cantidad de dinero que desea invertir, como la duración de la misma (véase Figura 9.23).

- *Nombre de la campaña*: Introduzca un nombre para individualizarla.

- *Presupuesto*: Aquí puede escoger un presupuesto diario o uno global para toda la campaña, como recomendación, resulta una buena idea comenzar por un presupuesto diario.

- *Calendario*: Puede programar un periodo de tiempo para su campaña o bien mantenerla en marcha hasta que decida lo contrario.

- *Pago*: Deberá escoger si prefiere pagar por impresiones (CPM) o por clics (CPC).

Si decide pagar por impresiones el sistema le facturará una cantidad fija cada mil de ellas. Se considera una impresión cada vez que su anuncio aparece publicado en cualquier página de Facebook.

Por el contrario, el pago por clics significa que solo pagará cada vez que un usuario pulse sobre su anuncio. Tal vez ésta sea la mejor opción, ya que implica necesariamente una interacción con el usuario, que es precisamente el objetivo de cualquier campaña publicitaria.

Facebook es el encargado de gestionar y escoger que anuncios se mostrarán en primer lugar, el precio que escoja pagar por cada clic o impresión determinará una mayor o menor presencia.

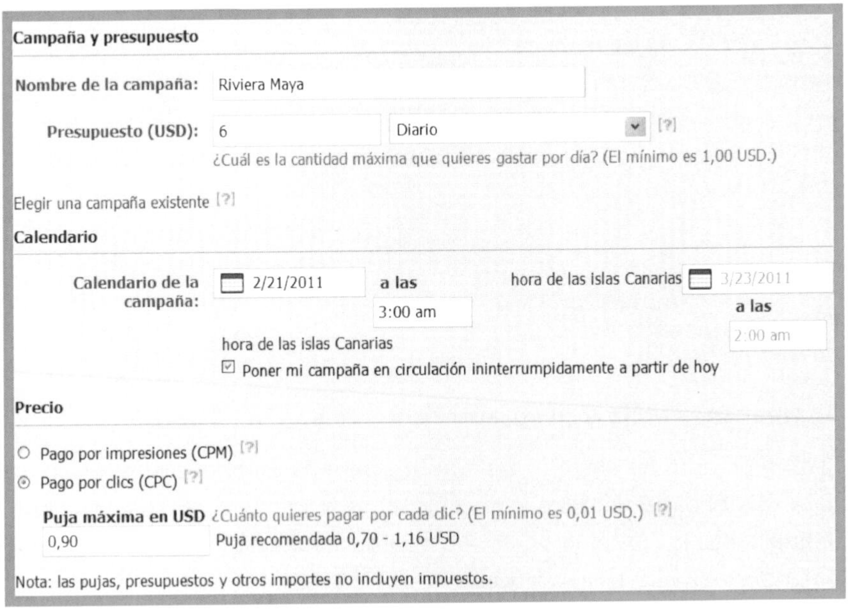

Figura 9.23. Apartado Campañas, precio y programación

Paso 3

Por último, para poner su campaña en funcionamiento pulse sobre el botón **Realizar pedido** que encontrará al final de la página. Si desea ver un resumen y una vista previa del anuncio antes de cursarlo, haga clic sobre **Revisar el anuncio**.

Administración, gestión y seguimiento de campañas

Tras poner en marcha su anuncio, el sistema le redirigirá a la ventana de administración, gestión y seguimiento de campañas (véase Figura 9.24).

Figura 9.24. Administración, gestión y seguimiento de campañas

Posteriormente, podrá llegar hasta ella pulsando sobre la aplicación **Anuncios y páginas**, presente en el menú principal de su página de inicio (véase Figura 9.13), o bien usando el buscador de la barra de navegación superior.

La ventana de administración le permite hacer el seguimiento y modificar cualquier parámetro referido a sus campañas.

En la mitad superior, aparte de la posibilidad de iniciar la creación de un nuevo anuncio, pulsando sobre **Crea un anuncio**, podrá ver las últimas notificaciones y el gasto diario de sus campañas.

Inmediatamente debajo encontrará varios botones de acción. El primero de ellos, *Estadísticas totales*, le permitirá consultar las estadísticas de su campaña por franjas de tiempo. El segundo, *Todas menos las borradas*, tiene como función darle a elegir que campañas quiere visualizar en pantalla en función de su estado. El tercero, *Selecciona las líneas que editar,* únicamente se activará si marca la casilla de alguna de sus campañas, cambiando a *Editar una línea y Guardar/Cancelar.* Por último, *Informe completo,* le mostrará un dossier exhaustivo de la campaña que escoja.

- **Campaña**: Muestre el nombre de su campaña. Si pulsa sobre él, entrará en el detalle de la misma donde, entre otras cosas, podrá consultar si se encuentra activa, así como editar y modificar todos los parámetros que le afectan: nombre, estado, coste, presupuesto, duración y coste por clic/impresión.

> **Nota**: Una campaña puede tener varios anuncios de forma simultánea. Para obtener información sobre su estado deberá entrar en ella, pulsando sobre su nombre.

- **Estado**: Le indica si se encuentra activa o en pausa. También contiene la opción **Eliminar** que, si pulsa sobre ella, previa confirmación, suprimirá su campaña.

- **Fecha de inicio**: En este campo figura la fecha y la hora en la que dio comienzo.

- **Fecha de finalización**: Si ha programado una fecha y hora en la que debe finalizar, aparecerá aquí.

- **Presupuesto**: Indica el gasto diario escogido a la hora de crearla.

- **Importe restante**: Aquí verá cuánto de su presupuesto diario sigue disponible.

- **Gasto**: En él figura el gasto total hasta la fecha.

Puede editar y modificar los campos *Campaña*, *Estado* y *Presupuesto* desde esta ventana, para lograrlo, sitúe el cursor del ratón sobre ellos y pulse sobre el icono con forma de lápiz. Cuando haya terminado haga clic sobre el botón **Guardar** para confirmar los cambios.

Obtendrá el mismo resultado si marca la casilla de la campaña que desea modificar y pulsa sobre el botón **Editar una línea**.

Qué puede hacer Facebook por su empresa

Facebook Connect

Con Connect, Facebook le ofrece la posibilidad de integrarse en la página web de su negocio, convirtiendo la navegación en una experiencia "social" para los usuarios que lo deseen.

Permite al usuario llevar su identidad de Facebook consigo en su navegación diaria en Internet. De esta manera, no precisará registrarse nuevamente en cada sitio web que frecuente siempre que esté asociado al sistema, eliminando de un plumazo la incomodidad que suponen los distintos formularios de registro.

A lo largo de este capítulo se ha mencionado en varias ocasiones que el contenido generado por sus amistades resulta más atractivo y, por lo tanto, de un mayor valor comercial. Esa es precisamente la finalidad de Connect.

Cuando un usuario visite su sitio web usando este sistema obtendrá contenidos personalizados, generados por la actividad de sus amigos en la página. Verá lo que les ha gustado, qué han comprado o las secciones que han visitado.

Aparte, como ya habrá supuesto, cualquier acción que lleve a cabo, será susceptible de aparecer en las noticias de su perfil y por tanto en las de sus amistades, generando así una fuente de tráfico adicional hacia el origen y un efecto viral.

¿Cómo funciona?

Todas las páginas asociadas a Connect, disponen en su portada de un botón para identificarse mediante una cuenta de Facebook. Cuando un usuario está interesado en utilizar esta función, debe pulsar sobre él y permitir el acceso de la página a su información básica, necesaria para conseguir el efecto social perseguido (véase Figura 9.25).

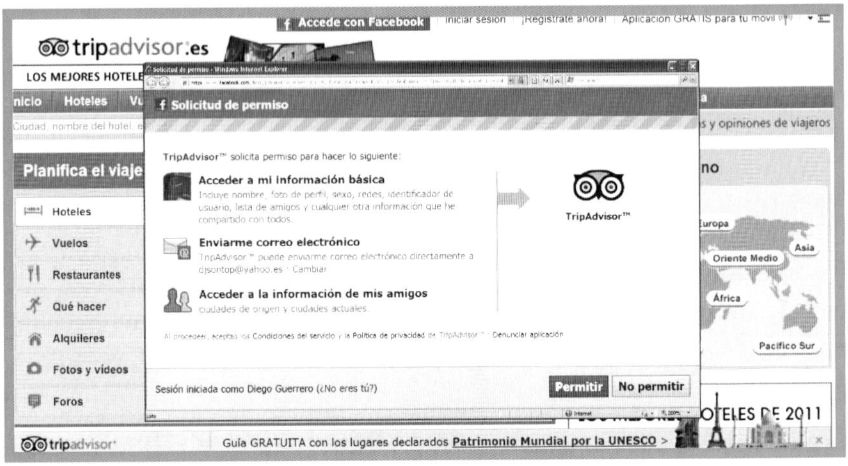

Figura 9.25. Facebook Connect en Tripadvisor

A partir de ese momento, cada vez que visite la página, será automáticamente identificado en el sistema, obteniendo resultados y experiencias sociales en base a la navegación de sus amistades. Claro está, la efectividad depende de que éstas también usen Connect en las mismas páginas.

¿Cómo solicito Facebook Connect para mi sitio web?

Para obtener información adicional, así como soporte a la hora de integrar ésta y otras soluciones avanzadas, deberá visitar la zona de desarrolladores, introduciendo la dirección *http://developers.facebook. com/* en su navegador.

> **Nota**: Una vez que permita el acceso de un sitio web a su perfil, aparecerá como aplicación en la configuración de privacidad referente a aplicaciones y sitios web. Le será posible editar sus permisos o suprimirla del mismo modo que con cualquier otra app.

Facebook Places como herramienta promocional

Quizás el único nicho de mercado aún sin explotar en el ámbito del marketing se refiera a las posibilidades móviles. En el caso concreto de Facebook, más de 250 millones de usuarios, casi 10 millones de ellos en España, se conectan habitualmente a través de sus teléfonos móviles.

Places es la respuesta de Facebook para aprovechar el potencial y posibilidades de promoción móviles, como sabe, se vio en profundidad en el capítulo ocho, se trata de un completo sistema de geolocalización integrado en la red social.

Existen distintas formas de usar Places como herramienta promocional:

- Cuando un usuario busque lugares cercanos puede destacar los que le ofrezcan algún tipo de descuento o promoción.

- Su negocio, puede premiar el número de "*Check Ins*" de un mismo usuario con ofertas o acciones comerciales adicionales (fidelización).

- Presencia en Rankings, la cantidad de "*Check Ins*" puede mejorar su posición en listados de establecimientos recomendados, aumentando así el número de visitantes.

- Le permitirá estar al tanto de las campañas de promoción de su competencia más inmediata, proporcionándole un margen para reaccionar.

Es preciso destacar su valor como herramienta de estudio y mercado-tecnia. Analizando los *Check Ins* de su negocio, podrá establecer un modelo, sobre los usos y costumbres de sus clientes: Días y horas de máxima afluencia, resultado de sus campañas de promoción, reacción comparativa ante cualquier cambio introducido, etc.

¿Cómo solicito Facebook Places para mi negocio?

Lo primero que debe hacer es crear una *Página de lugar*, la mejor manera de lograrlo es desde su dispositivo móvil, siga estos pasos:

1. Entre en la aplicación Places (Lugares) desde su negocio.

2. Use el cambo de búsqueda para localizar su establecimiento, si no está dado de alta, aparecerá la opción "**Añadir + nombre**". Pulse sobre ella y en la siguiente ventana incluya una descripción.

3. Cuando termine, pulse sobre **Aceptar**. El sistema creará una *Página de lugar* de su negocio.

Es muy probable que alguno de sus clientes ya lo haya añadido. Si es su caso, visite el sitio web de Facebook y localice su página con el buscador. Cuando lo haya hecho, pulse sobre el vínculo **¿Este negocio es tuyo?**

Una vez que el sistema reciba su solicitud y realice las comprobaciones de identidad oportunas, seguramente se le pedirá algún tipo de documento acreditativo. Podrá comenzar a operar con su nueva página, que contendrá toda la información que le proporciona Places: visitas, seguimiento de horarios, afluencia, comentarios, etc.

Si ya dispone de una página tradicional, tal vez le interese fusionarla con su nuevo lugar, de esta manera podrá controlar ambas desde un mismo sitio. Para ello, pulse sobre el vínculo situado en el menú lateral izquierdo de su página de lugar **Fusionar con la página existente** y siga las instrucciones.

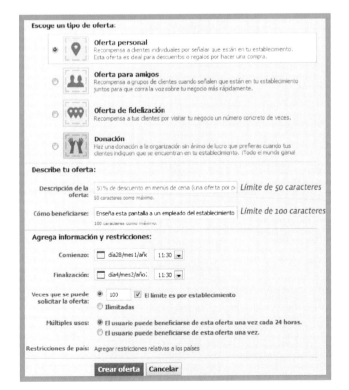

Figura 9.26. Creación de una oferta en Places

Para crear una campaña de ofertas móviles siga estos pasos:

1. Vaya a su página de lugares y pulse sobre el vínculo **Crear una oferta** que encontrará habitualmente en el menú lateral izquierdo.

2. Escoja el tipo de oferta, así como las condiciones particulares (véase Figura 9.26).

3. Cuando termine pulse sobre el botón **Crear oferta**.

4. Una vez aprobada, su oferta se activará de manera inmediata.

Podrá encontrar información adicional sobre las ofertas, así como soporte dentro del servicio de ayuda en la sección *Lugares*, categoría *Ofertas* de Facebook.

Índice alfabético

Índice alfabético

Índice alfabético